چراغ‌ها را من خاموش می‌کنم

زویا پیرزاد

چراغ‌ها را من خاموش می‌کنم

نشر مرکز

چراغ‌ها را من خاموش می‌کنم
زویا پیرزاد
طرح جلد: ابراهیم حقیقی

© نشرمرکز چاپ اول ۱۳۸۰، شماره‌ی نشر ۶۱۲

چاپ چهل‌ویکم ۱۳۹۱، ۱۸۰۰ نسخه، چاپ سعدی
شابک: ۸-۶۵۶-۳۰۵-۹۶۴-۹۷۸

نشرمرکز: تهران، خیابان دکتر فاطمی، روبه‌روی هتل لاله، خیابان باباطاهر، شماره‌ی ۸
تلفن: ۳-۸۸۹۷۰۴۶۲ فاکس: ۸۸۹۶۵۱۶۹
Email: info@nashr-e-markaz.com

سرشناسه:	پیرزاد، زویا
عنوان و نام پدیدآور:	چراغ‌ها را من خاموش می‌کنم / زویا پیرزاد
مشخصات نشر:	تهران: نشرمرکز، ۱۳۸۰
مشخصات ظاهری:	۲۹۶ ص.
یادداشت:	ص.ع. به انگلیسی: Zoyā Pirzād. I'll Turn off the Lights
موضوع:	داستان‌های فارسی ــ قرن ۱۴
رده‌بندی کنگره:	PIR ۷۹۹۲ / ی ۴۴ چ ۴ ۱۳۸۰
رده‌بندی دیویی:	۸ فا ۳ / ۶۲
شماره‌ی کتاب‌شناسی ملی:	۲۵۱۷۰-۸۰ م

برای ساشا و شروین

این داستان واقعی نیست. آدم‌ها و اتفاق‌ها کاملاً خیالی‌اند و هرچند زمان کم و بیش مشخص است، برخی از مکان‌ها دستکاری شده‌اند.

زویا پیرزاد

۱

صدای ترمز اتوبوس مدرسه آمد. بعد قیژِ در فلزی حیاط و صدای دویدن روی راه‌باریکه‌ی وسط چمن. لازم نبود به ساعت دیواری آشپزخانه نگاه کنم. چهار و ربع بعد از ظهر بود.

درِ خانه که باز شد دست کشیدم به پیشبندم و داد زدم «روپوش درآوردن، دست و رو شستن. کیف پرت نمی‌کنیم وسط راهرو.» جعبه‌ی دستمال‌کاغذی را سُراندم وسط میز و چرخیدم طرف یخچال شیر در بیاورم که دیدم چهار نفر دمِ درِ آشپزخانه ایستاده‌اند. گفتم «سلام. نگفته بودید مهمان دارید. تا روپوش عوض کنید، عصرانه‌ی دوستتان هم حاضر شده.» خدا را شکر کردم فقط یک مهمان آورده‌اند و به دخترکی نگاه کردم که بین آرمینه و آرسینه این پا و آن پا می‌شد. از دوقلوها بلندقدتر بود و وسط دو صورت سرخ و سفید و گوشتالو، رنگ‌پریده و لاغر به نظر می‌آمد. آرمن چند قدم عقب‌تر ایستاده بود. آدامس می‌جوید و به موهای بلند دخترک نگاه می‌کرد. پیراهن سفیدش از شلوار زده بود بیرون و سه دگمه‌ی بالا باز بود. لابد طبق معمول با یکی دست به یقه شده بود. بشقاب و لیوان چهارم را گذاشتم روی میز و با خودم گفتم امیدوارم باز احضارنشوم مدرسه.

آرمینه نُک پا بلند شد و دست گذاشت روی شانه‌ی دخترک. «با امیلی توی اتوبوس آشنا شدیم.»

آرسینه دست کشید به موهای امیلی. «تازه آمده‌اند جی ۴.»

رول دیگری از جانانی درآوردم. چطور متوجه اسباب‌کشی نشده بودم؟ جی ۴ خانه‌ی روبه‌روی ما بود. آن طرف خیابان.

آرمینه پرید وسط فکرم. «دیروز اسباب‌کشی کردند.»

آرسینه ادامه داد «همان وقت که ما باشگاه بودیم.» بعد دوتایی چرخیدند طرف دخترک.

لبه‌ی جیب روپوش آرمینه برای خدا می‌داند چندمین بار شکافته بود. «قبلاً‌ها جی ۴ خانه‌ی سوفی بود.»

ندیده می‌دانستم لبه‌ی جیب آرسینه هم شکافته. «مامانِ سوفی خاله نیناست.»

بندینک یقه‌ی سفید آرمینه باز بود. «عمو گارنیک، بابای سوفی ——»

آرسینه بندینک یقه‌ی خودش را باز کرد. «وای که چقدر بامزه‌ست. نه آرمینه؟»

آرمینه تند سر تکان داد. «می‌میریم از دستش بس که می‌خندیم.»

یقه‌های هردو را باز کردم و به دخترک نگاه کردم که خیلی هم حواسش به دوقلوها نبود. دست‌ها را از پشت به هم قلاب کرده بود و زیرچشمی دوروبر را نگاه می‌کرد. لب‌هایش صورتی پررنگ بود. انگار ماتیک زده باشد. *رول* چهارم را از وسط قاچ دادم و گفتم «دست ـ وَ ـ رو ـ شستن.»

بیرون که رفتند وَرِ بدبین ذهنم مثل همیشه پیله کرد. دخترک با آن دقت به چی نگاه می‌کرد؟ مبادا جایی کثیف باشد؟ نکند آشپزخانه به چشمش زشت یا عجیب آمده؟ وَرِ خوش‌بین به دادم رسید. آشپزخانه‌ات شاید زیادی شلوغ باشد اما هیچ‌وقت کثیف نیست، در ضمن نظر یک دختربچه نباید برای آدم مهم باشد. پنیر مالیدم روی کره، ساندویچ را

گذاشتم توی بشقاب چهارم و نگاهم را دور گرداندم. به گل‌های خشک‌کرده و کوزه‌های گِلی بالای قفسه‌ها نگاه کردم، به حلقه‌های فلفل قرمز و سیر که آویزان کرده بودم به دیوار. وَرِ خوش‌بین دلداری می‌داد. همه‌ی اینها و کلی چیزهای دیگر که توی آشپزخانه‌های دیگران نیست و توی آشپزخانه‌ی تو هست، برای خودت زیباست و حتی اگر مادر و خواهر و دوست و آشنا بخندند و بگویند آشپزخانه‌ی کلاریس عین کلبه‌ی جادوگر قصه‌ی هِنزِل و گِرتل شده، نباید به خاطر حرف دیگران سلیقه‌ات را عوض کنی و نباید از حرف مردم دلگیر شوی و نباید ـــ چشمم افتاد به گلدان روی هره‌ی پنجره. باید خاکش را عوض می‌کردم.

آرمن با دست و روی شسته زودتر از دخترها به آشپزخانه برگشت. موها را خیس کرده بود و خوابانده بود روی سر. طره‌های جلو را ریخته بود روی پیشانی. پیراهن سیاهِ محبوبش را پوشیده بود که روی سینه نقش کله‌ی قوچی داشت با شاخ‌های خیلی بلند. انگار تذکرهای هر روزه کم‌کم اثر می‌کرد و پسر پانزده ساله‌ام یاد می‌گرفت تمیز و مرتب باشد. کاش مادرم بود و می‌دید.

شیر ریختم توی لیوان و گفتم «کاش نانی بود و می‌دید.»

لیوان را برداشت. «چی می‌دید؟»

روبه‌رویش نشستم، دست زدم زیر چانه و نگاهش کردم. «که نوه‌اش فقط برای باشگاه و مهمانی نیست که مو شانه می‌کند و لباس تمیز می‌پوشد. که حرف گوش کن شده و توی خانه هم مرتب‌ست.» تا دست دراز کردم گونه‌اش را نوازش کنم، تند سرش را عقب کشید. «نکن! موهام خراب شد.» دستم لحظه‌ای توی هوا ماند. بعد از روی میز نمکدان را برداشتم که لازم نداشتم.

آرسینه و آرمینه دست‌های امیلی را گرفته بودند می‌کشیدند.

«بیا! خجالت نکش. بیا!»

امیلی به من نگاه کرد. چشم‌های درشتش مثل دو تیله‌ی سیاه و براق بود. لبخند زدم. «بیا تو امیلی.» آرمن از پشت میز بلند شد و صندلی را برای امیلی عقب کشید. ماتم برد. این یک کار جزو تذکرهای هر روزه نبود.

آرمینه و آرسینه طبق معمول یکی در میان حرف می‌زدند.

«امیلی با مادربزرگ و پدرش آمده آبادان.»

«کاش موهای ما هم مثل موهای امیلی صاف بود.»

«امیلی از ما سه سال بزرگ‌ترست.»

«امیلی قبلاً‌ها مسجدسلیمان مدرسه می‌رفته.»

«لندن هم مدرسه رفته.»

«ککلته هم مدرسه رفته.»

آرمن زد زیر خنده. «ککلته نه، خنگِ خدا، کلکته.»

دوقلوها به روی خودشان نیاوردند.

«ماما، ببین دست‌های امیلی چه سفیده.»

«عین دست‌های راپونزِل.»

آرمن که زیر چشمی به امیلی نگاه می‌کرد دوباره زد زیر خنده و دوقلوها این بار بُراق شدند. قبل از این که بگومگو سر بگیرد توضیح دادم «راپونزِل عروسک آرسینه‌ست.»

آرمینه گفت «خودمان توی اتوبوس گفتیم.» آخرین جرعه‌ی شیر را خورد و لیوان خالی را گرفت طرفم.

آرسینه ساندویچ گاز زد و با دهن پر گفت «برای همین آمد که ــــ»

آرمینه گفت «که یک کوچولو راپونزل را ببیند و زودی برگردد. شیر لطفاً.»

برای آرمینه شیر ریختم و به آرسینه گفتم «با دهن پُر حرف نمی‌زنیم.»

آرمینه جرعه‌ای شیر خورد. «وگرنه امیلی بی‌اجازه خانه‌ی کسی ــــ»

آرسینه گفت «مادر بزرگ دعواش ــــ»

دوتایی باهم داد زدند «واااای!» و زُل زدند به امیلی. دور لب آرمینه سفید بود.

از جعبه‌ی کلینکس دستمالی بیرون کشیدم، دادم دست آرمینه و گفتم «دور دهن.» بعد چرخیدم طرف دخترک. «به مادربزرگت خبر دادی که ــــ» که زنگ زدند.

امیلی از جا پرید.

وسط راهرو بودم که دوباره زنگ زدند. از روی کیف‌های ولو روی زمین رد شدم و در را باز کردم.

در ارتفاعی که منتظر بودم کسی را ببینم هیچ‌کس را ندیدم. سرم را خیلی پایین بردم تا دیدمش. قدش کوتاه بود. خیلی کوتاه. تقریباً تا آرنجم. لباس روپوش‌مانند گلداری پوشیده بود و شال بافتنی سیاهی بسته بود دورکمر. گردنبند مروارید سه رجی به گردن داشت. قورباغه‌ای توی چمن صدا کرد و زن قدکوتاه تقریباً فریاد زد «امیلی اینجاست؟»

هول شدم. «از دست این بچه‌ها. هیچ‌وقت حرف گوش نمی‌کنند.»

گردنبندش را چنگ زد. «اینجا نیست؟»

برگشت برود که گفتم «اینجاست! همین الان فهمیدم بی‌خبر آمده. حتماً نگران شدید.»

گردنبند را ول کرد و چشم‌ها را بست. «بچه‌ی بی‌فکر.»

گفتم «حق دارید. من هم بودم نگران می‌شدم. بفرمایید تو.»

چشم‌ها را باز کرد، سر بالا گرفت و انگار تازه متوجه‌ام شده باشد زُل زد به صورتم. بعد تند دست کشید به موها که پشت سر جمع بود.

«ببخشید. بچه‌ی احمق حواسم را پرت کرد.» موها یکدست سفید بود.

دستش را جلو آورد. «اِلمیرا سیمونیان هستم. مادربزرگ امیلی.»

قورباغه‌ی ناپیدا دوباره قورکرد و این بار قورباغه‌ی دیگری با قور بلندتری جواب داد. دستپاچه شدم. دلیلش شاید کوتاهی قد مادربزرگ امیلی بود یا گردنبند مروارید در ساعت چهار بعد از ظهر یا شال پشمی در آن هوای گرم یا لحن خیلی رسمی. شاید هم صدای قورباغه‌های لعنتی که بعد از این همه سال زندگی در آبادان نه به قیافه‌شان عادت کرده بودم نه به صدایشان. دستم را کشیدم به پیشبند و بردم جلو. «کلاریس هستم ــــ آیوازیان.» چرا خودم هم مثل این موجود کوتاه حرف می‌زدم؟

دستم را چنان محکم فشرد که حلقه‌ی ازدواجم انگشتم را درد آورد. چشم‌هایش را ریز کرد. «از آیوازیان‌های جُلفا؟» چروک‌های دور چشم‌ها یک اندازه و یک شکل بودند. انگار کسی با دقت هاشور زده باشد. مادرم می‌گفت «چرا مثل همه‌ی زن‌ها حلقه‌ات را دست چپ نمی‌کنی؟»

توضیح دادم «آیوازیان فامیل شوهرم‌ست. از آیوازیان‌های تبریز. مادرم اصفهان به دنیا آمده. آرشالوس وسکانیان. می‌شناسید؟» خواهرم پوزخند می‌زد. «پس مردم از کجا بفهمند کلاریس خانم شبیه بقیه‌ی زن‌ها نیست؟»

باز دست کشید به موها. «اگر لقبشان را بدانم شاید بشناسم. خیلی سال جلفا نبودم.»

من و من کردم. لقب‌هایی که ارمنی‌های جلفای اصفهان به همدیگر می‌دادند خیلی از سر خوش‌جنسی نبود. به پدربزرگ مادرم می‌گفتند ***میساک دهن‌لق*** که البته خوش نداشتم همه بدانند. همسایه‌ی قدکوتاهم

خوشبختانه خیلی هم منتظر جواب نبود. انگار حوصله‌اش سر رفته باشد پابه‌پا شد. «لطفاً امیلی را صدا کنید، خیلی کار دارم.»

از جلو در کنار رفتم. «بفرمایید تو. با بچه‌ها عصرانه می‌خورد.»

دوباره گردنبند مروارید را چنگ زد. «عصرانه؟»

این بار هیچ قورباغه‌ای صدا نکرد ولی باز دستپاچه شدم. «ساندویچ کره پنیر با شیر.» چرا توضیح می‌دادم؟

نگاهش را پایین آورد و زُل زد به صلیب کوچک گردنم. «پنیر دوست ندارد. شیرش هم حتماً باید گرم باشد، با دو قاشق چای‌خوری عسل.» دوباره داشت فریاد می‌زد.

حس کردم به بیماری داروی اشتباه داده‌ام. قبل از این که حرفی بزنم آمــد تــو، از روی کیف‌های ولو سه بار پرید و خودش را رساند به آشپزخانه. کیف‌ها را با لگد پس زدم و دنبالش رفتم.

امیلی چسبیده بود به دیوار. فشار بـدن ظریفش داشت سیاه‌قلمِ سایاتُنوا را پاره می‌کرد. نیمرخ شاعر رو به امیلی بود. از ذهنم گذشت معشوقه‌ی سایاتُنوا که در شعرها "گُزل" صدایش می‌کند، حتماً شبیه امیلی بوده. مادربزرگ این‌بار واقعاً فریاد زد «اگر از پنجره نـدیده بـودم آمدی اینجا باز باید دور شهر راه می‌افتادم؟»

دوقلوها با دهان باز نگاهش می‌کردند و آرمن چنان خیره شده بود به زن کوتاه که مطمئن بودم الان می‌زند زیر خنده. برای این که حواس آرمن را پرت کنم و حرفی هم زده باشم گفتم «امیلی، چرا نگفتی پنیر و شیر سرد دوست نداری؟» نگاه همه رفت روی بشقاب و لیوان خالی امیلی. معذب به مادربزرگ نگاه کردم. «بچه‌ها باهم که باشند ــــ»

بی‌توجه به من رو به امیلی غرید «راه بیفت!» و دخترک مثل خرگوشی که دنبالش کرده باشند از آشپزخانه بیرون دوید.

در خانه را بستم و از این طرفِ پشت‌دریِ تور نگاهشان کردم. آخرهای راه‌باریکه‌ی وسط چمن، نزدیک تکه‌ای از باغچه که گل نمره‌یی کاشته بودیم، مادر بزرگ دست بلند کرد و نوه پس‌گردنی محکمی خورد. چین‌های پشت‌دری را مرتب کردم، از راهرو گذشتم و فکر کردم کاش بچه‌ها کتک خوردن دوستشان را از پنجره‌ی آشپزخانه ندیده باشند.

توی آشپزخانه آرمینه ایستاده بود روی صندلی و شکم داده بود جلو. رو به آرسینه فریاد زد «راه بیفت!» سه نفری زدند زیر خنده. هرچه سعی کردم نخندم نشد. خیلی کوتاه‌تر از خانم سیمونیان نبود و ادا درآوردنش مثل همیشه شاهکار بود.

۲

توی اتاق‌خواب دوقلوها بوی همیشگی می‌آمد. بویی شیرین. بویی که آدم را خواب‌آلود می‌کرد. آرتوش می‌گفت «بوی دمیِ بچه.» اتاق آرمن خیلی سال بود بوی دمیِ بچه نمی‌داد.

خرس پشمالوی آرمینه را که خدا می‌داند چرا اسمش ایشی بود و شب‌ها تا بغل نمی‌گرفت نمی‌خوابید و یک شب در میان گم می‌شد، زیر درپوش پیانو پیدا کردم بردم گذاشتم بغلش. دست و پای دراز و لاغر راپونزلِ موبور را که هم‌اسم قهرمان قصه‌ی *شاهزاده خانم موطلایی* بود صاف کردم دادم به آرسینه. داشتم می‌رفتم پرده را بکشم که روی فرش پایم به چیزی خورد. خم شدم یویوی چوبی را برداشتم و به دوقلوها که می‌گفتند «قصه قصه» گفتم خسته‌ام و حوصله‌ی قصه گفتن ندارم. گفتم در عوض می‌توانند فردا از حیاط گل بچینند برای خانم مانیا معلم محبوبشان ببرند، به شرطی که باقی گل‌ها را لگد نکنند. یویو را گذاشتم توی قفسه‌ی اسباب‌بازی‌ها، پرده را کشیدم، بوسیدمشان، شب بخیر گفتم و رفتم اتاق آرمن. توی تخت مجله ورق می‌زد.

شلوار سرمه‌یی و پیراهن سفید مدرسه را از روی زمین برداشتم آویزان کردم توی گنجه. تا آمدم میز تحریر را مرتب کنم اخم کرد. نشستم لبه‌ی تخت و به عکس بزرگ و رنگی آلن دلون و رُمی اشنایدر نگاه کردم که با پونز زده بود به دیوار. پایین عکس، با خط نستعلیق درشت نوشته

شده بود: نامزدهای جاودان. هدیه‌ی نوروزی *تهران مصور*. چشم‌های رمی اشنایدر کمرنگ و نگاه و لبخندش سرد بود. دلم می‌خواست دست دراز کنم موهای آلن دلون را که داشت می‌رفت توی چشم‌ها پس بزنم. یاد «موهام خراب شد» افتادم و با خودم لبخند زدم. بعد برای هزارمین بار توی گوش آرمن خواندم که پنهان کردن اسباب‌بازی‌های دوقلوها اصلاً کار بامزه‌ای نیست و درضمن جلو مردم نباید به خواهرش بگوید «خنگِ خدا.» آن‌قدر گفتم تا ملافه را کشید روی سرش و گفت «خیلی خُب، خیلی خُب، خیلی خُب.»

تا در اتاق آرمن را بستم دوقلوها صدا کردند «مااا، ماااا!» دوباره رفتم سراغشان. چارزانو نشسته بودند روی تخت. با پیژاماهای چارخانه‌ی زرد و قرمز که چند هفته پیش از بازار کویتی‌ها خریده بودم.

آرمینه گفت «چرا مادربزرگ امیلی ــــ» ایشی را گرفت جلو صورت.

آرسینه جمله‌ی خواهرش را تمام کرد. «قدش این‌قدر کوتاه‌ست؟»

هر شب بهانه‌ای برای دیرتر خوابیدن پیدا می‌کردند. گفتم «فردا شب. فردا شب هرچه خواستید تعریف می‌کنم. حالا زود لالا.»

آرمینه ایشی را از جلو صورت پایین آورد. «پس اقلاً قصه بگو.» دستم روی کلید برق بود. «نگفتم خسته‌ام؟ فردا شب.»

آرسینه سرکج کرد. «یک قصه‌ی کوچولو فقط.»

سرِ آرمینه هم کج شد. «خیلی خیلی کوچولو.»

نگاهشان کردم. توی تخت‌های یک‌شکل، با ملافه‌ها و روبالشی‌ها و پیژاماهای عین هم عکس‌برگردان همدیگر بودند. مثل همیشه طاقت نیاوردم. به شوخی اخم کردم و گفتم «خیلی خیلی کوچولو. خُب؟» دوتایی باهم گفتند «آخ جان!» خزیدند زیر ملافه‌ها و هیجان‌زده منتظر ماندند.

شروع کردم. «یکی بود، یکی نبود. دوتا خواهر بودند که همه چیزشان شبیه هم بود. چشم و ابرو، دماغ و دهن، کیف‌های مدرسه، خوراکی زنگ‌های تفریح. روزی این دو خواهر ـــــ» دوقلوها عاشق شنیدن قصه‌هایی بودند که از خودم می‌ساختم و قهرمان‌های قصه خودشان بودند. هنوز داشتم آسمان ریسمان می‌بافتم که پلک‌هایشان سنگین شد. پایان همیشگی قصه‌ها را تکرار کردم. «از آسمان سه‌تا سیب افتاد ـــــ» آرمینه خواب‌آلود گفت «یکی برای گوینده.» آرسینه با خمیازه ادامه داد «یکی برای شنونده.» بوسیدمشان و گفتم «یکی هم برای ـــــ» سه‌تایی باهم گفتیم «همه‌ی بچه‌های خوب دنیا.»

چراغ را خاموش کردم و از اتاق بیرون آمدم. توی راهرو گلدوزی روی میز تلفن را صاف کردم. حتماً تا یکی دو سال دیگر دوقلوها هم از وظیفه‌ی قصه‌گویی هر شب معافم می‌کردند. مثل آرمن که خیلی سال بود توقع قصه نداشت. فکر کردم وقت می‌کنم به کارهایی که دوست دارم برسم. وَرِ ایرادگیر ذهنم پرسید «چه کارهایی؟» در اتاق‌نشیمن را باز کردم و جواب دادم «نمی‌دانم.» و دلم گرفت.

تلویزیون فیلم مستندی نشان می‌داد از پالایشگاه. آرتوش توی راحتی سه‌نفره، پا دراز کرده بود روی میز جلو راحتی و روزنامه می‌خواند. کنارش نشستم و چند دقیقه لوله‌ها و دکل‌ها و کارگرهای کلاه‌ایمنی به سر را تماشا کردم. روزنامه ورق خورد و صفحه‌ی خوانده شده افتاد زمین. خم شدم، برداشتم و گفتم «تماشا نمی‌کنی؟ محل کارت را نشان می‌دهند.»

زیرلب گفت «محل کارم را خودم صبح تا غروب می‌بینم.»

عنوان‌های درشت خبرهای روزنامه را خواندم: بازدید قریب‌الوقوع سفیر اتحاد جماهیرشوروی از آبادان. انتخابات مجلس و لوایح ششگانه.

ساخت خانه‌های کارگری در پیروزآباد. افتتاح استخر جدید در محله‌ی سه‌گوش بِریم. صفحه را تا کردم. چه چیز این خبرهای کسالت‌بار برای آرتوش جالب بود؟ وَرِ ایرادگیر حَی و حاضر گفت «اولاً مربوط به کارش‌ست. ثانیاً از اول می‌دانستی.» یاد دوران نامزدی‌مان افتادم در تهران. چند بار به اصرار آرتوش به جلسه‌های انجمن ایران و شوروی یا به قول همه **وُکْس** رفته بودم و هربار حوصله‌ام سر رفته بود.

پاشدم تلویزیون را خاموش کردم، رفتم کنار پنجره ایستادم. به شمشادها نگاه کردم که زیر نور ماه، صاف و منظم و یکدست حیاط را دور می‌زدند. روز قبل آقا مرتضی مرتبشان کرده بود. چمن حیاط را که زد برایش شربت آلبالو بردم. تشکر کرد و بعد نالید که شش ماه از موعد قانونی ترفیعش گذشته و کارگزینی شرکت نفت هنوز حکمش را نداده. خواهش کرد به آرتوش بگویم سفارش بکند. «هرچی نباشه آقای مهندس **سینیوره**. حرف ما کارگرها که دررو نداره.» بعد نوبت رسید به سؤال همیشگی. «چرا مهندس خونه توی بِریم نمی‌گیره؟ آقای هاکوپیان که **گِریدش** پایین‌تره بِریم خونه گرفته.» توضیحی را که سال‌ها بود به همه می‌دادم ـ از مادرم و خواهرم و دوست و آشنا گرفته تا خود آقا مرتضی ـ تکرار کردم که رتبه‌ی بالا و پایین معنی ندارد و محله با محله فرقی ندارد و ما در این خانه راحتیم و ـــ و آقا مرتضی مثل هربار فقط گوش کرد، سر تکان داد و پَره‌های قیچی باغبانی را کشید به شلوار کارگَل و گشادش. دست کشیدم به پرده‌های پنجره و سعی کردم یادم بیاید آخرین بار کی پرده‌ها را شسته‌ام. بعد یادم آمد که به آرتوش بگویم که «آقا مرتضی خواهش کرد ـــ»

روزنامه ورق خورد. «حق دارد. خیلی بیشتر از خیلی از **سینیور**های شرکت زحمت می‌کشد.» **سینیور** را مثل همیشه با غیظ و تمسخر ادا کرد.

«یادم بینداز فردا به خانم نوراللهی بگویم یادم بیندازد به کارگزینی تلفن کنم.»

سر برگرداندم طرف پنجره و توی دلم گفتم «آقای ما نوکری داشت، نوکر او چاکری داشت.» خانم نوراللهی منشی آرتوش بود.

آن طرف خیابان چراغ یکی از اتاق‌های جی۴ روشن شد. از آن فاصله درست نمی‌دیدم اما چون خانه‌های بوارده‌ی شمالی همه شبیه هم بودند، می‌دانستم اتاق‌نشیمن است. غیر از شباهت خانه‌ها بارها به جی۴ رفته بودم. آن وقت‌ها که نینا و شوهرش گارنیک ساکن جی۴ بودند. آرتوش از گارنیک زیاد خوشش نمی‌آمد که زیاد عجیب نبود چون آرتوش تقریباً از هیچ‌کس خوشش نمی‌آمد. عجیب این بود که در این یک مورد مادرم با دامادش همعقیده بود.

اولین بار که آرتوش و گارنیک دو ساعتی بحث سیاسی کردند، بعد از رفتن گارنیک آرتوش گفت «حزب داشناکسیون یک وقتی پیشرو بود. حالا زمانه برگشته. چرا گارنیک هنوز سنگ داشناک‌ها را به سینه می‌زند، نمی‌فهمم.» مادر گفت «من یکی خیلی خوب می‌فهمم. پدر و عموی گارنیک توی جلفا به لودگی معروف بودند. به عموش می‌گفتند ***آرشاک هِرهِرو.***» آرتوش اگر هم از این نتیجه‌گیری بی‌ربط تعجب کرد به روی خودش نیاورد. بعد از رفتن مادر توضیح دادم که خیلی سال پیش پدرم دوستی داشت که عضو حزب داشناکسیون بود و شوخ و بذله‌گو هم بود. مادر از این دوست پدر خوشش نمی‌آمد که عجیب نبود چون مادر از هیچکدام از دوستان پدر خوشش نمی‌آمد.

به پنجره‌ی جی۴ نگاه کردم. تا شش ماه پیش که نینا و گارنیک هنوز در جی۴ بودند بعضی صبح‌ها یا من می‌رفتم پیش نینا یا نینا می‌آمد پیش من. قهوه می‌خوردیم و گپ می‌زدیم. کسی آمد جلو پنجره ایستاد. فقط

سایه‌ای می‌دیدم ولی از بلندی قد حدس زدم امیلی نیست، مادر بزرگش هم که حتماً نبود، پس لابد پدرش بود.

یاد شبی افتادم که در همین اتاق مهمان بودیم و نینا به قول خودش شام حاضری چیده بود. مادر که گفت «مدام سوسیس کالباس و آت آشغال خوردن برای سلامتی خوب نیست،» گارنیک خندید. «غذای خوب و بد یعنی چی خانم وسکانیان؟ روی خوش و نیت پاک و بس! زن من نان و پنیر را هم طوری به خورد ما می‌دهد که خیال می‌کنیم چلوکباب می‌خوریم. نیت که پاک بود و لب خندان، ویتامین هم به بدن می‌رسد.» قاه‌قاه خندید و دست انداخت دور شانه‌های گوشتالوی نینا که از خنده ریسه می‌رفت. مادر اخم کرد و روز بعد گفت «الکی خوش‌ها! خدا در و تخته را خوب جور کرده.»

برای من هیچ مهم نبود گارنیک هواخواه ملی‌گراهای ارمنی باشد و به قول آرتوش ـ وقت‌هایی که هیجان‌زده می‌شد ـ «درک نمی‌کند صلاح ارمنی‌ها هم مثل همه‌ی دنیا پیوستن به جبهه‌ی خلق‌ست.» این هم مهم نبود که نینا شلخته است و به قول مادر توی خانه‌اش شتر با بارش گم می‌شود. مهم این بود که نینا و گارنیک همیشه باهم خوب و خوش بودند و هیچ‌وقت ندیده بودم از هم دلخور باشند. یک بار که وقت قهوه خوردن حرف بحث‌های آرتوش و گارنیک شد نینا گفت «از من می‌شنوی جفتشان مزخرف می‌گویند. ولی من همیشه به گارنیک می‌گویم عزیزم حق با توست. تو هم باید به آرتوش بگویی عزیزم البته که حق با توست.» غش‌غش خندید، جرعه‌ای قهوه خورد و تکیه داد به پشتی صندلی. «مردها فکر می‌کنند اگر از سیاست حرف نزنند مردِ مرد نیستند.»

تکیه دادم به چارچوب پنجره و فکر کردم دلم برای خنده‌های نینا تنگ شده. فردا تلفن کنم حالش را بپرسم. چراغ نشیمن جی ۴ خاموش شد.

یاد عصر افتادم و صورت هراسان و ظریف امیلی آمـد جـلو چشـمـم. دخترک تمام مدت یک کلمه هم حرف نزده بود.

رو به پنجره گفتم «جای نینا و گارنیک همسایه‌های جدید آمدند.»

روزنامه خش‌خش کرد. «ممم.»

فکر کردم بروم چمن و باغچه‌ها را آب بدهم. بعد یادم آمد چراغ‌های حیاط روشن نمی‌شوند. از ترس پا گذاشتن روی قورباغه یا مـارمولک منصرف شدم. باید به خدمات شرکت تلفن می‌کردم کسی را بـفرستند برای تعمیر چراغ‌ها. پرده را کشیدم و دوباره رفتم کنار آرتوش نشستم.

«سیمونیان. می‌شناسی؟» روزنامه گفت «امیل سیمونیان؟» از زیر یکی از تشکچه‌های راحتی لنگه جوراب چرکی بیرون کشیدم. مال آرمـن بـود. «اسم کوچکش را نمی‌دانم.» بعد یادم افتاد که «شاید هم خودش باشد. اسم دخترش امیلی‌ست.» روزنامه ورق خورد. «از مسجد سلیمان منتقل شده قسمت ما. زنش مرده. با مادر و دخترش زندگی مـی‌کند. بـعد از گارنیک چشممان به این یکی روشن.» به روزنامه نگاه کردم، منتظر کـه حرفش را ادامه بدهد.

خبری که نشد لنگه جوراب به دست رفتم توی راحتی چرم سبز، کنار پنجره نشستم. چند لحظه به صدای یکنواخت کولرها گوش دادم، بعد از قفسه‌ی بغل پنجره کتابی درآوردم کـه روز قبل آقـای داوتیان، صـاحب کتابفروشی آراکس، از تهران فرستاده بود. از نوشته‌های ساردو بود. مثل همه‌ی کتاب‌هایی که از ارمنستان می‌رسید روی جلد بدرنگ و بـدچاپی داشت. مردی با ریش بزی و شنل سیاه پشت کرده بود به زنی که روی زمین زانو زده بود. لنگه جوراب توی دستم مزاحم بود. گذاشتـم تـوی جیب پیشبندم.

دستم با جوراب توی جیب بی‌حرکت ماند. یاد روزی افتادم کـه بـه

مادر و آلیس گفتم «متنفرم از زن‌هایی که خیال می‌کنند صبح تا شب پیشبند ببندند یعنی خیلی خانه‌دارند. آدم باید اول از همه برای خودش مرتب و خوش‌لباس باشد.» به خیال خودم داشتم به هردو کنایه می‌زدم. مادر با این که سال‌ها از مرگ پدرم می‌گذشت هنوز سیاه می‌پوشید و مو رنگ نمی‌کرد و خواهرم در شلختگی و ریخت و پاش لنگه نداشت. مادر ابرو بالا داد. «که پس این طور؟ که پس آدم هر کاری را باید برای خودش بکند؟» پوزخند زد. «پس چرا وقت‌هایی که آرتوش حواسش نیست لباس نو پوشیدی یا سلمانی رفتی یا سر میز گل گذاشتی لب ور می‌چینی؟ دروغ می‌گم بگو دروغ می‌گی.» آلیس هم پوزخند زد. «حالا تو که مثلاً همیشه مرتب و منظمی کجا را گرفتی؟» بعد از رفتن مادر و آلیس از خودم پرسیدم «کجا را گرفتم؟» به خودم جواب دادم «نمی‌دانم.»

دستم را از توی جیب پیشبند در آوردم و کتاب را گذاشتم توی قفسه. خسته بودم و حوصله‌ی خواندن نداشتم. آرتوش روزنامه را انداخت روی میز و ایستاد. کش و قوس آمد و خمیازه کشید. «چراغ‌ها را تو خاموش می‌کنی یا من؟» روزنامه افتاد زمین. نگاهش کردم. از هفده سال پیش بیست کیلویی وزن اضافه کرده بود و موهای قبلاً پرپشت و مجعدش حالا کم‌پشت بود و صاف. ریش بزی که به خاطرش آلیس در غیاب صدایش می‌کرد "پروفسور" مثل آن وقت‌ها سیاه نبود. فکر کردم چقدر عوض شده. داشتم فکر می‌کردم حتماً من هم عوض شده‌ام که گفت «پرسیدم چراغ‌ها را تو خاموش می‌کنی یا ــــ» با عجله گفتم «من.» روزنامه را از روی زمین برداشتم و ایستادم. پیشبند را باز کردم. رفتم طرف در و چراغ نشیمن را خاموش کردم.

۳

مادر آخرین جرعه‌ی قهوه را خورد و فنجان را برگرداند توی نعلبکی. چند لحظه چشم‌های ریزش را ریزتر و لب‌های باریکش را باریک‌تر کرد و خیره شد به روبه‌رو، یعنی دارد فکر می‌کند. «گفتی قدش خیلی‌کوتاه بود؟ خوشگل بود؟»

تکه‌ای *گاتای* شور بریدم گذاشتم توی بشقاب. «خوشگل؟ گفتم که، دست کم هفتاد سال دارد.»

چانه بالا داد و اخم کرد. «خُب که چی؟ تازه، اگر خودش باشد حتماً بالای هفتادست. من هنوز جوراب ساقه کوتاه می‌پوشیدم که خانم با کلاه‌های جورواجور لبه پهن ـــ»

چشمم افتاد به دماغش. «مادر، دماغ!»

دماغ مادرم دراز بود. قهوه که می‌خورد، لبه‌ی فنجان نُک دماغ لک می‌انداخت.

تند دست کشید به دماغش. «ـــ و هفت رج مروارید دور گردن، سوار ماشین روباز توی خیابان نظر جولان می‌داد.»

پرسیدم «خودش رانندگی می‌کرد؟»

بُراق شد. «حالا هی بپر وسط حرفم. نخیر. راننده داشت.»

به گلدان روی هره نگاه کردم. کاش به آقا مرتضی گفته بودم خاک گلدان را عوض کند. نگاهم به گل‌ها صورت خانم سیمونیان یادم آمد.

«آره، حتماً جوانی خوشگل بوده. گونه‌های برجسته، چشم‌های درشت سیاه و ـــــ» "دماغ کوچک و ظریف" را توی دلم گفتم. در عکس عروسی پدر و مادرم، توی قاب نقره‌ی روی پیانو، دماغ مادر هیچ دراز نبود.

مادر تکه‌ای *گاتای* شور گذاشت توی دهان و گفت «بَه‌بَه.»

دست زدم زیر چانه و نگاهش کردم.

همراه کتاب‌هایی که آقای داوتیان از تهران می‌فرستاد، همیشه چندتایی *گاتای* شور بود. یاد روزی افتادم که آرتوش پرسید «از کجا می‌داند تو *گاتای* شور دوست داری؟» تا فکر کنم چه بگویم مادر گفت «برای کلاریس نمی‌فرستد، برای من می‌فرستد. عید که تهران بودیم با کلاریس رفتم کتابفروشی. لطف کرد قهوه آورد با *گاتا*. گفتم من که وقت سرخاراندن ندارم چه برسد به کتاب خواندن ولی در عوض عاشق *گاتای* شورم. از آن به بعد هروقت برای کلاریس کتاب می‌فرستد برای من هم *گاتا* می‌فرستد.» اینها را گفت و با صدای بلند خندید. آرتوش با تعجب به مادر نگاه کرد و من سر زیر انداختم. نمی‌دانم از خنده‌ی بلند مادر معذب شدم یا از این که زبانم نچرخید بگویم آقای داوتیان همیشه به قهوه مهمانم می‌کند و مدت‌هاست می‌داند *گاتای* شور دوست دارم.

مادر انگشت زبان زد و خرده *گاتای* توی بشقاب را جمع کرد خورد. بعد از جعبه‌ی کلینکس دستمالی بیرون کشید، روی میز چارتا کرد و فنجان قهوه را چند بار دمر گذاشت رویش و برداشت. لبه‌ی فنجان روی دستمال کاغذی طوق‌های قهوه‌یی انداخت. «خودش‌ست. اِلمیرا هاروتونیان. دختر هاروتونیان تاجر. با وارتان سیمونیان ازدواج کرد که هندوستان تجارتخانه داشت. از پدرش کم ارث برده بود ثروت شوهر هم اضافه شد. توی جلفا معروف بود به *المیرا سرخور*.» زدم زیر خنده.

مادر اخم کرد. «بیخود نخند. بی‌دلیل که نیست. وقت به دنیا آمدنش

مادرش سر زا رفت. چند سال بعد پرستارش خودش را از پنجره پرت کرد توی باغ.»

خواستم فنجان‌های قهوه را جمع کنم که دستم را پس زد. «صبر کن. فال نگرفتم.» بعد نگاهش را دوخت به پنجره. «شب عروسی، پـدرش مسموم شد و چند روز بعد مُرد. گفتند از کیک عروسی بوده. ولی چرا فقط پدرش مُرد؟ همه از کیک خورده بودند و ـــــ»

گفتم «و باز ارمنی‌های جلفا ساز کوک کـردند. خُب، شـاید از کیک نبوده که مُرده. شاید سکته کرده یا ـــــ»

مادر فنجانم را گذاشت روی دستمال کاغذی و برداشت، گذاشت و برداشت. «شوهر که کرد رفت هندوستان و چند سال بعد بـا پسرش برگشت جلفا. شوهرش کشته شده بود. می‌گفتند کار یکی از نوکرهای هندی بوده. بعد چند سالی غیبش زد. گفتند رفته اروپا. دوباره که توی جلفا آفتابی شد پسرش بزرگ شده بود. برای پسره دنبال زن می‌گشت. توی جلفا چو افتاد پسرش مرض لاعلاجی گرفته وگرنه چرا همان جاها زن نگرفت؟ بعدها شنیدم پسره با یک دختر ارمنی تبریزی عروسی کرد. ارمنی‌های تبریز که این چیزها حالیشان نیست.»

فنجان خودش را برداشت و خیره شد به نقش‌های درهم قهوه. چند بار گفت «هوم!»، چند بار «آه!»، چند بار سر تکان داد و فنجان را گذاشت روی میز. «مال من که کوفت هم توش نیست.» و فنجان مرا برداشت.

خدا را شکر کردم آرتوش نبود و "ارمنی‌های تبریز" را نشنید. روزی که گفته بودم می‌خواهم با آرتوش ازدواج کنم اولین سؤال مادر این بود که «از ارمنی‌های کجاست؟» و تا گفتم داد زد «چی؟ تبریزی از دماغ فیـل افتاده؟» اگر پادرمیانی‌های پدر نبود که برایش فرق نمی‌کرد دامـادش از ارمنی‌های جلفا باشد یا تبریز یا مریخ ازدواج ما راحت سر نمی‌گرفت.

به فنجان خودم نگاه کردم، توی دست‌های استخوانی مادر. فنجان سفید بود با گل‌های ریز صورتی. پوست دست‌های مادر چروکیده بود با رگ‌های برجسته‌ی کبود. پرسیدم «خُب، بعد چی شد؟»

سر بلند کرد. «شنیدم عروسش چند سال بعد دیوانه شد و سر از نماگَرد در آورد. همان‌جا مُرد. نگاه کن! توی فنجانت سرو افتاده.» یاد نَماگَرد افتادم و دلم گرفت.

مادر فنجان را گذاشت روی میز و ایستاد. «سرو یعنی تغییر و تحول. شاید بالاخره مهندس تصمیم گرفت منت سر شرکت نفت بگذارد و یکی از خانه‌های بِریم را قبول کند. زنْ عربِ تو هم بالاخره بِریم‌نشین می‌شود و شماها توی این بوارده‌ی کوفتی می‌مانید که می‌مانید.»

شروع کردم به جمع کردن فنجان‌های قهوه. «زنْ عربِ من؟»

خرده‌های احتمالی *گاتا* را از دامن سیاهش تکاند. «همین سیاه‌سوخته که تا آقا مرتضی چمن و شمشاد می‌زند انگار مو آتش زده باشی سر می‌رسد و همه را کیسه می‌کند می‌برد.»

«منظورت یوماست؟» و از تصور بِریم‌نشین شدن یوما که حتماً در محله‌ی عرب‌ها زندگی می‌کرد خنده‌ام گرفت.

«آره، یوما. چه اسمی! صد بار گفتم توی خانه راهش نده. خودت گفتی بچه‌ها می‌ترسند. حق هم دارند. با آن دندان‌های تابه‌تا و خالکوبی صورت. بدتر از من هم که همیشه سیاهپوش‌ست.»

راست می‌گفت. یوما همیشه سیاهپوش بود چون همیشه برای مرگ کسی عزادار بود. فنجان‌ها و بشقاب‌ها را گذاشتم توی ظرفشویی. «هیچ هم نمی‌ترسند. فقط یک بار ترسیدند چون آرمن گفته بود دیده یوما گنجشک زنده می‌خورد که بیخود می‌گفت.»

مادر دسته‌ی کیف سیاهش را انداخت روی شانه. «هیچ بعید نیست.»

چند سال بود این کیف را دست میگرفت؟ چند بار دستهی کیف کنده شده بود و مادر دوخته بود؟ چند بار در جواب من که گفته بودم «وقتش نشده کیف نو بخری؟» گفته بود «اگر میخواستم مثل زنهای شتره شلخته مدام کیف و کفش بخرم نه تو لیسانس میگرفتی، نه آلیس.» بارها برای مادر توضیح داده بودم مدرک زبان انگلیسی که از شرکت نفت گرفتهام اسمش لیسانس نیست و هرچند آلیس از انگلستان لیسانس سرپرستاری اتاق عمل گرفته خرج تحصیلش را شرکت نفت داده.

توی راهرو مادر انگشت کشید روی میز تلفن. «گردگیری نکردی؟» نگاهم به کیف سیاه گفتم «چرا. پریروز هشت بار، دیروز شانزده بار، امروز سیودو بار.» نگاهم را بالا بردم، زل زدم به صورتش و شکلک در آوردم. گفت «لوس نشو.» و دست گذاشت روی دستگیرهی در. «توی این شهر وامانده روزی ده بار هم گردگیری کنی بس نیست. میروم *استور.* شکلات تازه آورده.» حتماً تعجب را در نگاهم دید چون زود گفت «میدانم. به من بگو خر. ولی ـــ» نفس بلندی کشید، دستگیره را ول کرد و شروع کرد به مرتب کردن چینهای پشتدری. «آلیس حالش خوش نیست، میدانی که ـــ» بعد یکهو دست از پشتدری برداشت و چرخید طرفم. «تو را به روح پدر قسم، حواست باشد حرفی نزنی باز دعوا راه بیفتد. از *استور* چیزی لازم نداری؟» گفتم چیزی لازم ندارم و خواهش کردم که «لطفاً برای بچهها شکلات نخری.»

در خانه که باز شد گرما و بوی گل شبدر تو زد. مادر گفت «نیا بیرون. هوا از جهنم خدا داغتر شده.» در توری را باز کرد و راه افتاد.

با دست در توری را نگه داشتم، تکیه دادم به چارچوب و نگاهش کردم. وسط راهباریکه ایستاد، خم شد و از باغچه گلی چید. بعد با

زحمت قد راست کرد، گل را بو کرد و راه افتاد. در فلزی را باز کرد و بست و پیچید طرف ایستگاه اتوبوس. فکر کردم تابستانی که رفته بودیم نَماگَرد مادر چه تند راه میرفت.

۴

روی تک پله‌ی جلو در نشستم و به دو باغچه نگاه کردم، این طرف و آن
طرف راه‌باریکه. به میخک‌ها و شاه‌پسندها و گل‌های میمون و نمره‌یی و
اطلسی که آقا مرتضی گُله به گُله توی هردو باغچه کاشته بود. به درخت
بید نگاه کردم که سایه انداخته بود روی تاب فلزی. توی چمن حیاط سه
درختچه داشتیم. یوما به این درختچه‌ها می‌گفت وَن. خانم رحیمی
می‌گفت زبان‌گاوی و آلیس معتقد بود هر دو بیخود می‌گویند و اسم
درست ارغوان است. دوقلوها بی‌توجه به این اختلاف نظرها به اولی
می‌گفتند درخت آرمینه و به دومی درخت آرسینه. درختچه‌ی سوم
کوچک‌تر از دوتای دیگر بود و با همه‌ی هرس‌کردن‌ها و کود دادن‌های آقا
مرتضی همیشه کمتر از دوتای دیگر گل می‌داد.

اسم درختچه‌ی سوم بستگی داشت به این که دوست صمیمی
دوقلوها کی باشد. آن وقت‌ها که نینا و گارنیک همسایه‌مان بودند اسمش
درخت سوفی بود، دختر نینا و گارنیک. روزی که سوفی رادیو
ترانزیستوری سینگورینگ دوقلوها را خراب کرد و باهم قهر کردند،
درختچه چند روزی بی‌اسم ماند تا تیگران پسر نینا رادیو را درست کرد و
اسم درختچه شد درخت تیگران. قبل از سوفی و تیگران، الیز داشتیم که
دخترهمسایه‌ی مادر و آلیس بود و طناز که دو خیابان آن طرف‌تر زندگی
می‌کرد و به دوقلوها یاد داده بود چطور با گل نمره‌یی فال بگیرند. روزی

که طناز برای همیشه رفت تهران، آرسینه و آرمینه گریه کردند و چند روزی با گلهای نمرهیی فال گرفتند که دوستشان کی برمیگردد. از چند روز پیش اسم درختچهی سوم شده بود درخت امیلی.

«آلیس حالش خوش نیست، میدانی که ـــــــ»

البته که میدانستم آلیس حالش خوش نیست. چرایش را هم میدانستم. هفتهی پیش یکی از پرستارهای ارمنی بیمارستان شرکت نفت که زیر دست خواهرم کار میکرد و آلیس معتقد بود «زشتتر و بیسوادتر و دهاتیتر از این دختر خدا نیافریده»، با پزشکی ارمنی ازدواج کرده بود که آلیس بارها با لبخندی محو و خیره به جایی نامعلوم دربارهاش گفته بود «خوشتیپترین و باشعورترین مردی که تا حالا دیدهام.» این که آلیس هر ازدواجی را توهین مستقیم به خودش میدانست فرع قضیه بود. اصل قضیه این بود که از مدتها پیش خواهرم گاهی زمزمه میکرد «گمانم دکتر آرتامیان از من خوشش میآید.» و درست وقتی که مطمئن بود پزشک خوشتیپ و با شعور خیال دارد به شام دعوتش کند، کارت دعوت عروسی دکتر آرتامیان رسید.

«حواست باشد حرفی نزنی باز دعوا راه بیفتد.»

از بوتهی گلکاغذی که دیوار خانه را پوشانده بود گلی افتاد روی پله و یادم آمد.

ده دوازده ساله بودم. آلیس میخواست با سنگهای یکقُل دوقُلم بازی کند و نمیدادم و آلیس جیغ میزد و گریه میکرد. مادر سرم داد زد «بچه پس افتاد بس که گریه کرد. سنگهای کوفتی را بده. تو بزرگتری، کوتاه بیا.» کوتاه که نیامدم مادر سر پدر داد زد «برای یک بار هم شده چیزی بگو. بیچاره شدم از دعواهای این دوتا.» پدر چند لحظه به من و مادر و آلیس نگاه کرد. بعد بیعجله روزنامه را تا کرد، از جا بلند شد،

سنگ‌هایی را که ماه‌ها یکی یکی پیدا و جمع کرده بودم از دستم گرفت داد به آلیس و به من گفت باید شام نخورده بخوابم. برگشت نشست و روزنامه را برداشت. آلیس شکلک درآورد، مادر شال‌گردنی را که می‌بافت دوباره دست گرفت و من شب با گریه خوابیدم. چند روز بعد که سراغ سنگ‌ها را از آلیس گرفتم، شانه بالا انداخت که «گم کردم.» یک ماه بعد بود شاید. مادر سنگ‌ها را که آلیس گوشه کنار خانه پخش و پَلا کرده بود پیدا کرد گذاشت روی پاتختی کنار تختخوابم و چند روز بعدتر بود شاید که صبح زود، وقتِ سرِکار رفتن، پدر دست کرد توی جیب بارانی‌اش، پنج سنگ یک‌شکل گِرد درآورد و بی‌حرف داد دستم. سنگ‌های خودم را گرفتم جلو آلیس. «اینها مال تو. پدر برای من سنگ جمع کرده.» آلیس پشت چشم نازک کرد. «یک‌قُل دوقُل بازی بچه لوس‌هاست. من دارم عکس هنرپیشه جمع می‌کنم.»

«تو را به روح پدر قسم ——»

گل کاغذی سرخابی را از روی پله برداشتم و توی دست چرخاندم. چرا مادر به روح پدر قسمم داد؟ مادر از کجا می‌دانست؟

باز یادم آمد. سالروز مرگ پدر بود و تازه از کلیسا برگشته بودیم. مادر و آلیس پشت میز آشپزخانه جر و بحث می‌کردند و من داشتم می‌رفتم حیاط پشتی رخت‌های شسته را از روی بند جمع کنم. هنوز گیج بوی شمع و کُندُر بودم و کرخ از گریه. مادر به آلیس گفت «تقصیر کسی نبود. بیخود به مردم تهمت نزن. لابد قسمت نبود.» آلیس عصبانی داد زد «تقصیر کسی نبود؟ پس خواهر آکله‌اش که عین اجل معلق خودش را از تهران رساند و رأی برادره را زد چکاره بود؟» سبد خالی توی دست، یاد بوته‌ی گل‌سرخی افتادم که تابستان سال قبل بالای قبر پدر کاشته بودم. خدمه‌ی قبرستان یادشان می‌ماند آبش بدهند؟ حواسم به گل‌سرخ بالای

قبر پدر، از دهانم پرید که «بد نیست عیب و ایراد خودمان را هم ببینیم. توقع انگشتر برلیان سه قیراطی داشتن ــــ» آلیس مجال نداد حرفم را تمام کنم. «مثلاً من چه عیب و ایرادی دارم که انگشتر برلیان نداشته باشم؟ از خانواده‌ی حسابی نیستم که هستم. تحصیلات ندارم که دارم. لابد چون یک پرده گوشت دارم و مثل تو پوست و استخوان نیستم باید با هر آدم بداخلاق و بی‌عرضه‌ای مثل جناب پروفسور ازدواج کنم و مثل تو آن‌قدر خودم را کوچک کنم که انگشتر عروسیم یک حلقه‌ی کوفتی طلا باشد که صنار هم نمی‌ارزد. نه جانم. ارزش من خیلی بیشتر از اینهاست. اصلاً تو از بچگی به من حسودی می‌کردی. هنوز هم می‌کنی. خیالت تخت. اگر می‌خواستم شوهری مثل شوهر تو داشته باشم، تا حالا بیست بار ازدواج کرده بودم.» سبد را گذاشتم زمین و چرخیدم طرف خواهرم. نمی‌دانم رنگم پرید، سرخ شدم، یا چه چیزی در نگاهم بود که آلیس اول به من نگاه کرد، بعد به سبد، بعد رو به مادر گفت «چی شد؟ من که حرف بدی نزدم.» مادر و آلیس را توی آشپزخانه تنها گذاشتم و با سبد خالی رفتم حیاط پشتی. هربار می‌رفتم تهران بوته‌ی گل‌سرخی بالای قبر پدر می‌کاشتم. هربار از خدمه‌ی قبرستان قول می‌گرفتم به گل‌سرخ آب بدهند و نمی‌دادند و بار بعد که می‌رفتم بوته‌ی دیگری می‌کاشتم. به رخت‌های روی بند نگاه کردم: جوراب‌های پسرم، زیردامنی‌های یک‌شکل و یک‌اندازه‌ی دوقلوها، پیراهن‌های آرتوش، ملافه و روبالشی. همه را یکی یکی جمع کردم، تا کردم، گذاشتم توی سبد و به طناب لخت نگاه کردم که بین درخت کُنار و دیوار حیاط پشتی بسته بودم. شاخه‌های درخت تکان خوردند و چند کُنار رسیده افتاد زمین. چرا به آلیس یادآوری نکردم سر ازدواج من و آرتوش چه بلوایی به پا کرد؟ فکر کردم چه کُنارهای قرمزی. چرا به آلیس نگفتم که حتی بعد از ازدواجم مدت‌ها با گوشه کنایه، چه در

غیاب و چه در حضور، عذابم داده بود که «آرتوش اول می‌خواست با من ازدواج کند، بعد کلاریس مثل قاشق نَشُسته خودش را انداخت وسط.» کاش عوض بوته‌ی گل‌سرخ که هیچ‌کس یادش نمی‌ماند آبش بدهد، بالای سر پدر نهال کُنار کاشته بودم. با خودم گفتم این‌بار که آقا مرتضی آمد باید بپرسم نهال کُنار را از کجا می‌شود خرید. شاید هم درخت کُنار خودروست. شاید هم با آب و هوای تهران سازگار نباشد. تا قبل از آمدنم به آبادان کُنار ندیده بودم. آلیس و مادر تا دم رفتن دعوا کردند. شب بچه‌ها را که خواباندم و ظرف‌های شام را که شستم و آشپزخانه را که تمیز کردم، توی راحتی چرم سبز نشستم. کُنارهای سرخ را تک تک خوردم و یاد پدر افتادم که می‌گفت «نه با کسی بحث کن، نه از کسی انتقاد کن. هرکی هرچی گفت بگو حق با شماست و خودت را خلاص کن. آدم‌ها عقیده‌ات را که می‌پرسند، نظرت را نمی‌خواهند. می‌خواهند با عقیده‌ی خودشان موافقت کنی. بحث کردن با آدم‌ها بی‌فایده‌ست.» کُنار خوردم و با خودم گفتم «حق با تو بود، بحث کردن با آدم‌ها بی‌فایده‌ست.» و به پدر قول دادم که در جواب هرچه آلیس گفت بگویم حق با توست و هرچه کرد تأیید کنم. آخرین کُنار را خوردم و فکر کردم «کاش پدر بود. پدر حتماً از مزه‌ی کُنار خوشش می‌آمد.»

گل کاغذی سرخابی توی دستم مچاله شده بود. قورباغه‌ی چاقی از باغچه بیرون پرید، نشست درست روبه‌رو و زل زد توی چشم‌هایم. بلند شدم رفتم تو. در را پشت سر بستم و بلند بلند گفتم «می‌دانم که باید ساکت باشم و فقط گوش کنم. تو هم می‌دانی که اقلاً تا یک هفته نباید بابت پرخوری و چاقی به آلیس غر بزنی.» هربار مادر سرِ زیاد خوردن به آلیس نق می‌زد، خواهرم اگر حالش خوب بود با شوخی و مسخره‌بازی سر و ته قضیه را هم می‌آورد و اگر مثل این روزها حالش بد بود، داد و

فریاد راه می‌انداخت که «چرا دست از سرم برنمی‌داری؟ دلخوشی دارم؟ چاق شدم که شدم. برای کی خودم را لاغر کنم؟ دوست پسرم؟ شوهرم؟ بچه‌هام؟» و مادر مجبور می‌شد کوتاه بیاید و شکلات‌های **کَدبِری** را که آلیس مدام می‌خرید و مادر مدام قایم می‌کرد بیاورد بیرون بگذارد جلو آلیس یا اگر مثل این چند روز اوضاع خیلی وخیم بود بگوید «به من بگو خر!» و خودش برود برای خواهرم شکلات بخرد. دست کشیدم روی میز تلفن. حق با مادر بود. تا دو دقیقه در باز می‌ماند خانه را خاک برمی‌داشت.

پیشبند بستم و قبل از این که شیر ظرفشویی را باز کنم به فنجان قهوه‌ی خودم نگاه کردم. هیچ شکلی که کوچک‌ترین شباهتی به سرو داشته باشد ندیدم.

۵

پرده‌ی اتاق دوقلوها را کشیدم و روتختی‌های چهل‌تکه را روی تخت‌ها مرتب کردم. روتختی‌ها را مادر با پارچه‌هایی که سال‌ها جمع کرده بود دوخته بود. روزی که بعد از ماه‌ها کار دوختن تمام شد، دوقلوها چارگوش‌های هر روتختی را شمردند که مطمئن شوند تعدادشان مساوی است. پایین هر تخت یک جفت دمپایی بود. هردو جفت قرمز با منگوله‌های زرد. توی اتاقی که از هر چیز دوتا عین هم بود، فقط عروسک‌ها شبیه هم نبودند. یک‌بار که پرسیدم «چرا دوست دارید همه چیزتان شبیه هم باشد؟» قبل از جواب دادن باهم مشورت کردند. آرمینه گفت «این طوری مثل این که ــــ» آرسینه جمله را تمام کرد «مثل این که هیچ‌وقت تنها نیستیم.» و دست انداخت گردن خواهرش. وقتی که گفتم «پس چرا عروسک‌ها شبیه هم نیستند؟» به هم نگاه کردند، بعد به من، بعد گفتند «نمی‌دانیم.»

اتاق را مرتب کردم و با خودم گفتم کاش همدلی کودکی دخترهایم در بزرگی هم ادامه پیدا کند. پیژامای آرسینه را تا کردم گذاشتم زیر بالش و باز به خودم و آلیس فکر کردم. آن‌وقت‌ها کداممان مقصر بودیم؟ ایشی را گذاشتم روی تخت آرمینه و فکر کردم من هم آلیس را اذیت می‌کردم. عروسک سیاهپوستی را که اسمش تام بود از روی تخت برداشتم. دوقلوها بیشتر از عروسک‌های دیگر مواظب تام بودند که «مبادا طفلکی

فکر کند به خاطر رنگ پوست کمتر دوستش داریم.» یاد روزی افتادم که از سر بدجنسی جدول ضرب را اشتباه یاد آلیس داده بودم یا چند باری که خواسته بود برایش انشاء بنویسم و ننوشته بودم. تام را گذاشتم توی گهواره‌ی عروسک‌ها. گهواره‌ی کوچک که جنبید برای چندمین بار قولی را که به پدر داده بودم یادم آمد و با خودم تکرار کردم که «هرچه آلیس گفت می‌گویم حق با توست.» زنگ زدند.

در را باز کردم و در ارتفاعی که منتظر بودم کسی را ببینم هیچ‌کس را ندیدم. این بار خیلی سریع‌تر از روز قبل سرم را پایین بردم.

بلوز سفید یقه‌بسته به تن داشت با دامن سیاه. گردنبند مروارید دیروزی را انداخته بود روی بلوز. جوراب نایلون پوشیده بود که از دیدنش گرمم شد. کفش‌های ورنی مشکی و پاشنه‌بلند را که دیدم فکر کردم شماره‌ی کفشش باید سی باشد، اندازه‌ی پای دوقلوها. بسته‌ای را گرفت طرفم. «کیک آلبالوست. دستپخت خودم.»

تعارف کردم برویم اتاق‌نشیمن. دست چپ را بلند کرد و نگاه را زیر انداخت. «نه! این یک دیدار رسمی نیست. در واقع آمده‌ام عذرخواهی کنم.» نگاهش بالا آمد. «از رفتار دیروزم.» بسته را گذاشت توی دستم و راه افتاد طرف آشپزخانه.

تا در را ببندم و دنبالش بروم نشسته بود پشت میز. امروز دو انگشتر داشت. اولی نگین سبزی بود و دومی سنگ سفید درشتی که حدس زدم باید الماس باشد. آلیس اگر بود حتماً می‌فهمید. خواهرم بعد از شکلات و شیرینی، یا در همان حد، عاشق جواهر بود.

همسایه‌ی قدکوتاهم داشت دوروبر را نگاه می‌کرد. «چه آشپزخانه‌ی قشنگی. چقدر *اوریژینال*!»

نمی‌دیدم ولی مطمئن بودم پاهایش به زمین نمی‌رسد.

از یکی از قفسه‌های آشپزخانه دیس چینی گِردی درآوردم که سوغات آلیس بود از آخرین سفرش به انگلستان. جعبه را باز کردم و کیک را از روی مقوا سُراندم روی دیس. جعبه و مقوا را گذاشتم روی پیشخوان و با دیس رفتم طرف میز. «چه کیک قشنگی. چرا زحمت کشیدید؟»

لبخند کجی زد. «آفرین!»

نگاه گیجم را که دید گفت «برای هر زن ارمنی کیک بردم، با مقوای زیر گذاشت روی میز.» چای را به قهوه ترجیح داد. توی چای شیر ریخت و شروع کرد به هم زدن.

کیک آلبالو ظاهرش خیلی بهتر از مزه‌اش بود. گفتم «چه کیک خوشمزه‌ای.»

گفت «خوشمزه نیست. وانیل نداشتم.» هنوز چای هم می‌زد.

سعی کردم موضوعی برای حرف زدن پیدا کنم. با گرما و شـرجی آبادان شروع کردم که به نظر همسایه‌ام در مقایسه با گرمای هند هیچ آمد. صدای خوردن قاشق به فنجان کم‌کم عصبی‌ام می‌کرد.

فکر کردم چه بگویم که برایش جالب باشد. چشمم افتاد به سبد روی میز. از عید پاک هنوز چند تا تخم‌مرغ توی سبد مانده بود. گفتم «تخم‌مرغ رنگی ببرید برای امیلی.» و سبد را تعارف کردم.

بالاخره قاشق را گذاشت کنار فنجان. یکی از تخم‌مرغ‌ها را برداشت، توی دست چرخاند و گفت «خودتان رنگ کردید؟»

گفتم «بله. نه. یعنی با بچه‌ها ـــ»

تخم‌مرغ را بـرگردانـد تـوی سـبد. «امیلی از این چیزها خوشش نمی‌آید.»

گفتم «ولی بچه‌ها تخم‌مرغ رنگی دوست دارند.»

انگار حرف توهین‌آمیزی شنیده باشد گفت «امیلی بچه نیست. گاهی

کارهای عجیب ازش سر می‌زند ولی ـــ بچه نیست. اخلاق خاص خودش را دارد.»

تا تصمیم گرفتم دیگر حرف نزنم، چای را خورد و افتاد به حرف زدن. جمله‌ها را یکی در میان با "پاریس که بودم" یا "آن سال که لندن زندگی می‌کردم" یا "خانه‌ام در کلکته" شروع می‌کرد. با این حال نمی‌دانم چرا حس نکردم مثل آلیس پُز می‌دهد. تعریف کردن از خود تخصص اصلی خواهرم بود.

ناگهان از جا بلند شد، از "پذیرایی محبت‌آمیز"م تشکر کرد، راه افتاد طرف در و گفت «پنجشنبه شب شام منتظرتان هستم. بچه‌ها باهم بازی می‌کنند، شما و شوهرتان با پسرم امیل آشنا می‌شوید.»

حتی نپرسید پنجشنبه شب برنامه‌ای داریم یا نه.

۶

آرتوش تمام غرولندهای چند روزه را جلو مادر و آلیس تکرار کرد. «اولین و آخرین دفعه‌ست. لطفاً معاشرت‌بازی راه نیندازی که هیچ حوصله ندارم. کراوات هم نمی‌زنم.»

آلیس از کیف حصیری بزرگش شکلات چهارگوشی درآورد و زرورق دورش را باز کرد. شکلات را انداخت توی دهان، زرورق را پرت کرد روی میز آشپزخانه و با لُپ بادکرده گفت «نگین انگشتر زمرد بود؟ حتماً از هند آورده.»

مادر صندلی را با سر و صدا پس زد و ایستاد. «به نظر من هم باید حد معاشرت نگه داری.» زرورق را برداشت بُرد انداخت توی سطل زباله. «این زن توی جلفا هیچ خوشنام نبود.»

آلیس گفت «زن خوشنام نبود، به پسرش چه مربوط؟»

نگاه‌های من و مادر به هم رسید. حتماً از ذهن مادر هم گذشت که «باز سر و کله‌ی مرد مجردی پیدا شد.»

آرسینه دوید توی آشپزخانه. «لباس قرمز راپونزِل نیست.» روکرد به مادر. «همان لباس چین‌داری که تو دوخته بودی.» پا زمین کوبید. «پیدا نشود، راپونزِل مهمانی نمی‌آید. راپونزِل نیاید، من و آرمینه هم نمی‌آییم.» دست زد به کمر و زُل زد به آرمن.

آرمن از یک ساعت پیش حاضر بود. پیراهن نقش کله قوچ را پوشیده

بود با شلوار لیِ رنگ و رورفته‌ای که چند بار خواسته بودم بیندازم دور و جیغ و داد کرده بود که «نه.» کفش‌هایش را اول با دستمال گردگیری آشپزخانه و تُف و بعد که سرش داد زده بودم، با دستمال مخصوص کفش پاک‌کردن و آب تمیز کرده بود. گفتم «بد فکری نیست. لباس راپونزِل پیدا نشود آرمن هم می‌ماند خانه.» همه زُل زده بودیم به آرمن.

آرمن اول به من نگاه کرد، بعد به آرسینه. انگار مردد که به شیطنت ادامه بدهد یا نه. بعد شُل و وِل چند قدم برداشت، قوطی چای روی پیشخوان را باز کرد و لباس عروسک را درآورد. آرسینه پوف محکمی کرد، لباس را چنگ زد و دوید بیرون.

می‌دانستم الان است مادر و آلیس در تأیید شیرین‌کاری آرمن بزنند زیر خنده که در نتیجه پسرم برای سرزنش بعدی‌ام تره هم خرد نمی‌کرد. گفتم «برو اتاق خواب ما. پدرت کراواتش را جا گذاشته.» آرتوش بند کفش می‌بست. «گفتم کراوات نمی‌زنم.» بی‌صدا به آرمن اشاره کردم که «برو.»

تا آرمن پا گذاشت بیرون مادر گفت «قربان قد و بالات. بچه‌ام به کی رفته با این همه با نمکی؟»

آلیس خندید. «به خاله‌اش.» بعد رو کرد به آرتوش. «گفتی پسرش چکاره‌ست؟» آرتوش که گفت مهندس تأسیسات، دومین شکلات رفت توی دهان آلیس. «مهندس تأسیسات. ممم.» و خیره شد به گلدان روی هره. داد مادر در آمد که «باز مثل نخودچی کشمش شروع کرد به شکلات خوردن.»

این بار زرورق شکلات را من از روی میز برداشتم، متعجب که از کی خواهرم به مردی که قبلاً ازدواج کرده و بچه هم دارد به قول خودش *اینترست* نشان می‌دهد. مادر دوباره رفت سر موضوع خوشنام نبودن

خانم سیمونیان در جلفا. توی دلم گفتم کاش نخواهد همه‌ی ماجرایی را که چند روز پیش برایم گفته دوباره تعریف کند.

آرتوش داشت کفش پاک می‌کرد. با دستمالی که مال پاک کردن کف آشپزخانه بود. دستمال کفش را دادم دستش. دستمال را گرفت و گفت «این که مردم جلفا چه می‌گفتند یا چه می‌گویند مهم نیست. حوصله‌ی همسایه‌بازی و معاشرت‌های اجباری ندارم.»

آلیس دست زیر چانه نگاهش هنوز به گلدان بود. «زمردهای هند معروف‌اند.» از کیفش آدامس درآورد.

در آینه‌ی راهرو برای آخرین بار به خودم نگاه کردم، دودل که لباس بی‌آستینم یقه‌اش زیادی باز نیست؟ دامن لباسم زیادی تنگ نیست؟

آلیس و مادر رفتند طرف در. مادر براندازم کرد. «ما رفتیم. کاش شالی، چیزی می‌انداختی روی شانه.»

گفتم «می‌خواهید آرتوش برساندتان؟»

آلیس آدامس را باد کرد و ترکاند. «نه، قدم می‌زنیم. فعلاً تا چهار، پنج ماه راهمان دور نیست، ولی حکمم را که بگیرم ـــــ» به آرتوش نگاه کرد که جلو آینه داشت با گره کراوات ور می‌رفت. «حکمم را که بگیرم، شوهر خواهر عزیزم باید زحمت بکشد با ماشین آخرین مدلش ما را برساند خانه.» غش‌غش خندید و رو کرد به من. «از بوارده تا بِریم که نمی‌شود پیاده رفت. خداحافظ. در ضمن لباست به تنت لق می‌زند. خداحافظ بچه‌ها.» در را پشت سرشان بستم و نفس بلندی کشیدم.

۷

در را امیلی باز کرد.

لباس آستین پفی سفیدی پوشیده بود با کفش و جوراب سفید. به دُمِ موشی موها هم روبان پهن سفید بسته بود. به نظرم آمد پَرِ سفیدی است که هم الان از زمین بلند می‌شود.

آرمینه گفت «وای! امیلی ـــــ»

آرسینه گفت «عین فرشته‌ها شدی.»

آرسینه راپونزل را داد دست امیلی. لباس قرمز عروسک انگار امیلی را روی زمین نگه داشت. آرتوش بغل گوشم گفت «چه بچه‌ی نازنینی.»

منتظر صاحبخانه‌های اصلی دوروبر را نگاه کردم. راهرو که لنگه‌ی راهرو خودمان بود به نظرم بزرگ‌تر آمد. شاید چون غیر از میز تلفن اسباب دیگری نداشت. داشتم فکر می‌کردم «لابد هنوز نرسیده‌اند اثاث بچینند،» که خانم سیمونیان و پسرش به راهرو آمدند.

این که همه خیره شدیم به خانم سیمونیان فقط به خاطر کوتاهی قدش نبود. لباس حریر سیاهی پوشیده بود که از بلندی به زمین می‌کشید. سنجاق سینه‌ی بزرگی زده بود و گوشواره‌های آویز به گوش داشت. گردنبند مروارید چند رج آن‌قدر بلند بود که می‌رسید به کمربند پهن طلایی. آرمینه یواش گفت «عین کاج سال نو.» سقلمه که زدم با خواهرش خنده‌شان را قورت دادند.

خانم سیمونیان دست کوچکش را جلو آورد و با آرتوش دست داد.
«اِلمیرا هاروتونیان ـ سیمونیان. خوش آمدید.» بعد رو به ما به پشت سر
اشاره کرد. «پسرم، امیل سیمونیان را معرفی می‌کنم.» این طور معرفی
کردن رسمی و جدی را فقط در فیلم‌ها دیده بودم.

امیل سیمونیان همقد من بود که عجیب بود. تقریباً از همه‌ی مردهایی
که می‌شناختم بلندقدتر بودم، غیر از آرتوش که فقط وقت‌هایی که کفش
پاشنه‌تخت می‌پوشیدم همقدم بود. نمی‌دانم برای این که از شوهرم
بلندتر نباشم کفش پاشنه‌بلند نمی‌پوشیدم یا واقعاً با کفش پاشنه‌تخت
راحت‌تر بودم. دست دراز کردم طرف امیل سیمونیان. چه خوب که
آرتوش را واداشته بودم کراوات بزند.

امیل سیمونیان با کت‌شلوار سرمه‌یی، کراوات خاکستری و چشم‌های
سبز لبخند زد. دستم را که بردم جلو دستش را آورد جلو. ولی به‌جای
دست دادن خم شد دستم را بوسید. آرتوش تک سرفه‌ای کرد و دوقلوها
زُل زدند به دست من و سر امیل سیمونیان که موهای پرپشتش مرتب و
صاف و براق روی سر خوابیده بود. نفهمیدم کدام یکی از دوقلوها گفت
«چه بامزه.» و دومی گفت «عین فیلم‌ها.»

امیدوار بودم عرق تنم زیرِ حلقه آستین جا نینداخته باشد. آرمن انگار
حواسش نبود. فرصت نشد فکر کنم حواسش کجاست.

امیل سیمونیان که قد راست کرد، آرمن با امیلی دست داد. آرتوش
نگاهم کرد و ابرو بالا داد. هربار به آرمن می‌گفتیم «بزرگ شدی و باید مثل
آدم با مردم دست بدهی،» شانه بالا می‌انداخت و با هیچ‌کس دست
نمی‌داد.

آرسینه به امیلی گفت «راپونزل دلش برایت تنگ شده بود.»

آرمینه گفت « خیلی تنگ شده بود.»

دسته‌ی کوچک گل‌سرخ را دادم به خانم سیمونیان.

بوته‌ی گل‌سرخ را خودم توی باغچه کاشته بودم و با همه‌ی بدبینی آقا مرتضی که هربار می‌آمد می‌گفت «خانم مهندس، جسارت نباشه، نه گمونم به‌گل بشینه،» هفته‌ی پیش غرق گل شده بود.

خانم سیمونیان گل‌ها را بو کرد. تشکر نکرد. لبخند کجی زد و با دست به اتاق‌نشیمن اشاره کرد.

اتاق‌نشیمن هم به نظرم بزرگ‌تر از نشیمن ما آمد. راحتی‌های دسته فلزی و میز ناهارخوری شش نفره که دو طرف اتاق چیده شده بود، اثاثی بود که شرکت نفت به همه‌ی خانه‌های بوارده می‌داد. بیشتر خانواده‌ها مثل ما ترجیح می‌دادند راحتی‌ها و ناهارخوری بهتری بخرند. پنجره‌ها پرده نداشتند و از جای دیوارکوب‌ها چند تکه سیم زده بود بیرون. دوقلوها یک‌صدا گفتند «ما رفتیم اتاق امیلی.»

حس کردم آرمن هم دلش می‌خواهد برود و پابه‌پا می‌شود. مطمئن بودم اگر بگویم بمان می‌رود. گفتم «تو پیش ما بمان.» چانه بالا داد و همراه دخترها رفت. با خودم گفتم «خدا کند زودتر از نیم ساعت دعوا راه نیندازد.»

خانم سیمونیان دوباره گل‌ها را بو کرد و رفت طرف گنجه‌ای که تقریباً نصف یک دیوار را گرفته بود. از چوب تیره بود با دو در آینه‌کاری. وسط درها فرو رفتگی تاقچه مانندی بود. توی فرو رفتگی دو شمعدان چند شاخه گذاشته بودند با شمع‌های سفید. گنجه‌ی بزرگ به بقیه‌ی اسباب اتاق نمی‌خورد. خانم سیمونیان یکی از درها را باز کرد و گلدان بلوری در آورد. آینه‌ی درها دورتادور نقش و نگارهای ظریف داشت از گل و پرنده. فکر کردم گنجه را حتماً از هندوستان آورده‌اند. امیل سیمونیان تعارف کرد بنشینیم.

از این طرف اتاق که انگار هیچ ربطی به آن طرف اتاق نداشت به خانم سیمونیان نگاه کردم. گلدان بلور را برگرداند توی گنجه، گلدان چینی قرمزی برداشت، در را بست و رو کرد به من. «رنگ این یکی با رنگ گل‌ها هماهنگ‌ترست.» نمی‌دانم چی در نگاهم دید که لبخند زد. «از گنجه خوشتان آمد؟ کار انگلستان، اواخر قرن هجده.» بعد دستش را با گلدان دراز کرد. «امیل!»

پسرش از جا بلند شد، گلدان را گرفت و از دری که می‌دانستم به آشپزخانه باز می‌شود بیرون رفت. فکر کردم "هماهنگ‌تر"؟ چند وقت بود این کلمه‌ی مشکل ارمنی را نشنیده بودم؟ من بودم لابد می‌گفتم جورتر است یا بیشتر می‌آید. لباس حریر سیاه و جواهرات حتماً به گنجه بیشتر می‌آمد ـ با گنجه "هماهنگ‌تر" بود ـ تا به بقیه‌ی اثاث.

سه کنج اتاق پیانو سیاهی بود. درپوش باز بود و شستی‌های سفید به زردی می‌زد. روی جانُتی چند صفحه نُت بود. از پیانو دور بودم و نمی‌توانستم اسم آهنگ را بخوانم.

خانم سیمونیان گل‌ها را گرفت جلو سینه. با همان ته‌لبخند کج هنوز نگاهم می‌کرد. «چه روبان قشنگی به گل‌ها زده‌اید.» از گوشه‌ی چشم آرتوش را دیدم که توی راحتی جابه‌جا شد.

عصر آن روز روبان قرمز را چند بار دور گل‌ها بسته بودم و باز کرده بودم و تاب داده بودم تا بالاخره فُکُل روبان باب میلم شده بود. هربار برای کسی هدیه می‌بردم، با روبان بسته‌بندی همین وسواس را داشتم. آرتوش اگر می‌دید می‌گفت «حوصله داری ها. کی به روبان نگاه می‌کند؟» اولین بار بود کسی به روبان نگاه کرده بود.

امیل سیمونیان با گلدان پر آب برگشت. مادرش گلدان را گذاشت روی میز ناهارخوری و گل‌ها را یکی یکی توی گلدان جا داد.

آرتوش و امیل از گرمی هوا حرف می‌زدند و من به دست‌های خانم سیمونیان نگاه می‌کردم. گلدان درست همرنگ گل‌ها بود و تنها نور اتاق از لامپ لختی بود آویزان از سیمی دراز کنار پنکه‌ی سقفی. همسایه‌ام روبان را پیچید دور گلدان و تابش را مرتب کرد. آمد نشست روی راحتی سه‌نفره و با دست اشاره کرد کنارش بنشینم. رفتم کنارش نشستم. فنرهای راحتی صدا کرد. با دست کوچکش چند بار زد به زانویم. بعد گفت «امیل!»

امیل دوباره از دری که به آشپزخانه باز می‌شد بیرون رفت.

خانم سیمونیان لبه‌ی راحتی نشسته بود و پاهایش به زمین می‌رسید. کفش‌های ساتن سیاهش پاشنه بلند بود و پشت باز. روی کفش‌ها پروانه‌های نقره‌یی منجوق دوزی شده بود. رو کرد به آرتوش. «همسر شما جزو معدود زنان با فرهنگ ارمنی‌ست که طی سال‌های متمادی زندگی در اقصا نقاط عالم افتخار آشنایی‌اش را یافته‌ام. مرد خوشبختی هستید.» آرتوش چند بار پلک زد. بعد سر تکان داد و گره کراواتش را شُل کرد. اتاق خیلی گرم بود و در جمله‌ی طولانی همسایه‌ی کوتاه‌قدمان کلمه‌هایی بود که من و آرتوش مدت‌ها بود نشنیده بودیم.

امیل سیمونیان سینی نقره‌ی کوچکی در دست، به اتاق برگشت. توی سینی گلدوزی سفیدی بود، روی گلدوزی یک پارچ آب‌پرتقال و چهار لیوان.

آب‌پرتقال ولرم و تلخ را فرو دادم و به حرف‌های خانم سیمونیان گوش دادم که گرمای آبادان را با گرمای هند مقایسه می‌کرد و می‌گفت باد کولر برای کمردرد ضرر جبران ناپذیر دارد. من اگر بودم می‌گفتم "برای کمردرد اصلاً خوب نیست". وَرِ بی‌حوصله‌ی ذهنم داد زد «بس کن! لازم نیست ارمنی کتابی همسایه‌ات را مدام به ارمنی محاوره‌یی ترجمه کنی.» وَرِ مهربان خندید. «خودت هم که داری کتابی حرف می‌زنی.»

سعی می‌کردم به آرتوش نگاه نکنم. ظاهر و رفتار غیرعادی مادر و
پسر، گفت‌وگوهای اجباری، آب‌پرتقال تلخ و ولرم، گرما و نور کم اتاق از
طاقت من هم بیرون بود. ده دقیقه نگذشته خانم سیمونیان ایستاد. «ما
زود شام می‌خوریم.» آرتوش چنان با عجله گفت «ما هم همین‌طور،» که
دلم سوخت. چرا مجبورش کرده بودم بیاید؟ اصلاً چرا دعوت را قبول
کرده بودم؟ شاید به خاطر دوقلوها که از چند روز پیش یک‌بند از امیلی
حرف زده بودند و این که ـــــ بالاخره همسایه بودیم.

این بار تا خانم سیمونیان گفت «امیل!» از جا بلند شدم. «اجازه بدهید
کمک کنم.» امیل سیمونیان نیم‌خیز نگاهم کرد، لبخند زد و دوباره
نشست.

شام بچه‌ها کته بود با مرغ آب‌پز که قرار شد سر میز آشپزخانه بخورند.
چه خوب که قبل از آمدن به هر سه ساندویچ داده بودم. هربار جایی
ناآشنا شام یا ناهار مهمان بودیم، قبلاً چیزی می‌دادم بخورند. کته با مرغ
آب‌پز غذایی بود که وقت‌های مریضی مادر اصرار می‌کرد بخورند و
هیچ‌وقت نمی‌خوردند. شام ما پلو خورش بامیه بود.

میز از قبل چیده شده بود. رومیزی و دستمال‌سفره‌ها از کتان سفید
بودند. بشقاب‌های چینی با گل‌های نارنجی حتماً قدیمی بودند و حتماً
گران‌قیمت ولی بشقاب من دو جا لب‌پَر بود. خانم سیمونیان بالای میز
نشست و به من و آرتوش گفت روی کدام صندلی بنشینیم. یاد حرف
دوقلوها افتادم: «عین فیلم‌ها.» میزبان دستمال سفره را باز کرد، انداخت
روی زانو و گفت «امیل!» و به گنجه‌ی چوبی اشاره کرد.

امیل سیمونیان شمعدان‌های توی گنجه را آورد گذاشت وسط میز و
شمع‌ها را روشن کرد. آرتوش زیرچشمی نگاهم کرد. خانم سیمونیان
بی‌حرکت و بی‌حرف، انگار منتظر پایان مراسمی باشد، صبر کرد تا

آخرین شمع روشن شد و پسرش نشست و دستمال سفره را باز کرد. بعد گفت «شروع کنید، لطفاً.» در نور شمع رومیزی سفید به زردی می‌زد. بیشتر از یکی دو جا لک داشت و جای سوختگی سیگار.

اولین قاشق را گذاشتم دهانم و سعی کردم نگاهم به نگاه آرتوش نیفتد. خورش به حدی تند بود که حتی من که غذای تند دوست داشتم گُر گرفتم. آرتوش از غذای تند متنفر بود.

خانم سیمونیان ظرف چینی کوچکی را به آرتوش تعارف کرد. «اگر تندی خورش کافی نیست از این چاتنی استفاده کنید.» آرتوش لیوان آب را گذاشت روی میز و فقط سر تکان داد. من بودم می‌گفتم "از این چاتنی رویش بریزید". به خودم گفتم «خفه شو!»

امیل سیمونیان روی صندلی جابه‌جا شد و بی آن که سر بلند کند گفت «مادر، شاید بهتر بود خورش را زیاد تند نمی‌کردید. همه عادت ندارند.» بعد به من و آرتوش نگاه کرد و لبخند زد. حس کردم عذرخواهی می‌کند.

مادر دو قاشق چاتنی ریخت گوشه‌ی بشقاب و بی آن که به پسرش نگاه کند گفت «لطفاً دستور آشپزی به من نده. خورش بامیه باید تند باشد.» بعد رو کرد به من. «طرز درست کردن این چاتنی را در کلکته از آشپزمان رامو یاد گرفتم.» ظرف چاتنی را با احتیاط گذاشت کنار دیس برنج. «قبل از این که بیرونش کنم.»

امیل سیمونیان دست کشید به موها. انگشت‌هایش بلند و باریک بودند. آلیس می‌گفت «آدم‌های حساس انگشت‌های بلند و باریک دارند.» دست جلو صورت می‌گرفت و انگشت‌ها را تکان می‌داد. «مثل مال من.» به دست‌های خواهرم نگاه می‌کردم که مثل همه جای دیگرش گوشتالو بود و سر تکان می‌دادم که «آره.»

چند دقیقه کسی حرف نزد. از حیاط صدای قورباغه‌ها و جیرجیرک‌ها

می‌آمد. نور اتاق آن‌قدر کم‌جان بود که دلم می‌خواست بلند شوم چراغ دیگری روشن کنم. خانم سیمونیان ساکت غذا می‌خورد. فکر کردم باید حرفی پیش بکشم. از اتاق امیلی صدای خنده‌ی بچه‌ها آمد. شام خورده بودند؟ چطور هیچ‌کدام نگفتند «دوست ندارم.» امیل سیمونیان نگاهش هنوز پایین بود و من حرفی برای گفتن پیدا نمی‌کردم.

آرتوش لیوان دوم آب را گذاشت روی میز و گفت «مسجدسلیمان کدام قسمت کار می‌کردید؟» امیل سیمونیان سر بلند کرد و لبخند زد. این بار حس کردم تشکر می‌کند. بابت شکستن سکوت شاید.

به آرتوش نگاه کردم و فکر کردم پدر و پسر در کارهای نکرده باهم مسابقه گذاشته‌اند. یاد نداشتم شوهرم در حرف زدن با کسی پیش‌قدم شود، مگر برای مخالفت با مادرم.

امیل سیمونیان دستمال سفره را برد طرف دهان و تا خواست جواب بدهد مادرش گفت «امیل دانشجوی ممتازی بود. در هندوستان و البته در اروپا مشاغل بسیار عالی داشت. شرکت نفت بی‌نهایت شانس آورد که پسرم پیشنهاد همکاری را پذیرفت. هرچند ما در واقع به حقوق امیل احتیاج نداریم، فکر کردم حالا که تصمیم گرفتم در ایران زندگی کنم چه بهتر که امیل سرگرم باشد. هنوز فرصت نشده تقدیرنامه‌هایی را که از دانشگاه گرفته به دیوار بزنم. برای تقدیرنامه‌ها به گران‌ترین قاب‌ساز کلکته سفارش قاب دادم، همه از چوب فوفل.»

آرتوش هنوز به امیل نگاه می‌کرد. «گفتید کدام قسمت کار می‌کردید؟» انگار نه انگار مادر حرفی زده باشد.

امیل سیمونیان تک سرفه‌ای کرد، نگاهی به مادر انداخت و شروع کرد به حرف زدن. چقدر شبیه دخترش بود. در آشپزخانه‌ی ما، وقتی که مادربزرگ سر رسید. معذب و هراسان.

آرتوش فقط پلو خالی خورد، فقط به امیل سیمونیان نگاه کرد و فقط سر تکان داد. خانم سیمونیان برای بار دوم چاتنی ریخت توی بشقاب، چنان با دقت انگار معجون کمیابی را اندازه می‌کند.

داشتم فکر می‌کردم خانه که برگشتیم جواب غرولندهای آرتوش را چه بدهم که خانم سیمونیان گفت «بچه‌های شما چه ساعتی می‌خوابند؟» نیم ساعتی می‌شد صدای بچه‌ها در نیامده بود. نگران شدم. گفتم «معمولاً هشت‌ونیم، نُه. اما شب‌هایی مثل امشب که روز بعد مدرسه ندارند ـــ»

خانم سیمونیان قاشق چنگال را توی بشقاب جفت کرد و دستمال سفره را از روی زانو برداشت. «مدرسه رفتن یا نرفتن دلیل دیر و زود خوابیدن نیست. بچه باید به برنامه‌ی مشخصی عادت کند. امیلی سرِ ساعت نُه می‌خوابد. امیل هم که بچه بود به پرستارش دستور داده بودم ـــ» صندلی را عقب زدم و ایستادم. «به بچه‌ها سر بزنم.» امیل سیمونیان از جا بلند شد و تعظیم کوچکی کرد. آرتوش تکه نانی گاز زد.

گوشه‌ی راهرو چند چمدان روی هم چیده شده بود. کنار چمدان‌ها مجسمه‌ی سنگی فیلی بود. نصف خرطوم و تکه‌ای از یکی از گوش‌های فیل شکسته بود. به ساعتم نگاه کردم. هشت و ربع بود.

اتاق امیلی لنگه‌ی اتاق آرمن بود. اینجا هم به چشمم بزرگ‌تر آمد. جز تختخوابی فلزی، میز تحریری کوچک و قالیچه‌ای عنابی چیز دیگری نبود. پنجره پرده نداشت و اتاق کم‌نور بود. دوقلوها نشسته بودند روی قالیچه و آرمن روی صندلی پشت میز تحریر. امیلی روی تخت یله داده بود. دامن لباس سفید جسته بود بالای زانوها. یکی از دُم‌موشی‌ها باز شده بود و موها ریخته بود توی صورتش. داشت با روبان بازی می‌کرد.

مراکه دید زود صاف نشست، دامنش را پایین کشید و جفت دست‌ها را گذاشت روی زانو.

آرسینه با موهای فرفری که از زیر تِلِ نارنجی زده بود بیرون به من نگاه کرد. «چه خوب می‌شد فرداـــــ»

آرمینه با موهای فرفری که از زیر تِلِ نارنجی زده بود بیرون ادامه داد «امیلی با ما می‌آمد سینما.»

آرسینه گفت «اجازه‌ش را می‌گیری؟»

آرمینه سر کج کرد. «خواهش می‌کنیم.»

آرمن از روی میز تحریر کتابی برداشت و مشغول ورق زدن شد.

گفتم «خوش می‌گذرد؟ چکارها کردید؟»

آرمینه گفت «تا الان حرف می‌زدیم.»

آرسینه گفت «امیلی از مدرسه‌هایی که رفته تعریف می‌کرد.»

آرمینه گفت «حالا قرار شده بطری بازی کنیم.»

آرسینه گفت «امیلی یادمان داد.»

گفتم «بطری بازی؟» و نفسم را دادم تو.

با آرتوش سرِ بطری بازی آشنا شده بودم. در جشـن تـولد دوسـتی مشترک. مهمان‌ها به نوبت بطری را می‌چرخاندند. کسی کـه بـطری را چرخانده بود باید کسی را که سرِ بطری رو به او می‌ایستاد ببوسد. قرار ازدواج که گذاشتیم آرتوش اعتراف کرد «سعی می‌کردم بطری را طوری بچرخانم که سرش رو به تو بایستد.» بعد از اولین سالگرد ازدواج رویم شد بگویم «من هم همین‌طور.»

آرمینه گفت «کسی که بطری می‌چرخاند ـــــ»

آرسینه گفت «به کسی که سر بطری رو به او می‌ایستد ـــــ»

آرمینه گفت «هر دستوری دلش خواست می‌دهد.»

دوتایی گفتند «بامزه‌ست، نه؟»

نفسم را دادم بیرون و خندیدم. «به شرطی که دستورها خطرناک نباشند.» و فکر کردم «بچه‌ها چه معصوم‌اند.»

در اتاق نشیمن آرتوش و امیل حرف می‌زدند. خانم سیمونیان میز شام را جمع می‌کرد. تعجب کردم چطور پسر را به کار نکشیده. کمک کردم. در رفت و آمد بین ناهارخوری و آشپزخانه دامن لباسش را بالا گرفت و یکبند حرف زد. «از بدوِ تولد پیشخدمت و مستخدم داشتم. حالا مجبورم خودم کار کنم. هند هر بدی داشت وفور کلفت نوکر بود. منزل پدرم در جلفا هم که تا دلتان بخواهد مستخدم خانه‌زاد داشتیم.» گردنبند مروارید مدام گیر می‌کرد به ظرف‌ها و دستگیره‌ی در. «مسجدسلیمان که بودیم از جلفا دختری آوردم. مشاعرش درست کار نمی‌کرد. به خانواده‌اش خبر دادم آمدند دخترک را بردند. گمانم سر از نَماگَرد درآورد. هرچند حتماً نمی‌دانید نَماگَرد کجاست. شما اینجا کلفت سراغ ندارید؟»

خواستم بگویم می‌دانم نَماگَرد کجاست ولی نگفتم و یاد آشخِن افتادم که هفته‌ای دو بار برای کمک در کارهای خانه می‌آمد پیش ما و هفته‌ای یک‌بار می‌رفت خانه‌ی آلیس و مادر. شوهرش بعد از عمل کمر فلج شده بود و بازنشستگی مختصری از شرکت نفت می‌گرفت. پسرش تازه از سربازی برگشته بود و بیکار بود و به قول آشخن «صب تا شب بازار کویتی‌ها و کنار شط گز کردن و روزی دو پاکت سیگار دود کردن و تخمه شکستن، شده کار و زندگیش. به گمانش مادر بدبختش که من باشم اسکناس از درخت می‌چینم.» فکر کردم هم زحمت همسایه‌ام کم می‌شود، هم کمکی است به آشخِن.

میز شام که جمع شد نشستم روبه‌روی امیل و آرتوش. خانم سیمونیان نشست جای قبلی و گفت «ما بعد از شام میوه و چای نمی‌خوریم. مخلِ

هضم غذاست.» بعد نشانی خواربارفروشی *ادیب* را گرفت که نزدیک خانه‌مان بود و شماره‌ی تلفن معلم پیانو بچه‌ها را یادداشت کرد. «امیلی را از هفت سالگی فرستادم کلاس پیانو. باید ادامه بدهد. خودم البته از پنج سالگی پیانو می‌زدم.» فکر کردم چه عجب نگفت "می‌نواختم".

امیل پا انداخته بود روی پا. کفش‌های ورنی سیاه پوشیده بود با جوراب‌های سیاه. آرتوش هم پا انداخته بود روی پا. کفش‌هایش سیاه بود و جوراب‌ها قهوه‌یی. تقصیر خودم بود. یادم رفته بود جوراب سیاه بگذارم بغل کفش‌ها.

منتظر بودم نگاه آرتوش را بدزدم و اشاره کنم خداحافظی کنیم که آرمن دوید توی اتاق. صورتش قرمز شده بود و سرفه امانش نمی‌داد. از جا پریدم. «چی شد؟» وسط سرفه گفت «آب.» امیل سیمونیان ایستاد. آرتوش هم ایستاد. خانم سیمونیان تکان نخورد.

آرمن را بردم آشپزخانه. آب ریختم دادم دستش و پرسیدم «چیزی پرید گلوت؟» مژه‌های بلندش از اشک به هم چسبیده بود. باز آب خواست، باز سرفه کرد، باز آب خورد تا بالاخره آرام گرفت و بی آن که نگاهم کند گفت «نمی‌دانم چرا یکهو افتادم به سرفه.» و از آشپزخانه بیرون رفت.

آرتوش دوقلوها را صدا کرده بود و داشت از خانم سیمونیان تشکر و خداحافظی می‌کرد. امیلی سر پایین روبان سفید را دور انگشت می‌پیچید. به نظرم آمد یا واقعاً لبخند کجی به لب داشت؟

وقت دست دادن با خانم سیمونیان و پسرش، زیرچشمی دیدم آرمن رفت طرف دوقلوها و توی گوششان پچ‌پچ کرد. آرمینه دامن لباسم را کشید. «سینمای فردا.» رو کردم به امیل سیمونیان. «اجازه می‌دهید امیلی فردا با بچه‌ها برود سینما؟» امیل سیمونیان به مادرش نگاه کرد. آرسینه طرف دیگر لباسم را کشید. «از مادربزرگ بپرس.»

خانم سیمونیان بعد از این که پرسید کدام سینما و چه فیلمی و با کی می‌روند و با کی می‌آیند و چه وقت می‌روند و چه وقت می‌آیند و مبادا توی سینما چیپس یا ساندویچ بخورند بالاخره اجازه داد.

دوقلوها عرض خیابان را دست به کمر همدیگر جلوتر از من و آرتوش و آرمن رفتند. یکی دوبار برگشتند به آرمن نگاه کردند و خندیدند. در خانه را باز کردم و چراغ راهرو را روشن کردم.

آرسینه گفت «آخیش. چه خوب که خانه‌ی ما تاریک نیست.»

آرمینه گفت «آخیش. خنک هم هست.»

آرسینه گفت «خیلی خوش گذشت ولی خانه‌شان خیلی تاریک بود.»

آرمینه گفت «خیلی خوش گذشت ولی خانه‌شان خیلی گرم بود.»

آرتوش کراواتش را باز کرد و رفت طرف آشپزخانه. «چیزی برای خوردن داریم؟» آرمن بی‌حرف رفت توی اتاقش و در را محکم به هم زد.

دوقلوها را روانه اتاق خواب کردم، کفش‌های پاشنه‌بلند را درآوردم و پابرهنه رفتم آشپزخانه.

آرتوش پشت میز نشسته بود، خیره به گل‌های روی هره. «مرد بیچاره. حالا می‌فهمم چرا حالت عادی ندارد. با این مادر ـــ» مارمولک کوچکی از پشت توری زُل زده بود توی آشپزخانه. ساندویچ تخم‌مرغ درست کردم. تخم‌مرغ در هر شکل و هر وقت غذای محبوب شوهرم بود.

تا آرتوش آمد ساندویچ را گاز بزند فریاد آرسینه بلند شد. «بگو ایشی کجاست وگرنه می‌گویم چرا به سرفه افتادی.»

خواستم از پشت میز بلند شوم که آرتوش دستم را گرفت و برای خدا می‌داند چندمین بار گفت «دخالت نکن. اجازه بده دعوا کنند. بعد آشتی می‌کنند. باز دعوا می‌کنند، باز آشتی می‌کنند. ولشان کن.» بعد لبخند زد.

«نترس، همدیگر را نمی‌کُشند.» انگشت کشید به پشت دستم کـه هـنوز
توی دستش بود. بی‌حرکت ماندم. چند وقت بود دستم را نگرفته بود؟
دستم را ول کرد و ساندویچش را برداشت گاز زد. «پوستت چقدر خشک
شده.»

به دست‌هایم نگاه کردم. به ناخن‌های از ته گرفته‌ی بی لاک. خـانم
سیمونیان هم وقت دست دادن متوجه خشکی دستم شده بود؟ پسرش
چطور؟ یاد بوسیدن دستم افتادم و باز معذب شدم. صدای بـچه‌ها در
نیامد و نیم ساعت بعد که به اتاق‌ها سر زدم هر سه خواب بودند و ایشی
بغل آرمینه بود.

۸

جمعه‌ها برخلاف روزهای دیگر صبحانه‌ی مفصل می‌خوردیم.

رادیو روشن بود. تخم‌مرغ‌ها را توی ماهی‌تابه شکستم و به آرتوش که کره و پنیر از یخچال درمی‌آورد گفتم «من میز می‌چینم. تو برو آرمن را بیدار کن به سینما برسند.»

از دمِ در آشپزخانه آرمن گفت «بنده بیدارم. دخترهای تنبلتان را بیدار کنید. درضمن صبح بخیر.» موهایش خیس بود و صورتش گل انداخته بود. آرتوش به من نگاه کرد و ابرو بالا داد. هر دو زُل زدیم به پسرمان.

آرمن نشست پشت میز. «چه خبر شده؟ آدم حمام رفته ندیدید؟»

آرتوش کفگیر زد زیر نیمرو. «آدم حمام رفته زیاد می‌بینیم، آرمن حمام رفته معمولاً کم می‌بینیم.» نیمرو را گذاشت توی بشقاب آرمن و دوتایی خندیدیم. از ده سالگی آرمن به بعد، حمام فرستادن پسرم یکی از سخت‌ترین وظایفم بود.

آرمن داشت غُر می‌زد نیمروی شُل دوست ندارد که آرسینه و آرمینه دویدند تو. با سارافون‌های چهارخانه‌ی قرمز ـ سرمه‌یی و بلوزهای سفید. هردو گفتند نیمرو نمی‌خورند و هردو کره مربا و شیرکاکائوی سرد خواستند.

فروزنده‌ی اربابی از رادیو گفت «این روزها در تهران بهارست و شکوفه و باران ـــــ»

آرمن بلندبلند گفت «این روزها در آبادان بهار نیست و گرماست و شرجی.»

آرسینه گفت «چی گفتی؟» آرمینه با صدای تودماغی گفت «مثل فروزنده اربابی حرف زد.» آرسینه از ادا در آوردن خواهر و برادرش غش‌غش خندید و وسط خنده گفت «ناهار باشگاه می‌خوریم؟» آرمینه گفت «ناهار باشگاه بخوریم.»

جمعه‌ها اگر مهمان نبودیم یا مهمان نداشتیم برای ناهار می‌رفتیم باشگاه گلستان. بچه‌ها چلوکباب باشگاه را دوست داشتند و من فکر می‌کردم چه خوب که هفته‌ای یک بار همه سر ناهار دور هم باشیم. آرتوش شکر ریخت توی فنجان چای و هم زد. «به یک شرط.»

آرمینه تند لقمه‌اش را قورت داد. «چه شرطی؟ همه‌ی کارهای مدرسه را کردیم. تمرین پیانو هم کردیم. اتاقمان را هم جمع و جون کردیم.» و مثل همیشه تأیید خواهرش را خواست. «نه، آرسینه؟» آرمن قسمت شُل و سفت نیمرو را سوا می‌کرد. «جمع و جون، نه. جمع و جور. خِنگِ ـــــ» نگاهش افتاد به من و بقیه‌ی حرفش را خورد. دوقلوها حواسشان به آرتوش بود. «بگو! بگو چه شرطی.» آرتوش چای هم می‌زد.

آرمینه گفت «قبول.» آرسینه گفت «هر شرطی قبول.» بعد دوتایی گفتند «بگو بگو بگو.»

حالا من و آرمن هم با دوقلوها منتظر به آرتوش نگاه می‌کردیم که بی‌عجله قاشق را از توی فنجان درآورد، با طمأنینه گذاشت توی نعلبکی، از پنجره به بیرون خیره شد، به من نگاه کرد، بعد به آرمن، بعد به دوقلوها. تا بالاخره گفت «به شرطی که دخترهای خوشگلم یکی یک ماچ گنده بدهند به پدر.»

آرمینه و آرسینه زدند زیر خنده و از جا پریدند. آرمن شکلک درآورد «یِه یِه یِه، چه لوس.» خندیدم و شروع کردم به جمع کردن میز صبحانه.

آرسینه از روی زانوی آرتوش گفت «کاش بعد از سینما امیلی هم با ما می‌آمد باشگاه.» آرمینه از روی زانوی دیگر گفت «وای! باید برویم دنبالش.» و از بغل آرتوش پایین پرید. آرمن صندلیش را پس زد. «من می‌روم دنبالش.» آرتوش از بالای موهای فرفری آرسینه به من نگاه کرد. آرمن رسیده بود به راهرو که دوقلوها پشت سرش داد زدند «صبر کن!» و از آشپزخانه زدند بیرون.

آرتوش به درِ آشپزخانه نگاه کرد. «پسرمان خیلی مبادی‌آداب شده.» بعد از جا بلند شد.

«بچه‌ها را از سینما برداشتم، می‌آییم دنبال تو. تلفن کن مادر و آلیس هم بیایند.»

تعجب کردم. آرتوش خوب می‌دانست مادر و آلیس احتیاج به دعوت ندارند و حتماً می‌آیند. من هم خوب می‌دانستم آرتوش علاقه‌ی چندانی به آمدن هیچ‌کدام ندارد. پس دلیل این لطف و محبت چی بود؟ از راهرو که داد زد «بچه‌ها را گذاشتم سینما سری به شاهنده می‌زنم،» با خودم گفتم «آها! پس بگو ــــ» صدا زدم «صبر کن!» و دنبالش دویدم.

وسط راه‌باریکه ایستاد و منتظر ماند تا برسم. با ریش بزی ور می‌رفت و ریزریز می‌خندید. پس حدسم درست بود. داشت باج می‌داد. روبه‌رویش ایستادم. «مگر قول ندادی نروی سراغ شاهنده؟» مویم را که ریخته بود روی پیشانی پس زد. «صد بار گفتم حرف‌هایی که شنیده‌ای درست نیست. شاهنده بنده خدا سیاست بازیش کجا بود؟ حالا گیرم گاهی یکی دو نفر می‌آیند مغازه و گپ می‌زنیم.» با انگشت زد به نُک

دماغم. «نگران نباش. فقط شـربت گلاب و تـخم شـربتی مـی‌خورم و برمی‌گردم. برای تو هم شربت بیاورم؟» و خندید.

شاهنده به هرکسی که به مغازه‌اش مـی‌رفت، اگر هوا خیلی گرم بـود شربت گلاب و تخم شربتی تعارف می‌کرد و اگر هوا گرم نبود چای با لیمو عمانی. فقط یک بار شربت گلاب خورده بودم و از مزه‌اش هیچ خوشم نیامده بود.

باهم رفتیم طرف در فلزی و آرتوش گفت «شاید هم قصه‌ی بامزه‌ای از شکار گفت. برگشتم خانه تعریف می‌کنم.» گفتم «نیست خیلی هم قصه تعریف کردن بلدی.» ماجراهایی کـه شـاهنده از شکـارهایش تعریف می‌کرد، حتی در بازگویی سرسری و بی‌هیجان آرتوش هم جالب بود.

کمک کردم در گاراژ را باز کند «واقعاً مغازه‌ی شاهنده خبری نیست؟ پس چرا بعد از سال نو تا نزدیک عید پاک تعطیل بود؟ عطرفروش بغلی گفت از تهران آمدند دنبالش.» آفتاب افتاد روی شـورلت زرشکـی کـه بیست سالی از عمرش می‌گذشت و یکی از موضوع‌های مورد علاقه‌ی آلیس بود برای مسخره کردن آرتوش.

در ماشین را باز کرد. «عطرفروش مزخرف گفته. شاهنده هم مثل من در جوانی یک کارهایی کرده. حالا پشم و پیلی هردومان ریخته.» سوار شد و گفت «فقط حرف می‌زنیم. مطمئن باش.» ماشین بعد از چند بار استارت زدن بالاخره روشن شد و آرتوش داشت دنده عقب از گاراژ بیرون می‌آمد که بچه‌ها سر رسیدند.

امیلی موها را با تِلِ قرمز از پیشانی پس زده بود. حالا کـه مـو تـوی صورتش نریخته بود چشم‌ها درشت‌تر به‌نظر می‌آمد و لب‌ها و گـونه‌ها برجسته‌تر. باز از ذهنم گذشت انگار ماتیک زده. آرسینه و آرمینه بغض کرده بودند. «مادربزرگ اجازه نداد امیلی ناهار بیاید بـاشگاه.» «مـادر

بزرگ گفت غذای بیرون برای امیلی خوب نیست.» دو دستم را گرفتند تکان دادند. «تو برو اجازه بگیر.» «لطفاً برو.» «خواهش می‌کنیم.» آرمن چند قدم آن طرف‌تر با نُک پا سنگریزه‌ای را عقب جلو می‌کرد. امیلی سرش پایین بود. آرتوش از توی ماشین صدا زد «بجنبید. دیر شد.»

دست گذاشتم پشت دوقلوها و بردمشان طرف ماشین. «باشد، شاید رفتم اجازه‌ش را گرفتم.»

آرسینه و آرمینه نشستند صندلی عقب. آرمن در را نگه داشت تا امیلی سوار شد. بعد در را بست و رفت صندلی جلو کنار پدرش نشست. آرتوش راه افتاد و دست تکان داد. دوقلوها شیشه را پایین دادند و داد زدند «اجازه‌ی امیلی. خواهش می‌کنیم.» سر تکان دادم که «باشد،» و دست تکان دادم که «خداحافظ.»

ایستادم تا شورلت رسید ته خیابان و پیچید طرف سینما تاج. باد گرمی آمد و درخت‌های بیعار دو طرف خیابان تکان بی‌حالی خوردند. آقای رحیمی، همسایه‌ای که گاراژهای دیوار به دیوار داشتیم، با ماشینش ور می‌رفت. پسر پنج ساله‌اش شلوار پدرش را می‌کشید و گریه می‌کرد. «بریم استلخ، بریم استلخ.» آقای رحیمی سلام احوالپرسی کرد و خندید. «بابا جان، استخر هنوز باز نشده که.» پسرک پاکت ***کول‌اِید*** به دست نق می‌زد. دور دهانش نارنجی بود. در آبادان بزرگ‌ترها با گَردِ ***کول‌اِید*** لیمویی یا پرتقالی و طعم‌های دیگر شربت درست می‌کردند. ولی بچه‌ها عاشق این بودند که خود گَرد را خالی خالی بخورند، زبان نشان هم بدهند و بپرسند «نارنجی شده؟ قرمز شده؟ بنفش شده؟»

از آقای رحیمی حال خانم رحیمی را پرسیدم که برای خرید عروسی برادرزاده‌اش رفته بود تهران. بعد خداحافظی کردم. در فلزی حیاط را باز کردم، بستم و از راه‌باریکه‌ی وسط دو تکه چمن گذشتم. به گل‌های شبدر

توی چمن‌ها نگاه کردم و یاد حرف آرمینه افتادم. «عین *اسمارتیزهای*
بنفش. نه آرسینه؟» هردو عاشق شکلات‌های گرد و رنگارنگ *اسمارتیز*
بودند. شاخه‌های درخت بید خم بود روی تاب فلزی و بوته‌ی گل سرخ
غنچه‌های تازه داده بود.

۹

وارد خانه شدم و در را پشت سر قفل کردم. در آبادان کسی وسط روز در خانه‌اش را قفل نمی‌کرد. من هم فقط وقت‌هایی کلید را توی قفل می‌چرخاندم که می‌خواستم مطمئن باشم تنها هستم. ورِ بهانه‌گیر ذهنم بارها پرسیده بود «در قفل کردن چه ربطی به تنها بودن دارد؟» هربار جواب داده بودم «نمی‌دانم».

تکیه دادم به در و چشم‌ها را بستم. بعد از گرما و نور بیرون و سر و صدای بچه‌ها، خنکی و سکوت و سایه‌روشن خانه دلچسب بود. فقط هومِ یکنواخت کولرها می‌آمد و بوی اُدوکلن آرتوش که هنوز توی راهرو بود. هوس قهوه کردم.

به ساعت دیواری آشپزخانه نگاه کردم. چیزی به ده نمانده بود. تا نیم ساعت دیگر حتماً مادر و آلیس پیدایشان می‌شد. فکر کردم «صبر می‌کنم باهم قهوه بخوریم.» پاکت سیگار را از یخچال درآوردم. نمی‌دانم از کی شنیده بودم سیگار توی یخچال دیر خشک می‌شود.

زیاد سیگار نمی‌کشیدم. فقط گاهی که خانه خلوت بود دوست داشتم بنشینم توی راحتی چرم سبز، سر تکیه بدهم به پشتی، سیگار بکشم و فکر کنم. در این لحظه‌های نادر تنهایی سعی می‌کردم به مسایل روزمره مثل شام شب و درس نخواندن آرمن و خونسردی و فراموش‌کاری آرتوش فکر نکنم.

به چیزهایی فکر می‌کردم که کم فرصت می‌شد یادشان بیفتم. مثل خانه‌مان در تهران که حیاط کوچکی داشت و اتاق‌های بزرگ و راهرو درازی که وسط روز هم تاریک بود. به پدرم فکر می‌کردم که ظهرها که به خانه می‌آمد دست و رو می‌شست، پشت میز می‌نشست و هرچه مادر آن روز پخته بود با اشتها می‌خورد و با حوصله به مادر گوش می‌کرد که ماجراهای روز را با ریزترین جزییات تعریف می‌کرد. از کم‌رنگ بودن هندوانه‌ای که آن روز خریده بود تا گران شدن لوبیاچیتی و دعواهای من و آلیس که حتماً جزو اتفاق‌های هر روز بود. پدر زیرلب چیزهایی می‌گفت که ما درست نمی‌شنیدیم و اگر هم می‌شنیدیم یادمان نمی‌ماند. بعد از پشت میز بلند می‌شد، از مادر برای ناهار تشکر می‌کرد، از راهرو تاریک می‌گذشت و به اتاقش می‌رفت که ته راهرو بود. اتاق کوچکی با پرده‌های مخمل قهوه‌یی. پرده‌های مخمل قهوه‌یی همیشه کشیده بود و اتاق پُر بود از چیزهایی که مادر مدام غُر می‌زد «این آشغال‌ها را چرا نگه داشتی؟»

بعد از چهلم مرگ پدر، با مادر و آلیس که وارد اتاق پدر شدیم مادر گریه کرد و گفت «خدا می‌داند این آشغال‌ها را چرا نگه می‌داشت.» توی قفسه‌های تا به سقف کتاب بود و بریده‌های روزنامه و مجله و جدول‌های نصفه نیمه حل شده. نامه‌هایی بود که نه من و نه مادر و نه آلیس نویسنده‌هایشان را نمی‌شناختیم. عکس‌های دسته‌جمعی بود از جوانی‌های پدر با دوستانش. دوست‌هایی که هیچ‌وقت ندیده بودیم. آلیس بغ کرده بود و مادر گریه می‌کرد. «این همه سال، این همه آشغال را چرا نگه داشت؟» کتاب‌ها را باز کردم و بستم. ساعت مچی‌هایی را که کار نمی‌کردند زیر و رو کردم و یادم آمد که مادر همیشه از بدقولی پدر شاکی بود. توی جعبه کفشی کهنه به تیغ‌های ریش‌تراشی زنگ‌زده نگاه کردم و توی گنجه‌ی چوبی به شیشه‌های خالی اُدوکلن‌های جورواجور.

پدر از وقتی که یادم بود ریش انبوهی داشت و هیچ‌وقت بوی اُدوکلن نمی‌داد.

در اتاق کوچک ته راهرو آلیس چیزی که ارزش نگه داشتن داشته باشد پیدا نکرد. کتاب‌ها را من برداشتم و مادر اشک‌هایش را خشک کرد، پرده‌های مخمل قهوه‌یی را پس زد و هرچه دم دستش رسید ریخت دور. اتاق کوچک ته راهرو که خالی شد، مادر انگار وظیفه‌ی اصلی‌اش را انجام داده باشد، با خیال راحت به سوگ پدر نشست و جمله‌ی «اگر پدر خدا بیامرزتان زنده بود ـــ» شد ورد زبانش.

کم‌کم از یادمان رفت که اگر پدر زنده بود زندگی هیچ تغییری نمی‌کرد. پدر کتاب می‌خواند و جدول حل می‌کرد و غذاهای چرب می‌خورد و در هیچ مورد اظهار نظر نمی‌کرد و اگر هم می‌کرد ما نمی‌شنیدیم یا می‌شنیدیم و یادمان نمی‌ماند و به زندگی خودمان ادامه می‌دادیم. من همراه آرتوش به آبادان می‌آمدم و بچه‌هایم را بزرگ می‌کردم. آلیس چند سالی می‌رفت انگلستان، در باطن به این امید که شوهر انگلیسی پیدا کند و در ظاهر رشته‌ی پرستاری بخواند. مادر روزی دو بار کف آشپزخانه را می‌شست و پشت سر زن‌هایی که خربزه و هندوانه را نشُسته می‌گذارند توی یخچال بد می‌گفت و هر روز دلیلی برای نگران شدن پیدا می‌کرد.

سر تکیه داده به پشتی راحتی سبز یاد سیمونیان‌ها افتادم. دست‌های ظریف پسر، کفش‌های منجوق‌دوزی مادر و امیلی که هنوز یک کلمه با من حرف نزده بود. فکر کردم مادر امیلی چه جور زنی بوده؟ مادر گفته بود «دیوانه شد و سر از نَماگَرد در آورد.» فکر کردم تابستانی که رفتیم نَماگَرد چند ساله بودم؟ هشت ساله؟ یازده ساله؟ همسن حالای دوقلوها شاید.

قیژ در فلزی حیاط را شنیدم. سرک کشیدم و از پنجره مادر و آلیس را دیدم که می‌آمدند. خواهرم با لباس زردِ گشاد، وسط درخت‌ها و

شمشادها و زیر نور تند خورشید، شبیه گل آفتابگردان بزرگی بود و مادر، لاغر و تکیده با لباس سیاه، شبیه تکه چوبی خشک. آرمن می‌گفت «خاله آلیس و نانی باهم که راه می‌روند، عین لورل هاردی‌اند.» خواهرم جعبه‌ی مقوایی بزرگی در دست داشت. ندیده می‌دانستم چیست. جمعه‌ها رفتن به قنادی نگرو و خریدن نان خامه‌یی تازه بـرای آلیس از کـلیسا رفـتن روزهای یکشنبه واجب‌تر بود.

۱۰

مادر گله‌هایش را از گرما کرد. آلیس نفسش جا آمد. دوتایی پشت میز آشپزخانه نشستند و خواهرم گفت «خب؟»

لازم نبود بپرسم «خُب، چی؟» اگر پیش می‌آمد بدون آلیس جایی بروم ــ که به‌ندرت پیش می‌آمد ــ روز بعد باید سیر تا پیاز همه‌ی اتفاق‌ها را تعریف می‌کردم و با این حال رضایت نمی‌داد و قیافه‌ی مشکوکی به خود می‌گرفت که «همه چیز را تعریف نکردی.»

کنار اجاق و چشم به قهوه‌جوش که قهوه سر نرود گفتم «خُب، باید می‌رفتیم. بالاخره همسایه‌اند.» آلیس زد زیر خنده. «یعنی این‌قدر بد گذشت؟ حتماً پروفسور کلی غُر زد.» مادر هم خندید. قهوه ریختم، گذاشتم روی میز و نشستم.

خواهرم نخ دور جعبه‌ی مقوایی را باز کرد و درش را برداشت. «نیم ساعت منتظر ماندم تا حاضر شد. تازه‌ی تازه‌ست. هرچه آقا موسوی اصرار کرد به جاش شیرینی تَر بخرم زیر بار نرفتم. گفتم سه خروار گلاب می‌ریزی توی شیرینی تَر. نگفتم عوضش نان‌خامه‌یی‌هات محشرند. پُررو می‌شد.» دو انگشتی نان‌خامه‌یی برداشت، گاز زد، چشم‌ها را بست و گفت «ممم ـــ» یعنی خوشمزه است. بعد جعبه را سُراند طرف من و مادر و با دهان پُر گفت «ممم!» یعنی بخورید. مادر یکی برداشت و من سر تکان دادم. «الان با بچه‌ها صبحانه خوردم.»

مادر گفت «بچه‌ها نیستند؟ ها! قرار بود بروند سینما. آرتوش کجاست؟ ها! رفته بچه‌ها را برساند. برمی‌گردد؟ نه! حتماً باز رفته سراغ شاهنده.» و بعد از این سؤال جواب تک‌نفره نان خامه‌یی را گاز زد، جوید، قورت داد و گفت «صد بار گفتم نباید برود سراغ این گیس‌بریده. (شاهنده موهای بلند و سفیدش را دم اسبی می‌کرد.) لوازم شکار فروختن بهانه‌ست. (شاهنده نزدیک بازار کویتی‌ها لوازم شکار فروشی داشت.) کدام کاسبی جمعه مغازه باز می‌کند؟ (غیر از جمعه‌ها که مغازه‌ی شاهنده حتماً باز بود، فقط یکی دو روز در هفته به قول خودش کرکره را بالا می‌زد.) با هیکل غولتشن و سبیل چخماخی خجالت نمی‌کشد عین جوان‌ها لباس می‌پوشد.» (شاهنده پیراهن‌های گشاد یقه‌انگلیسی می‌پوشید با رنگ‌های تند.) جواب مادر را که ندادم ادامه داد. «از من گفتن. کم از دست خدا بیامرز و سیاست بازی‌هاش کشیدم، حالا هم دامادم. از آب خلاص شدیم دچار سیلاب شدیم.» تا جایی که یادم بود "سیاست بازی" پدرم از چند بار رفتن به انجمن ایران و شوروی، آن هم به اصرار آرتوش و شنیدن برنامه‌های رادیو ارمنستان تجاوز نکرده بود.

آلیس قهوه را چشید و صورتش رفت توی هم. «یِقک! عین زهر مار.» جاشکری را سُراندم جلو، با این فکر که انگار ماجرای عروسی دکتر فراموش شده. مادر بُراق شد. «آچو!» هربار مادر آلیس را با اسمی که از بچگی رویش مانده بود صدا می‌کرد ــ خواهرم از این که آچو صدایش کنند متنفر بود ــ یعنی از دست آلیس عصبانی است. «باز نشستی سر دبه‌ی شکر؟» حتماً ماجرا به خیر گذشته بود که مادر جرأت می‌کرد سر خوردن به آلیس غر بزند.

آلیس دو قاشق سَرپُر شکر ریخت توی فنجان قهوه و هم زد. نان

خامه‌یی دیگری برداشت و بی‌توجه به مادر رو کرد به من. «تعریف کن.
پسره چه ریختی بود؟ مادرش جواهر تازه داشت؟» مادر لب به هم فشرد
و رو کرد به سقف. «یا مریم مقدس. باز شروع شد.»

فکر کردم امیل سیمونیان را چطور توصیف کنم؟ چیزی که یادم مانده
بود چشم‌هایش بود که انگار از خیلی دور به آدم نگاه می‌کرد و نشستن،
راه‌رفتن، غذا خوردن و همه‌ی حرکاتش که نرم و بی‌عجله بود. اما این
چیزها به درد خواهرم نمی‌خورد. گفتم «قدبلند و خوش‌پوش و ——
خوش‌قیافه.» گفتم و درجا پشیمان شدم. نان‌خامه‌یی سوم بین جعبه‌ی
مقوایی و دهان آلیس بی‌حرکت ماند. «چند ساله؟»

فنجان قهوه را برگرداندم توی نعلبکی و شانه بالا دادم. «نمی‌دانم،
گمانم حدود چهل.» مادر در جعبه‌ی نان‌خامه‌یی را گذاشت، سُراند طرف
من و به یخچال اشاره کرد. آلیس چشم به پنجره حواسش به ما نبود. مادر
گفت «یقین همین حدودهاست.» بعد زُل زد به آلیس. «فکرش را هم
نکن.» آلیس رو به پنجره دست کرد توی موها. «فردا قرار سلمانی دارم.»
بعد به من نگاه کرد. «به نظر تو مو کوتاه بکنم؟»

مادر به من نگاه کرد و سر تکان داد. هر دو اتفاق‌های بعدی را از حفظ
بودیم. هروقت سر و کله‌ی مرد بی‌زنی پیدا می‌شد، آلیس اول آرایش مو
عوض می‌کرد، بعد چند روز یا چند هفته ـ بستگی به تداوم ماجرا داشت
ـ رژیم می‌گرفت و به‌گفته‌ی خودش و نه به دید ما وزن کم می‌کرد. پاشدم
سبد میوه را از یخچال بیرون آوردم. یاد قولی افتادم که به پدر داده بودم و
با خودم تکرار کردم «بحث نکن.»

آلیس گفت «حواست کجاست؟ پرسیدم موی کوتاه به من ——» شروع
کردم به جمع کردن فنجان‌ها و با عجله گفتم «حتماً. چرا که نه؟»

ناله‌ی ترمز شورلت آرتوش آمد و چند لحظه بعد دوقلوها دویدند تو.

«*هِلو* نانی!»

«*هِلو* خاله!»

مادر آرمینه را بغل کرد. «باز گفتید *هلو*؟ ما که انگلیسی نیستیم. هستیم؟ بگو *بارِو*.»

آلیس آرسینه را بغل کرد. «باز گیر دادی به بچه‌ها؟ توی آبادان کسی را پیدا می‌کنی که نگوید *هلو*؟ خودت هم مدام انگلیسی می‌پرانی.»

مادر چشم دراند. «من؟ هیچوقت!»

آلیس هم چشم دراند. «تو؟ همه وقت!» سر کج کرد به راست و ادای مادر را درآورد. «*فَنِ* آشپزخانه خراب شده.» سرکج کرد به چپ. «آلیس رفته *هوسپیتال*.» باز به راست، «*استور* نان *تویست* نداشت، *رول* خریدم.» باز به چپ، «بچه‌ها، مواظب باشید از *بایسیکل* نیفتید.» زل زد به مادر، «*تنی‌شوز*های آرمن کهنه شده. که در ضمن *تنی‌شوز* نه و *تنیس شوز*.»

بچه‌ها خندیدند، مادر چپ چپ به آلیس نگاه کرد و آلیس گفت «دیروز یکی از دکترها چیز بامزه‌ای تعریف کرد.»

آرمینه نشست روبه‌روی آلیس. «خاله تو تعریف کن تا بعد ما ــــ»

آرسینه نشست بغل دست آرمینه. «تا بعد ما فیلم را تعریف کنیم.»

آلیس به مادر گفت «نان خامه‌یی‌ها چی شد؟ باز چپاندی توی یخچال؟»

آرمینه گفت «خاله بگو.»

آرسینه گفت «بگو خاله.»

دست آرمن را گرفتم که داشت می‌رفت طرف در یخچال و انگشت تکان دادم که «نان خامه‌یی بی نان خامه‌یی.»

آلیس گفت «یکی از مهندس‌های انگلیسی رفته سرکشی تأسیساتِ یادم نیست کجا. سرْکارگر مثلاً مترجم حرف‌های مهندس بوده برای

کارگرها. مهندس انگلیسی گفته "Tell them to bend the pipes." سرْکارگر برگشته سر کارگرها داد زده «آهای وُلَک! گفت **پایپ**‌ها رو **بِندِ**ش کن.»

همه خندیدیم جز مادر که پشت چشم نازک کرد و گفت «خیلی هم بی‌مزه بود.»

آرمینه گفت «ولی فیلمش خیلی بامزه بود.»

آرسینه گفت «ولی سینما تاج عین یخچال بود.»

«بس که سرد بود.»

«ماما، اجازه‌ی امیلی چی شد؟»

«گرفتی؟»

«تلفن کن.»

«نه، برو منزلشان.»

«نه، خاله. شکلات نمی‌خوریم. باید ناهار بخوریم.»

«ماما، خواهش. برو اجازه بگیر. خواهش.»

دست گذاشتم روی سرم. «امان بدهید. رفتم.» و پاشدم.

از آشپزخانه که رفتم بیرون، آرمینه و آرسینه نشسته بودند روی زانوهای خاله و مادربزرگ و یکی در میان ماجرای فیلم را تعریف می‌کردند.

در فاصله‌ی خانه‌ی خودمان و آن طرف خیابان با خودم گفتم امیدوارم خواهرم نخواهد برنامه‌ی همیشگی را روی امیل سیمونیان پیاده کند. برخلاف هربار که با خودم می‌گفتم «شاید این یکی ــــ» این بار کوچک‌ترین تردیدی نداشتم که این یکی اصلاً و ابداً به درد آلیس نمی‌خورد. از جوی خیابان بوی لجن به دماغم خورد.

انگار کسی منتظرم باشد، انگشت از روی زنگ برنداشته در باز شد و خانم سیمونیان جواب سلامم را نداده گفت «نه. اصلاً امکان ندارد.

غذای بیرون به امیلی سازگار نیست. الان هم باید استراحت کند.» از لای در صورت گریان امیلی را دیدم.

وقت برگشتن ورِ ایرادگیرم تشر زد. «ناراحت شدی؟ تا تو باشی به هر سازی که بچه‌ها می‌زنند نرقصی.» جواب دادم «پشت دستم داغ.»

آرمن گفت «حوصله‌ی باشگاه ندارم.» و تا گفتم «چه خوب، بمان خانه درس بخوان،» زودتر از همه رفت سوار ماشین شد.

با مادر و آلیس نشستیم صندلی عقب شورلت. آرمینه نشست بغل آلیس و آرسینه بعد از قول گرفتن از آرمن که «اذیت نمی‌کنی ها،» نشست جلو بین آرتوش و آرمن.

از بوارده شمالی تا بِرِیم دوقلوها اخم کردند و یک کلمه حرف نزدند. آرمن از آرتوش درس رانندگی می‌گرفت و آلیس و مادر باهم بحث می‌کردند که سال آینده روزه‌ی بزرگ عید پاک از کی شروع می‌شود و روزه‌ی کوچک از کی. سرآخر آلیس گفت «حالا کو تا عید پاک. به هر حال من یکی که روزه نمی‌گیرم. امسال گرفتم، برای هفت جدم بس بود.»

مادر گفت «باید بگیری.»

آلیس گفت «نمی‌گیرم.»

«نمی‌گیرم و درد بابام. باید بگیری.»

«نمی‌گیرم.»

مادر عین گربه‌ای عصبانی فیف کرد و نیشگون محکمی از بازوی آلیس گرفت. آلیس که داد زد «آخ‌خ‌خ!» دوقلوها زدند زیر خنده و اخمشان باز شد. دعواهای جدی یا شوخی مادر و آلیس بهترین راه خنداندن دوقلوها بود.

۱۱

دم درِ باشگاه آلیس زیر گوشم گفت «خواهش می‌کنم دعوتشان کن.»

نفس بلندی کشیدم و جواب سلام آقای سعادت مدیر داخلی را دادم و حال زنش را پرسیدم که دو هفته پیش چهارمین بچه‌اش را به دنیا آورده بود. آرتوش مثل همیشه با آقای سعادت دست داد و مثل همیشه این کارش به دلم نشست. به‌ندرت دیده بودم اعضای باشگاه با مدیر داخلی دست بدهند.

دوقلوها داد زدند «آهای! می‌می!» و دویدند طرف دختر ریزه میزه‌ای که همکلاسشان بود و اسمش مارگریتا بود و مادرش اصرار داشت می‌می صدایش کند. تا چند ماه پیش می‌می یا مارگریتا بوارده شمالی زندگی می‌کرد. بچه‌ها کوچک‌تر که بودند از پدر مارگریتا که قد خیلی بلند و هیکل خیلی چاق و ریش انبوه داشت می‌ترسیدند و اسمش را گذاشته بودند "گولیر". از آرتوش شنیده بودم رتبه یا به قول آبادانی‌ها گِرِید "گوریل" بالا رفته و بریم خانه گرفته‌اند. بوارده که بودند بارها مارگریتا از مدرسه با بچه‌ها آمده بود منزل ما و مانده بود تا بالاخره مادرش دیروقت بیاید دنبالش و شل و ول عذرخواهی کند که «ببخشید دیر شـد، گرفتار بودم.» گرفتاری مادر مارگریتا را همه‌ی ارمنی‌های آبادان می‌دانستند. قمار کردن و وقت گذرانی در میلک‌بار، کافه‌ای که تازه باز شده بود.

آلیس دستم را گرفت و راه افتاد. «بیا.»

لازم نبود بپرسم کجا. هرجا می‌رفتیم اولین کار آلیس پیدا کردن آینه بود و مطمئن شدن از این که موهایش به هم نریخته یا ماتیکش پاک نشده؟ لازم هم نبود بپرسم من چرا بیایم؟ آلیس محال بود تنها برود دستشویی.

توی دستشویی مادر مارگریتا که اسمش ژولیت بود و اصرار داشت ژوژو صدایش کنند، مو پوش می‌داد. کنار کیفش بغل دستشویی یک قوطی کوچک تافت بود. آخرین بار که در شب‌نشینی **بوت‌کلاب** همدیگر را دیده بودیم، موهایش خرمایی بود. حالا موها قرمز بود، درست رنگ ماتیکش.

از توی آینه ما را که دید برگشت. سلام شل و ولی کرد و گفت «چه جالب. شما کجا، اینجا کجا؟» از این جمله‌ی کوتاه این منظور بلند را داشت که شما که خانه‌تان بوارده است و **گرید**تان پایین، در باشگاه گلستان که مخصوص اهالی بِرِیم است با **گرید**های بالا چه می‌کنید؟

آلیس که نفس بلند کشید و سینه جلو داد فهمیدم الان است به قول خودش مادر مارگریتا را بشوید و بچلاند و پهن کند. اول نگاهی به آینه انداخت و از مرتب بودن موها و پر رنگی ماتیک که مطمئن شد برگشت طرف مادر مارگریتا و تا به خودم بجنبم پرسید «ببخشید، ژولیت، **گرید** شوهر شما چند بود؟»

مادر مارگریتا دو ابروی هلالی را بالا داد. «ژوژو. پانزده. چطور؟»

آلیس لبخند زد. «چه جالب. پس هنوز سه **گرید** دارد برسد به شوهر خواهرم.» بعد دست انداخت زیر بازوی من و گفت «واه، واه! خفه شدم از بوی تافت. بیا کلاریس.»

از دستشویی که بیرون آمدیم گفتم «چرا حرف بیخود می‌زنی؟ شوهرش و آرتوش هم‌**گرید**اند.» آلیس دستش را از زیر بغلم در آورد و برای کسی تکان داد. «خوب کردم. تا عنتر خانم هی **گرید** کوفتی شوهر

گوریلش را به رخ مردم نکشد. اگر پروفسور دست از تاواریش بازی بر می‌داشت و مثل آدم خانه توی بِریم می‌گرفت، مجبور نبودیم زِرزِرهای هر تازه به دوران رسیده‌ای را تحمل کنیم. در ضمن شنیدی دم در چی گفتم؟ دعوتشان می‌کنی؟» ناگهان لبخند پهنی زد و بلند گفت «سلللام!» و رفت طرف زن و مردی که یادم نیامد کی هستند. شنیده بودم دم در چی گفته بود و لازم نبود بپرسم کی‌ها را دعوت کنم.

آرتوش دم در تالار غذاخوری با سرپیشخدمت حرف می‌زد. رفتم طرفش و سر راه سرک کشیدم توی تالار اجتماعات که در دولنگه‌اش چارتاق باز بود. روی هفت هشت ردیف صندلی، سی چهل زن پشت به در نشسته بودند. روبه‌رو، پشت میزی با رومیزی ماهوت سبز و گلدانی پر از گل مینا، زنی سخنرانی می‌کرد. از شینیون بلند موها و پاپیون روی سر فوری شناختمش. خانم نوراللهی بود. هربار تعجب می‌کردم چطور شینیون به این بلندی درست می‌کند. آرمن به روبان‌های پاپیون شکلی که خانم نوراللهی وسط شینیون موها می‌زد و همیشه از پارچه‌ی لباسش بود می‌گفت «علامتِ تجارتیِ منشی پدر.» تشر که می‌زدم «مؤدب باش!» آرتوش می‌خندید. «زن لایقی‌ست. گیرم یک کم زیادی حرف می‌زند و بعضی وقت‌ها بیخودی هیجان‌زده می‌شود.»

به آرمن که داشت موی آرسینه را می‌کشید گفتم «نکن.» و دست آرمینه را گرفتم که داشت خیز برمی‌داشت طرف آرمن از خواهرش دفاع کند.

آرتوش گفت «میز خالی نیست. نیم ساعتی باید صبر کنیم.» بعد رو کرد به آرمن. «شنیدم خیال داری چند دست پینگ‌پونگ به من ببازی.» آرمن خندید. «نخیر. خیال دارم بِبَرم.» دوقلوها بالا پایین پریدند. «هرکی بُرد، بعد ناهار برای همه بستنی بخرد.» آرتوش دست دوقلوها را گرفت و

با آرمن رفتند طرف میزهای پینگ‌پونگ. پشت سرشان گفتم «پس من اینجا منتظرم،» که نشنیدند.

زیر چشمی مادر و آلیس را دیدم که داشتند با زن و شوهری از بستگان دور حرف می‌زدند. حوصله‌ی نه زن را داشتم و نه شوهر را. عضو گروه مذهبی "پیروان مریم" بودند و مدام در حال تبلیغ و اصرار که در جلسه‌های گروه شرکت کنیم. برای این که چشمم به چشمشان نیفتد به تابلوی اعلانات تالار اجتماعات نگاه کردم. "*زن و آزادی*" ـ *سخنرانی خانم پروین نوراللهی ـ ساعت شروع: یازده و نیم*. به ساعتم نگاه کردم. نزدیک دوازده و نیم بود و حتماً آخرهای سخنرانی. وارد تالار شدم و فکر کردم تا حالا نمی‌دانستم اسم کوچک منشی آرتوش پروین است.

روی اولین صندلی خالی نشستم. دو زن، یکی مسن و یکی جوان از صندلی‌های کِناری نگاهم کردند، سر تکان دادند و لبخند زدند. زن مسن از توی پاکتی که گرفته بود وسط زانوها، بادام زمینی بر می‌داشت و می‌خورد و زن جوان تند و تند آدامس می‌جوید. خانم نوراللهی داشت می‌گفت «باز هم تکرار می‌کنم که اولین خواست و هدف بانوان ایران داشتن حق رأی است.»

آخرین بار که نینا و گارنیک مهمان ما بودند، گارنیک و آرتوش بحثی طولانی شروع کردند. سرآخر گارنیک گفت «ما چرا باید خودمان را قاطی ماجرا کنیم؟» آرتوش گفت «ما ایرانی هستیم یا نه؟» گارنیک جواب داد «ما ارمنی هستیم یا نه؟» نینا گفت «حق رأی برای چی؟»

صدای خانم نوراللهی نازک بود و تهِ جمله‌ها را می‌کشید. «در خاتمه یادآوری می‌کنم که ما تاکنون در این راه بسیار کوشیده‌ایم. خیلی فریادها از حلقوم زن ایرانی برخاسته. چیزی که هست این فریادها باهم نبوده و در یک جهت نبوده و هماهنگی نداشته ــــ»

زن مسن خم شد بادام زمینی تعارفم کرد و لبخند زد. لبخند زدم و با دست اشاره کردم که «نه.» زن جوان حواسش به سخنرانی بود و سرش را با ضرب جویدن آدامس تکان می‌داد. خانم نوراللهی گفت «و حالا برای حسن ختام اجازه بدهید شعری بخوانم.» یادم افتاد ملافه‌های اتوکرده را نگذاشته‌ام توی کشو اتاق خواب‌ها. خانم نوراللهی خواند:

بیدار شو خواهر
در دنیایی که جمیله‌ها با خون خود
فرمان آزادی ملتی را بر صفحه‌ی تاریخ می‌نگارند
تنها لب گلگون و چشم مخمور داشتن شرط زن بودن نیست

زن مسن با صدایی که من هم شنیدم دم گوش زن جوان گفت «منظورش جمیله خانم ما که نیست؟» زن جوان گفت «نه مادر.» بعد بی‌حوصله جابه‌جا شد و غر زد «تو چه می‌فهمی؟» دست زن مسن توی پاکت بادام زمینی بی‌حرکت ماند. «چرا نمی‌فهمم؟ خیلی هم خوب می‌فهمم.» صدای دست زدن‌ها با چق‌چق پاکت یکی شد.

زن‌ها از جا بلند شده بودند. باهم حرف می‌زدند، به خانم نوراللهی تبریک می‌گفتند و چندتایی هم راه افتاده بودند طرف در تالار. وسط همه‌ی سرها، شینیون خانم نوراللهی از همه بلندتر بود. با خانم مسن و دخترش خداحافظی کردم و آمدم بیرون.

آرتوش و بچه‌ها دم در تالار غذاخوری ایستاده بودند و مادر و آلیس هنوز با زن و شوهر عضو فرقه‌ی "پیروان مریم" حرف می‌زدند. با دست به آلیس اشاره کردم که «ما توی رستوران هستیم،» و با آرتوش و بچه‌ها راه افتادیم طرف سرپیشخدمت که داشت اشاره می‌کرد «بفرمایید.» آرتوش حق داشت. خانم نوراللهی زن لایقی بود. می‌دانستم شوهر دارد و سه بچه. مثل خود من. با این حال هم کار می‌کرد و هم فعالیت اجتماعی

داشت. من غیر از کارِ خانه چه می‌کردم؟ جواب سلام سرپیشخدمت را دادم و فکر کردم «خانم نوراللهی زن لایقی‌ست.»

غذاخوری باشگاه گلستان مثل همه‌ی روزهای جمعه شلوغ بود و مثل همیشه پر از آشنا. پشت میزی نشستیم که خوشبختانه از میز مارگریتا و پدر و مادرش دور بود. مادر و آلیس هم پیدایشان شد. مادر داشت می‌گفت «بیخود، خیلی هم زن و شوهر خوبی‌اند.»

«نگفتم زن و شوهر بدی‌اند، گفتم زیاد حرف می‌زنند.»

«عوضش خانه زندگیشان از تمیزی برق می‌زند.»

آلیس به بچه‌ها نگاه کرد و چشم‌ها را چپ کرد و گفت «دَخلین وار؟» دوقلوها زدند زیر خنده.

سفارش چلوکباب دادیم و مادر سه بار به آرتوش گفت به پیشخدمت بگوید کبابش حسابی برشته باشد و «این تخم‌مرغ‌های کوفتی را هم ببرد.» آرمینه و آرسینه باهم گفتند «نه. می‌خواهیم آرد بازی کنیم.» ظرف آرد و تخم‌مرغ‌های وسطش را دادم به پیشخدمت و گفتم «ممنون. تخم‌مرغ نمی‌خوریم.» روزهای جمعه روی همه‌ی میزهای تالار غذاخوری، ظرف گودی می‌گذاشتند پُر از آرد. چند زرده‌ی تخم‌مرغ، هر کدام توی یک نصفه پوسته، جا می‌دادند وسط آردها. بازی با آرد توی ظرف از سرگرمی‌های مورد علاقه‌ی دوقلوها بود. یکی دو بار زرده‌ها را برگردانده بودند روی میز و پیشخدمت مجبور شده بود هم رومیزی کتان سفید و هم ماهوت سبز زیرش را عوض کند. مادر متنفر بود از خوردن زرده‌ی تخم‌مرغ با چلوکباب.

آلیس تکه‌ای نان برداشت، نگاهش را دور تالار چرخاند و شروع کرد. «زن دکتر صالحی‌فرد را دیدی؟» دکتر صالحی‌فرد رییس بخش جراحی بیمارستان بود. تازه ازدواج کرده بود و حالا یادم آمد همان کسی بود که

آلیس برایش دست تکان داد و با زنش روبوسی کرد. «با این ریخت و قیافه‌ی اُزگَل می‌بینی چه شوهری کرده؟ زن دُلاتاریان را نگاه کن. نمی‌دانم چرا همه می‌گویند شیک‌پوش. این هم کلاه‌ست گذاشته سرش؟ عین لگن بچه. خیال کرده هر زنی کلاه گذاشت سرش شد ژاکلین کندی.» زنی که آلیس حرفش را می‌زد مادر یکی از همکلاسی‌های آرمن بود و پسرش یک بار کتک مفصلی از آرمن خورده بود که چرا به آرمینه و آرسینه گفته کره اسب‌های درشکه.

آلیس به آرمن گفت «سالاد نمی‌خوری؟ بده من.» سالاد آرمن را ریخت توی بشقاب خودش و به طرف در نگاه کرد. «اوهو! مانیا و وازگن اینجا چکار می‌کنند؟ پیاز هم شد قاطی میوه؟» مانیا معلم نقاشی دوقلوها بود و وازگن هایراپتیان مدیر مدرسه. زن و شوهر جوانی بودند که بچه نداشتند و فکر و ذکرشان مدرسه بود و بچه‌های مدرسه. داشتند می‌آمدند طرف میز ما.

به بچه‌ها گفتم جلو پای معلم و مدیر بایستند. آرتوش هم ایستاد و بعد از سلام احوالپرسی دعوت کرد بنشینند. وازگن گفت «فقط چند دقیقه،» و نشست. «مهمان آقای خالاتیان هستیم. وگرنه ما را به باشگاه گلستان چکار؟» آلیس سعی کرد به من نگاه نکند و گفت «چه حرف‌ها.»

مانیا با مادر و آلیس مشغول حرف زدن شد و شوخی همیشگی را با دوقلوها کرد که «شماها خواهرید یا عکس‌برگردان؟» وازگن رو کرد به من. «ترجمه‌ی کتابی که حرفش را می‌زدم تمام شد. فرصت می‌کنی بخوانی؟ ممنون می‌شوم.»

وازگن و مانیا مجله‌ی *لوسابِر* را در می‌آوردند که ماهنامه‌ای بود برای بچه‌ها. چند بار برای مجله قصه و شعر ترجمه کرده بودم و وازگن گاهی مطالب مجله را قبل از چاپ می‌داد بخوانم و نظر بدهم. زن و شوهر که

رفتند سر میزشان آرسینه گفت «چه کتابی، ماما؟» آرمینه گفت «چه کتابی؟»

روزی که به خاطر کتک‌کاری آرمن رفته بودم مدرسه، بعد از این که خانم دُلاتاریان (ظریف و ریزنقش با کت و دامن یشمی و موهای مدل خیاری) حق را داد به آرمن و من حق را دادم به پسر او و دوتایی پسرها را مجبور کردیم از همدیگر عذرخواهی کنند، وازگن صحبت کتاب *لُرد فونتلِروی کوچک* را کرد و گفت دارد به ارمنی ترجمه‌اش می‌کند.

آلیس گفت «لُرد چی چی کوچک؟» و زد زیر خنده.

مادر گفت «مانیا لنگه ندارد. با این همه گرفتاری باید خانه‌اش را ببینی. همیشه جمع و جور و مرتب. عین دسته‌ی گل. به این می‌گویند زن.»

آرمن گوجه‌فرنگی توی بشقابش را گذاشت توی بشقاب آرسینه. آرسینه لب ورچید و آرمینه غر زد. «باز فکر کردی بشقاب ما سطل زباله‌ست؟»

آرتوش گوجه‌فرنگی را از بشقاب آرسینه برداشت گذاشت توی بشقاب خودش. «وازگن با این همه کار فرصت ترجمه کردن هم پیدا می‌کند؟ تو چرا کتاب ترجمه نمی‌کنی؟» چند لحظه نگاهش کردم که با لبخند نگاهم می‌کرد. مادر گفت «وقتش کجا بود؟ شش ماه بیشترست پرده‌ی اتاق‌خواب‌ها را نشُسته.» بعد زُل زد به من. «دروغ می‌گم بگو دروغ می‌گی.»

کباب‌های دوقلوها را تکه کردم. لبخند آرتوش شبیه دوران نامزدی‌مان بود یا لحن حرف زدنش؟

۱۲

بچه‌ها مدرسه بودند و آرتوش سرِ کار. اتاق‌خواب‌ها را مرتب کرده بودم. گردگیری تمام شده بود و غذای شب روی اجاق بود. تلفن زنگ زد.

«من تلفن نکنم، تو مبادا حال احوال بپرسی ها.» نینا بود.

تا شروع کردم که چند روزی بود به فکرش بودم و می‌خواستم تلفن کنم و وقت نمی‌شد، با خنده پرید وسط حرفم. «توضیح نده. می‌دانم گرفتاری. مته به خشخاش گذاشتن‌های خودت و وسواس‌های مادرت و بداخلاقی آرتوش.»

یکی از خوبی‌های نینا این بود که هیچ‌وقت دلگیر نمی‌شد. می‌گفت «خودم را که می‌گذارم جای فلانی می‌بینم حق دارد.» از دید نینا همه همیشه حق داشتند و هیچ‌کس هیچ‌وقت مقصر نبود و بدجنس نبود و غرض و مرض نداشت و با این حال ــ با این حال چرا گفت بداخلاقی آرتوش؟ چرا آدم‌های دوروبر فکر می‌کردند شوهرم بداخلاق است؟

موضوع را عوض کردم. حال سوفی و گارنیک را پرسیدم و احوال پسرش تیگران را که دانشگاه تهران قبول شده بود. نینا هم حال بچه‌ها و آرتوش و مادر و آلیس را پرسید و از خودش گفت که از خانه‌ی جدید راضی است و همسایه‌هایش آدم‌های بدی نیستند. «همسایه‌ی دیوار به دیوارمان مرد هلندی عزبی‌ست که قدش دو متری می‌شود و بدتر از خودم عقل درست حسابی ندارد.» وسط غش‌غش خنده تعریف کرد که

مرد هلندی ساعت سه‌ی بعد از ظهر، زیر زِل آفتاب روی چمن حیاط حمام آفتاب می‌گیرد و زن همسایه‌ی روبه‌رو که کلیمی است هر شبِ شنبه از نینا خواهش می‌کند برود چراغ حیاط‌شان را روشن کند و همسایه‌های دیگر را هنوز نمی‌شناسد و ـــــ

یکی از عیب‌های نینا پرحرفی بود، بخصوص پای تلفن. حواسم به غذای روی اجاق بود. گفتم «نینا، غذا روی اجاق ـــــ»

با عجله گفت «وای! ببخش. پاک یادم رفت برای چی تلفن کردم. پنجشنبه شب بیایید پیش ما. به مادر و آلیس هم بگو. اصلاً خودم تلفن می‌کنم دعوت می‌کنم مبادا به تریج قبای خواهرت بر بخورد.» باز خندید. «دخترخاله‌ی گارنیک چند هفته‌ای از تهران مهمان آمده. طفلک تازه طلاق گرفته. دلم می‌خواهد ببینیش. بعضی از کارهاش عین توست. یادت نرود. پنجشنبه. زود هم بیایید که بچه‌ها باهم بازی کنند. سوفی دلش برای دوقلوها تنگ شده. انگار نه انگار هر روز توی مدرسه همدیگر را می‌بینند.» بالاخره خداحافظی کردیم.

گوشی را گذاشتم و رفتم آشپزخانه. تا غذا را هم زدم و اجاق را خاموش کردم، تلفن زنگ زد. برگشتم به راهرو.

«تصور نمی‌کردم از آن زن‌هایی باشید که مدام پای تلفن هستند.»

یکی از عیب‌هایم این بود که نمی‌توانستم درجا جواب آدم‌ها را بدهم. حرف بی‌ربط که می‌شنیدم ساکت می‌ماندم. ساکت ماندم و خانم سیمونیان ادامه داد. «آن شب گفتید این زنکه را می‌فرستید منزل ما. خبری نشد. از بدقولی خوشم نمی‌آید.»

جواب آدم‌ها را ندادن و جلوشان در نیامدن من هم حدی داشت. نفس بلندی کشیدم، سیم تلفن را محکم دور دست پیچاندم و با صدایی بلندتر از صدای معمولم گفتم که اولاً آشخِن "زنکه" نیست و زن محترمی است

که برای گذران زندگی کار می‌کند و ثانیاً تلفن ندارد و باید صبر کنم تا شنبه که نوبت خانه‌ی من است و ثالثاً ــــ

پرید وسط حرفم. «امروز شنبه‌ست.»

هول شدم. «دیروز تلفن کرد که نمی‌تواند بیاید چون ــــ»

باز پرید وسط حرفم. «شما که گفتید تلفن ندارد؟»

داشتم منفجر می‌شدم. «پسرش تلفن کرد.»

چند لحظه سکوت کرد. بعد لحنش عوض شد. «پس لطفاً یادتان نرود و ــــ یک شیشه چاتنی برایتان کنار گذاشته‌ام.»

زبانم بند آمد. از رفتار ضد و نقیضش سر در نمی‌آوردم. گفتم با آشخِن صحبت می‌کنم، برای چاتنی تشکر کردم و گوشی را گذاشتم. توی این فکر بودم که باید از اول به آشخِن بگویم با چه اعجوبه‌ای طرف است.

۱۳

معلم پیانوی بچه‌ها زن انگلیسی سفید و بوری بود. با مردی ایرانی ازدواج کرده بود و بعد از سال‌ها زندگی در ایران، فارسی را خیلی بدتر از ما ارمنی‌ها حرف می‌زد. قبل از شروع کلاس بچه‌ها پرسید «نمره تلفن ما شما به هانومِ ــــ هانومِ ــــ اسمش چی هست؟ همسایه‌ی شما.» گفتم «سیمونیان.» دست گذاشت روی پیشانی کک‌مکی‌اش. «اوه، سیمونیان. امروز تلفن کرد. هیلی هانومِ عژیبی هست. گفت بیا پیانو ما کوک کن. گفتم من پیانو کوک‌کن نیست که. هیلی بی‌تربیت حرف زد.» ابروهای نازکِ بور و شانه‌های ظریفش را داد بالا، انگشت‌ها را با ناخن‌های قرمز چند بار توی هوا تکان داد و بچه‌ها را برد به اتاق پیانو.

انگار خودم کار زشتی کرده باشم، خجالت‌زده در اتاق پذیرایی نشستم. به راحتی‌های چارخانه و پرده‌های گلدار و مجسمه‌های کوچک و تابلوهای بزرگ و ظرف‌های نقره و چینی نگاه کردم و منتظر تمام شدن کلاس بچه‌ها با خودم کلنجار رفتم که «به تو چه؟ مسئول کارهای زشت بقیه تو نیستی. آرتوش حق دارد. با این خانواده نباید زیاد معاشرت کنی.» نگاهم را دور اتاق گرداندم. گردگیری این همه مجسمه‌ی ریز و درشت و تابلو و ظرف حتماً خیلی وقت‌گیر بود.

وقت برگشتن توی اتوبوس سعی کردم برای دوقلوها توضیح بدهم که چرا نباید زیاد سراغ امیلی بروند. «درس امیلی بیشتر و سخت‌تر از

درس‌های شماست. مادربزرگش هم گمانم دوست ندارد امیلی زیاد از خانه بیرون برود. هرکس اخلاق مخصوص خودش را دارد. باید مراعات کنیم.»

آرسینه تکه‌ای موی فرفری را با فوت از پیشانی پس زد. «ولی امیلی دوست ماست. ما خیلی دوستش داریم.»

آرمینه کتاب نُت را گذاشت روی صندلی اتوبوس و دست خواهرش را گرفت. «خودش هر روز می‌گوید کاش می‌آمدم خانه‌ی شما.»

فکر کردم طفلک امیلی. من هم بودم دلم می‌خواست از آن زندان و زندانبان خلاص شوم.

آرمینه گفت «برویم ***استور***؟»

آرسینه گفت «***اسمارتیز*** بخریم؟»

ایستگاه نزدیک ***استور*** پیاده شدیم.

توی فروشگاه مثل همیشه خنک بود و خوش‌بو. دوقلوها دویدند طرف قفسه‌ی شکلات. کارمند فروشگاه پرسید «***ترولی*** یا ***بَسکت***؟» گفتم «***بَسکت*** لطفاً.» سبد خرید را برداشتم و یکراست رفتم سراغ قسمت لوازم بهداشتی. زنی تکیه داد بود به چرخ‌دستی خریدش و به قفسه‌ی صابون‌ها و کرم‌ها نگاه می‌کرد. چرخ‌دستی پر بود از انواع شکلات‌های ***کَدبِری***. به هم لبخند زدیم و انگار موظف به توضیح باشد گفت «برای تهرانی‌های شکلات ندیده سوغاتی می‌برم.» خندید و خندیدم و گفت «صابون و کرم دست هم خواسته‌اند. نمی‌دانم صابون چی بردارم.» دو بسته صابون ***وینولیا*** برداشتم گذاشتم توی سبد. «من همیشه ***وینولیا*** سوغاتی می‌برم.» چهار بسته صابون برداشت گذاشت توی چرخ‌دستی با سه قوطی کرم دست ***یاردلی***. خداحافظی کرد و چرخ دستی را به‌زور جلو راند. یک قوطی کرم ***یاردلی*** برداشتم گذاشتم توی سبد.

چرخی توی فروشگاه زدم و دو جعبه بیسکویت ***نایس*** برداشتم که آرتوش دوست داشت و شربت ***هالی‌بُرانز*** برای بچه‌ها. آرسینه و آرمینه با دست‌های پر از شکلات پیدایشان شد. آرمینه گفت «گفتی یادت بیندازیم که ــــ» آرسینه گفت «که از ***دِیری*** نان و شیر بخری.» گفتم نصفی از شکلات‌ها را برگردانند توی قفسه و رفتیم به اتاقک بغل فروشگاه یا به قول آبادانی‌ها ***دِیری*** و نان ***رول*** و شیر خریدیم.

کلافه از گرما به خانه که رسیدیم، ماشین آرتوش توی گاراژ بود.

آرمینه گفت «آخ جان، پدر آمده.» آرسینه گفت «پدر آمده، آخ جان.» از اتاق‌نشیمن صدای حرف می‌آمد. آرمینه کتاب نُت را گذاشت روی میز تلفن. «مهمان داریم؟» تا آمدم بگویم جای کتاب نُت روی میز تلفن نیست، آرسینه زود کتاب را برداشت و گفت «مهمان داریم.»

فکر کردم کی آمده؟ آلیس که این هفته عصرکار بود. مادر هم که همیشه توی آشپزخانه می‌نشست. آرمن هم که حتماً توی اتاق خودش بود چون صدای گرامِ ***تیاز*** تا سه خانه آن‌طرف‌تر می‌رفت. آرمینه به من نگاه کرد. «شاید آشناهای پدر باشند.» آرسینه گفت «کادیلاک سبز که توی گاراژ نبود.» بعد دست کرد توی پاکت خرید و یکی از ***اسمارتیز***ها را برداشت. آرمینه دست کشید به چانه که مثلاً با ریش ور می‌رود و ادای آرتوش را در آورد. «راستی، یادم رفت. چندتایی از آشناها آمدند.» آرسینه زد زیر خنده و تا تشر زدم که «مؤدب!» خنده‌اش را خورد.

"چندتایی از آشناها" سه مرد میانه‌سال بودند که گاهی می‌آمدند خانه‌مان. ارمنی نبودند، به‌جای راحتی پشت میز ناهارخوری می‌نشستند و چای که می‌بردم چندین بار تشکر می‌کردند. آرتوش در را پشت سرم می‌بست و تا یکی دو ساعت فقط صدای پچ‌پچ از پشت در می‌شنیدم.

آرمینه رو کرد به خواهرش و ادای یکی از سه نفر را در آورد که

بلندقدتر از دوتای دیگر بود و بریده بریده حرف می‌زد. «بِه ـ بَخ ـ شید. می ـ شود ـ کا ـ دی ـ لاک ـ توی ـ گا ـ راژ ـ باشد؟» مرد قدبلند بار اول که آمد خواهش کرد کادیلاک سبزش را بگذارد توی گاراژ چون که آفتاب رنگ ماشین را می‌برد. این کار شد عادت و هربار می‌آمد حتی اگر غروب بود و آفتاب نبود کادیلاک را می‌گذاشت توی گاراژ و در دولنگه را می‌بست.

عصبانی از دست آرتوش که یادش رفته بگوید مهمان دارد تشر زدم «دست و رو شستن، و کارهای مدرسه.» دوقلوها که دویدند توی اتاقشان رفتم به آشپزخانه.

چند بار کادیلاک سبز را جلو مغازه‌ی شاهنده دیده بودم، زیر زِل آفتاب. به آرتوش که گفته بودم، شانه بالا انداخته بود که «خب، نزدیک مغازه‌ی شاهنده گاراژ نیست.»

شروع کردم به جابه‌جا کردن چیزهایی که خریده بودم. اسم سه‌نفر را نمی‌دانستم و نمی‌خواستم هم بدانم. یک بار که بعد از رفتنشان از آرتوش پرسیدم «آمدنشان به اینجا خطرناک نیست؟» گفت «نگران نباش فقط گپ می‌زنیم.» نان‌ها را گذاشتم توی جانانی و با خودم غر زدم «فقط گپ نمی‌زنند.» و رفتم به اتاق نشیمن.

توی اتاق به‌جای به قول دوقلوها "آشناهای پدر"، امیل سیمونیان را دیدم که تا وارد شدم از جا بلند شد، سلام کرد و دست داد. دست دادم و دستم را تند پس کشیدم. قوطی کرم روی میز آشپزخانه بود. احوالپرسی کردیم و پرسیدم «قهوه میل دارید؟»

تا قهوه حاضر شود زیر شیر ظرفشویی دست شستم، در قوطی ***یاردلی*** را باز کردم و به دست‌هایم کرم مالیدم.

با سینی قهوه رفتم طرف اتاق نشیمن و فکر کردم «چطور شده آرتوش

امیل را به خانه دعوت کرده؟» آرتوش که گفت «می‌دانستی امیل شطرنج‌باز قهاری‌ست؟» جوابم را گرفتم. یاد سفر ماه عسلمان افتادم به اصفهان و شیراز. آرتوش ساعت‌ها با صبر و حوصله سعی کرده بود شطرنج یادم بدهد و یاد نگرفته بودم.

امیل سیمونیان فنجان قهوه را برداشت و به پنجره نگاه کرد. «چه پرده‌های قشنگی.»

پایین پرده‌های کتان را خودم گلدوزی کرده بودم و خیلی دوستشان داشتم. اما غیر از مادر که گفته بود «سلیقه‌ات به من رفته،» هیچ‌کس هیچ‌وقت از پرده‌ها تعریف نکرده بود. آرتوش مهره‌های شطرنج را که چید از اتاق بیرون رفتم. به دوقلوها گفتم دفترهای دیکته را بیاورند آشپزخانه و به آرمن گفتم صدای گِرام را کم کند. داشتم فکر می‌کردم شام چی درست کنم که آرمینه و آرسینه بغض کرده دویدند تو. «دفتر دیکته‌ی من نیست.» «جامدادی من هم نیست.» باهم پا کوبیدند زمین. «از دستِ آرمن.» گفتم «از دستِ آرمن.» و از جا بلند شدم.

درِ اتاق آرمن طبق معمول قفل بود. به‌جای در زدن دستگیره‌ی در را چند بار محکم تکان دادم و تا گفتم «باز که تو ــــ» از توی اتاق داد زد «گنجه‌ی نشیمن.» رو به در بسته گفتم «مرض داری به خدا.» و رفتم به اتاق نشیمن.

امیل سر بلند کرد. از لای دگمه‌ی باز پیراهنش زنجیر طلای ظریفی پیدا بود. در گنجه‌ی ظرف‌ها را باز کردم.

امیل به آرتوش گفت «امروز چه خبر بود؟ همه زود رفتند.» آرتوش چشم به صفحه‌ی شطرنج با ریشش ور می‌رفت. «سخنرانی بود. چرا نیامدی؟»

«سخنرانی؟»

«پِگوف سخنرانی داشت.»

«پِگوف؟»

«سفیر شوروی.»

«آها!»

دفتر دیکته و جامدادی را از روی بشقاب‌های توی گنجه برداشتم و برگشتم آشپزخانه.

برای شام ماکارونی آبکش می‌کردم که زنگ زدند. امیلی بود. از طرف مادربزرگش پیغام آورده بود که برای شام منتظر پدرش هستند. امیل از جا پرید. «حواسم به ساعت نبود.» درست مثل دخترش بود، اولین باری که مادربزرگ آمده بود دنبالش.

قیافه‌ی آرتوش شبیه بچه‌ای بود که اسباب‌بازی را از دستش گرفته باشند. دوقلوها التماس کردند «شام پیش ما بمانند.» حد معاشرت نگه داشتن و پشت دست داغ کردن فراموشم شد و به امیل سیمونیان گفتم «چرا شام نمی‌مانید؟ به مادرتان تلفن می‌کنم.» آرتوش دعوت را تکرار کرد و دوقلوها دست‌هایم را گرفتند کشیدند طرف تلفن. آرمن تکیه داده بود به چارچوب در اتاقش.

اِلمیرا سیمونیان نه تنها با ماندن پسر و نوه‌اش موافقت کرد که قبول کرد خودش هم بیاید. بعد از این موافقت سریع و غیرمنتظره دوقلوها از خوشی جستند هوا و امیل و آرتوش برگشتند سر شطرنج. با دیدن لبخند امیلی فکر کردم «طفلِ معصوم.» پشتم به آرمن بود و ندیدم خوشحال شد یا نه.

۱۴

ایشی و راپونزل به بغل چارزانو توی تخت‌خواب‌ها نشسته بودند.

آرمینه گفت «تو نگفتی ولی خودمان بالاخره فهمیدیم چرا مادربزرگ امیلی کوچولو مانده.» آرسینه خیلی جدی گفت «چون واکسن نزده.» هربار نوبت واکسن زدن دوقلوها می‌شد جزو خواهش‌ها و تهدیدها و توضیح‌هایم این جمله هم بود که «اگر واکسن نزنید همیشه کوچولو می‌مانید.»

نیم ساعت بعد که ماجرا را برای آرتوش تعریف کردم خندید. کنارش نشستم و گفتم «خانم سیمونیان کم از دکتر جکیل و مستر هاید ندارد. تا می‌آیی فکر کنی چه موجود خودخواه وحشتناکی، کاری می‌کند ازش خوشت بیاید و البته برعکس. چه ماجراهای بامزه‌ای تعریف کرد و از حق نگذریم پیانو زدنش حرف نداشت.»

بعد از شام اول امیلی و دوقلوها پیانو زده بودند. بعد خانم سیمونیان تمرین‌های مشکل بچه‌ها را زده بود، بعد هر آهنگی که خواسته بودند و سرآخر چند آهنگ قدیمی ارمنی. گمانم حتی آرمن هم متوجه نشد پاهای خانم سیمونیان به پِدال‌های پیانو نمی‌رسد.

آرتوش خمیازه کشید. «آدم‌های بدی نیستند. شطرنج امیل حرف ندارد.»

گفتم «بحث سیاسی به کجا کشید؟» دست‌ها را پشت سر قلاب کرد. «به هیچ کجا. امیل توی عوالمِ خودش سیر می‌کند.» پوست پسته‌ای را از روی فرش برداشتم. «چه عوالمی؟» دست‌ها را پایین آورد و کشید بـه ریش بزی. «چه می‌دانم. قصه و شعر و از این چیزها.» پوست پسته را این دست آن دست دادم. خانم سیمونیان گفته بود «هرچه کوشش کردم پیانو یاد نگرفت. در عوض هنوز مدرسه نمی‌رفت که شروع کرد به مطالعه‌ی کتاب و سرودن شعر.» پوست پسته را انداختم توی زیرسیگاری. «خُب، کتاب خواندن چه اشکالی دارد؟»

پاها را دراز کرد روی میز جلو راحتی و به صفحه‌ی خاموش تلویزیون نگاه کرد. «هیچ اشکالی ندارد. به شرطی که فایده‌ای داشته باشد، راه نشان بدهد، چیز یاد مردم بدهد، فقط محض تفریح و سـرگرمی‌نباشد. امیل انگار توی این دنیا نیست.» تکه‌ای از مویم را پیچیدم دور انگشت. «هرکس کتاب خواند و شعر دوست داشت یعنی توی این دنیا نیست؟» خمیازه کشید. «شعر و قصه نشد نان و آب. راستی! خانم نوراللهی گفت با تو کار دارد. گفت تلفن می‌کند.»

خانم نوراللهی با من چکار داشت؟ خانم سیمونیان گفته بود «مجله‌ی خیلی مهمی تعدادی از شعرهای امیل را چاپ کرد. یکی از قصه‌هایش جایزه برد.» خانم نوراللهی با من چکار داشت؟

آرتوش گفت «بالاخره نفهمیدی ماجرای ایشی و راپونزل زیر سر کی بود؟»

بعد از رفتن سیمونیان‌ها ایشی و راپونزل گم شدند. همه طبق معمول به آرمن شک بردیم. ولی آرمن برخلاف همیشه که اول لبخندهای موذیانه می‌زد و آخر سر مُقُر می‌آمد اسباب‌بازی‌ها را کجا گذاشته، این بار جد کرد و حتی اشک توی چشم‌هایش جمع شد که «به خدا، به مسیح، به

حضرت مریم، من قایم نکردم.» تا که آرتوش ایشی و راپونزل را پایین پنجره‌ی اتاق دوقلوها، توی حیاط پیدا کرد.

تکه مویی را که دور انگشت می‌پیچیدم زدم پشت گوش. «فکر نکنم کار آرمن بود.» آرتوش چشم‌ها را بست و تکیه داد به پشتی راحتی. خیره شدم به صفحه‌ی سیاه تلویزیون. یعنی ممکن بود کار دخترک باشد؟ آرتوش چشم باز کرد، ایستاد و کش و قوس آمد. «چراغ‌ها را تو خاموش می‌کنی یا من؟» گفتم «من.»

میز شام را که جمع می‌کردم امیل گفته بود «کلاریس، کمک بکنم؟» پیشنهاد کمکش بیشتر به دلم نشسته بود یا این که به اسم کوچک صدایم کرده بود؟ چراغ نشیمن را خاموش کردم و قبل از رفتن به اتاق خواب شیشه‌ی چاتنی را که خانم سیمونیان آورده بود گذاشتم تهِ یکی از قفسه‌های آشپزخانه. این قفسه جای چیزهایی بود که به‌ندرت لازم داشتم.

۱۵

آلیس نشست پشت میز آشپزخانه. موهایش طبقه طبقه کوتاه شده بود و تا جایی که می‌شد پوش خورده بود. سرش شده بود عین توپ. «از سلمانی یکراست آمدم اینجا.» زود گفتم «موهات خیلی خوب شده. رفتی پیش آنژل؟» لبخند زد. «نه بابا، آنژل که مو کوتاه کردن بلد نیست. رفتم سالن شمشاد. سلمانی جدید از تهران آورده.» چشمش افتاد به ظرف‌های شسته‌ی شبِ قبل که توی جاظرفی بود. بُراق شد و طوری پرسید «مهمان داشتی؟» انگار کسی بپرسد «آدم کُشتی؟»

شروع کردم به جابه‌جا کردن ظرف‌ها. وَرِ منطقی ذهنم برای هزارمین بار گفت «لازم نیست توضیح بدهی. فقط بگو آره، مهمان داشتم. همین.» آخرین قاشق را گذاشتم توی کشو، کشو را بستم و چرخیدم طرف آلیس. «آره، مهمان داشتم.» و گفتم چه کسانی بودند. اخم کرد. «چرا خبرم نکردی؟» تا آمدم فکر کنم نباید توضیح بدهم، وَرِ کمرو توضیح داد. «همه چیز خیلی ناگهانی پیش آمد. تو هم که دیشب بیمارستان بودی.»

برخلاف همیشه که غُرغُر می‌کرد یا دعوا راه می‌انداخت، این‌بار از سبد میوه سیبی برداشت و حرفی نزد. عصبانی از خودم که چرا باز توضیح دادم و متعجب از آلیس که چطور جنجال به پا نکرد، روبه‌رویش نشستم. سیب را تا ته خورد و گفت «کاش می‌گفتی پنجشنبه شب بیایند خانه‌ی نینا.»

برای این که آرام بمانم سعی کردم به چیز دیگری فکر کنم. خیره شدم به گلدان پشت پنجره. هیچ‌وقت نتوانسته بودم به خواهرم بفهمانم کسی که جایی مهمان است، درست نیست سرخود مهمان دیگری با خودش ببرد. این بار هم نتوانستم قانعش کنم. ابرو داد بالا که «چه حرف‌ها. تو که با نینا رودروایسی نداری. ولی خُب، زیاد هم مهم نیست. من که تصمیمم را گرفتم. سیگار داری؟» بی‌حرف بلند شدم پاکت سیگار را آوردم. پس خواهرم تصمیم گرفته بود لاغر شود. برایش کبریت کشیدم.

ناشیانه پُکی به سیگار زد و دودش را داد بیرون. «تا مادر نیست قشقرق راه بیندازد بگویم سیمونیان هر عیب و ایرادی داشته باشد مهم نیست. راستش از تنهایی و غرغرهای مادر خسته شدم. حالا قبلاً زن داشته مهم نیست. تو راست می‌گفتی. هم خدا و هم خرما نمی‌شود. از خانواده‌ی بدی نیست و تحصیل کرده هم هست. حواست کجاست؟ دستت سوخت. چرا ماتت برده؟»

چوب‌کبریت را که تا ته سوخته بود هول انداختم توی زیرسیگاری. مادر پای تلفن گفته بود «اگر سر و کله‌ی آلیس پیدا شد هرچی گفت بحث نکن. این بار پاک زده به سرش.» حدس زده بودم لابد باز باهم دعوا کرده‌اند. حالا می‌فهمیدم. یاد این شوخی افتادم. مردی گفت «تصمیم گرفته‌ام با دختر پادشاه ازدواج کنم.» گفتند «پادشاه که دختر به تو نمی‌دهد.» گفت «من تصمیم گرفته‌ام، پنجاه درصد قضیه حل شده.» خواهرم تصمیم گرفته بود با امیل سیمونیان ازدواج کند و از نظر خودش صد در صد قضیه حل بود.

آلیس سیب دیگری برداشت. «مادرش که بمیرد جواهراتش می‌رسد به من.» و قاه‌قاه خندید. «تنها اشکالش دختره‌ست. ولی گفتی بچه‌ی شری نیست. هیچ حوصله‌ی بچه‌داری ندارم ولی تو کمکم می‌کنی.»

و بعد از این که به همین ترتیب همه چیز را به قول مادر بُرید و دوخت و پوشید، از جا بلند شد. «خُب، من رفتم. برای کت دامن سفیدم کفش ســـرمه‌یی لازم دارم.» سرم داشت گیـج مـی‌رفت. گـمانم جـواب خداحافظی‌اش را هم ندادم و آلیس لبخندزنان رفت.

تا برسم به راهرو که به مادر تلفن کنم، تلفن زنگ زد. مادر پیشدستی کرده بود. «می‌دانـم. مـی‌دانم. از دیشب تا حالا دارم تـوی گـوشش می‌خوانم. انگار نه انگار. هرچه زودتر این مرتیکه را ببیند، بهتر. شاید از خر شیطان پیاده شد.» گوشی را که گذاشتم، از دست مادر هم عصبانی بودم. به چه حقی ندیده نشناخته می‌گفت «مرتیکه»؟

پشت میز آشپزخانه نشستم و دستم رفت طرف سرم. مو دور انگشت پیچیدم و باز کردم، پیچیدم و باز کردم. تجسم اولین برخورد آلیس و امیل سیمونیان کار سختی نبود.

خواهرم هفت قلم آرایش کرده، در هـمان نیم سـاعت اول گـزارش کاملی از محاسن اخـلاقی و تحصیلات و مـوقعیت اجـتماعی خـودش می‌داد. در مورد همه چیز از آشپزی و خانه‌داری گـرفته تا سیاست و اقتصاد جهانی اظهار نظر می‌کرد. بعد از خواستگارهای مـتعدد و البـته خیالی‌اش می‌گفت که تقاضایشان رد شده بود و سرآخر درباره‌ی سفر انگلستانش حرف می‌زد. موی صافم مثل فنر لوله شده بـود. بـردمش پشت گوش و تکه‌ی دیگری دست گرفتم.

ازدواج کردن آلیس بزرگ‌ترین آرزویم بـود. بـارها خـودم کسانی را پیشنهاد کرده بودم اما خواهرم انگار لیوان زهر تعارفش کرده باشم، اخم کرده بود که «واااا؟ یعنی این‌قدر بدبخت شدم که تو برایـم شـوهر پیدا کنی؟»

هربار مـو دور انگشت مـی‌پیچیدم، نینا مـی‌گفت «بـاز شـدی لویی

شانزدهم؟ دست از سر این موهای بدبخت بردار.» دست از سر موها
برداشتم و پاشدم. توی اتاق‌ها راه رفتم و دنبال راه حل گشتم. هیچ راه
حلی که پیدا نکردم، نذر کردم اگر خواهرم از خر شیطان پیاده شد خرج
یک روز ناهار و شام خانه‌ی سالمندان را بدهم.

۱۶

بچه‌ها که از مدرسه برگشتند امیلی همراهشان بود.

قبل از هر چیز پرسیدم «به مادربزرگت گفتی و آمدی؟» امیلی سـر تکان داد و نگاهش را انداخت زمین. این همه کمرویی داشت حوصله‌ام را سر می‌برد.

آرمینه گفت «خودمان رفتیم از مادربزرگ اجازه گرفتیم.» آرسینه گفت «امیلی چند تا اشکال ریاضی داشت. آمده آرمن کمکش کند.» تا نگاه متعجبم بچرخد طرف پسرم، آرمن گفت «الان برمی‌گردم.» و دوید توی اتاقش. با خودم گفتم امروز انگار روز اتفاق‌های عجیب است. آرمن بعد از انشاء یا در همان حد دشمن ریاضی بود.

بچه‌ها که گفتند «عصرانه چی داریم؟» تازه یاد عصرانه افتادم و بهانه آوردم. «کار داشتم، وقت نکردم چیزی درست کنم.» سرهای دوقلوها کج شد به یک طرف و چشم‌هایشان گشاد شد.

«چکار داشتی؟»

«چرا وقت نکردی؟»

بی‌حوصله گفتم «نان و پنیر هست. بخورید. این‌قدر هم سؤال نکنید.» یک قدم رفتند عقب و به هم نگاه کردند. دست گذاشتم روی پیشانی، تکیه دادم به دیوار و چشم‌هایم را بستم.

آرمینه آمد جلو و دستم را گرفت. «حالت خوب نیست؟» آرسینه

دست دیگرم را گرفت. «حالت خوب نیست؟» چقدر دلم می‌خواست بگویم «آره، حالم خوب نیست.» فرصت نشد از خودم بپرسم چرا حالم خوب نیست. زنگ زدند.

دست‌هایم را از توی دست‌های دوقلوها بیرون کشیدم و رفتم طرف در و توی دلم گفتم «خدایا خودت به خیر بگذران.» انگار منتظر بودم اتفاق عجیب دیگری بیفتد. در را باز کردم و از ذهنم گذشت «آلیس شدم در سرزمین عجایب.» اگر وقت دیگری بود از هم‌اسم بودن قهرمان کوچولوی کتاب با خواهرم خنده‌ام می‌گرفت. وقت دیگری نبود و حالم خوب نبود و خنده‌ام نگرفت.

برق‌کار شرکت بود. آمده بود چراغ‌های حیاط را تعمیر کند. مرد جوانی که تا آن روز ندیده بودم. خیلی لاغر بود و سالک بزرگی روی گونه داشت.

پا به پایش رفتم تا حیاط پشتی و برگشتم تا تک‌تک چراغ‌ها را امتحان کرد و پای هر چراغ ایستاد به حرف زدن که تازه استخدام شرکت نفت شده و حالا که کار خوب دارد تصمیم گرفته ازدواج کند و مادرش دخترخاله را برایش نامزد کرده و برق‌کار از بچگی دخترخاله را می‌خواسته و بالاخره به این نتیجه رسید که «یکی از چراغ‌ها اتصالی داره.» که خودم می‌دانستم. بعد گفت فازمترش خراب شده و ان‌شاءالله ما فازمتر داریم.

مطمئن بودم فازمتر داریم اما هرچه توی جعبه‌ی ابزار گشتم پیدا نکردم. حتماً باز آرمن برداشته بود. در اتاقش را زدم و رفتم تو. «فازمتر پیش توست؟»

با امیلی نشسته بودند روی میزتحریر و پاها را تاب می‌دادند. جفتی پریدند پایین. آرمن دستپاچه گفت «نه، پیش من نیست.» سر راهم به

حیاط فکر کردم «عجب درس خـواندنی.» بـرقکار گـفت «نـمی‌شه از
همسایه‌ها قرض بگیرین؟»

خانم رحیمی که تهران بود. آقای رحیمی هم آن وقت روز حتماً خانه
نبود. با همسایه‌های دیگر هم آشناییم در حدی نبود که رویم بشود چیزی
قرض کنم. گفتم «چرا، یک دقیقه صبر کن.»

از خیابان گذشتم و زنگ سیمونیان‌ها را زدم. امیل که حتماً هـنوز از
شرکت برنگشته بود. خداخدا کردم مادرش روی دنده‌ی چپ نباشد و
فازمتر داشته باشد. در را امیل سیمونیان باز کرد. فازمتر آورد و خودش
هم همراهم آمد. «شاید برقکار کمک خواست.» نمی‌دانم چـرا مـحض
تعارف هم شده با آمدنش مخالفت نکردم و از فکرم هم نگذشت چطور
این وقت روز شرکت نیست. حس کردم حالم بهتر شده. آلیس یک چیزی
گفته بود. حتماً این‌قدرها هم احمق نبود.

۱۷

امیل زودتر از برقکار اشکال سیمکشی را پیدا کرد و تمام مدت که با سیم‌ها ور می‌رفت برقکار بیکار ایستاد و از عروسی‌اش گفت و این که شاید بتواند در بهمنشیر یا شاید هم پیروزآباد خانه بگیرد و خدا بخواهد بعد از عروسی می‌روند مشهد زیارت. بالاخره بساطش را جمع کرد و وقت رفتن با خنده گفت «با همسایه‌ای مثل آقای مهندس، چرا به ما تلفن می‌کنید؟» به در فلزی نرسیده بود که صدا زدم «صبرکن.»

دویدم توی خانه. قفسه‌ی آشپزخانه را باز کردم و جعبه را برداشتم. برگشتم حیاط و دادم دست برقکار. خیره شد به جعبه. «شکلات *استور*؟» و نگاهش برق زد. گفتم «بِبَر برای عروس خانم.» خوشحال تشکر کرد و رفت. امیل سیمونیان نگاهم می‌کرد. دست‌هایش خاکی و سیاه بود. تعارف کردم برویم تو دست بشوید. و تا دست بشوید دو لیوان شربت **ویمتو** درست کردم که از بازار کویتی‌ها می‌خریدم و جز خودم هیچ‌کس توی خانه دوست نداشت.

به آشپزخانه که آمد دوروبر را نگاه کرد. بعد دست‌هایش را بو کرد. «چه صابون خوشبویی، چه آشپزخانه‌ی قشنگی، چه شربت خوشرنگی.»

از بوی صابون *وینولیا* نمی‌دانم چرا یاد پدرم می‌افتادم و راهرو کم نور خانه‌مان در تهران.

نشست پشت میز و به پنجره نگاه کرد. «هِره را خودتان ساختید، نه؟ پنجره‌ی آشپزخانه‌ی ما هِره ندارد.»

هیچکدام از پنجره‌های خانه‌های بوارده هِره نداشت. تازه آمده بودیم آبادان و آرمن را حامله بودم که آقا مرتضی هِره‌ی پنجره‌ی آشپزخانه را برایم ساخت.

امیل جرعه‌ای شربت خورد. منتظر بودم بگوید خوشمزه‌ست. نگفت. نگاهش هنوز به پنجره بود. «گلْ‌نخودی‌ها انگار کم‌جان شده‌اند.»

آقا مرتضی دست‌های کبره بسته‌اش را کشیده بود روی هِره که هنوز پر از خاک و گَردِ آجر بود. گفته بود «این هِره جون می‌ده واسه گلْ‌نخودی. آدم از عطرش بیهوش می‌شه.» نمی‌دانستم گلْ‌نخودی چه جور گلی است و تا آن وقت اسمش را نشنیده بودم. یکی دو هفته بعد از به دنیا آمدن آرمن، آقا مرتضی روزی که قرار نبود بیاید آمد. گلدانی را از ترکِ دوچرخه باز کرد، گذاشت روی هِره، جابه‌جا کرد و گفت «گلْ‌نخودی. چشم روشنی ناقابل.» اولین بار بود گل‌های کوچکِ آبی و صورتی و سفید را می‌دیدم. امیل از کجا اسم گل‌ها را می‌دانست؟ گفتم «باید خاکشان را عوض کنم.»

شربت خورد. «مسجد سلیمان توی حیاط گلْ‌نخودی کاشته بودم. برای باغچه‌ی خودمان سفارش خاک و کود دادم. آوردند، خاک اینها را هم عوض می‌کنم.»

گفتم «این کارها را باغبان شرکت می‌کند.»

لیوان را گذاشت روی میز. زنجیر گردنش گیر کرده بود به دگمه‌ی پیراهن. زنجیر را از دگمه جدا کرد. «ور رفتن با خاک و گل و گیاه را دوست دارم. تماشای بزرگ شدن چیزی که خودت کاشتی حس خوبی دارد، نه؟»

لبخند احمقانه‌ای روی لب‌هایم نشست.

خندید. «البته در گلکاری مثل تو خبره نیستم.»

علامت سؤال را که توی نگاهم دید گفت «از دوقلوها شنیدم گل‌هایی که آن شب برای مادرم آورده بودی خودت کاشتی.» حس کردم دارم سرخ می‌شوم. از این که گفته بود تو، یا چون عادت نداشتم کسی از کارهایم تعریف کند؟

پرسید «برقکار را می‌شناختید؟» باز داشت می‌گفت شما. گفتم «نه، بار اول بود می‌دیدمش. تازه استخدام شرکت نفت شده.» به صلیب گردنم نگاه کرد. «پس از کجا می‌دانستی عروسی می‌کند؟» صلیب را که کج شده بود راست کردم. «خودش تعریف کرد.»

به گلْ‌نخودی‌ها نگاه کرد. «می‌فهمم چرا. همه دلشان می‌خواهد با تو حرف بزنند. حرف زدن با تو راحت‌ست.» نگاهم کرد. «انگار آدم سال‌هاست می‌شناسدت.»

آرسینه و آرمینه جست‌وخیزکنان سر رسیدند. «کار مدرسه‌ی ما تمام شد.» «امیلی کارش تمام نشد؟»

تازه یادم افتاد یک ساعت بیشتر است صدایی از اتاق آرمن نیامده. تا آمدم از جا بلند شوم، امیلی کتاب و دفتر زیر بغل وارد شد. آرمینه و آرسینه از دو طرف بازوهایش را چسبیدند. «مهمانی بازی بکنیم؟» «یا یک قل دو قل؟»

امیلی به پدرش نگاه کرد. امیل آخرین جرعه‌ی شربت را خورد و لیوان را گذاشت توی سینی. «مادربزرگ تنهاست. سردردش هم عود کرده. شاید بهتر باشد ــــ»

آرمینه پرید وسط حرفش. «خُب، مادر بزرگ استراحت کنند. امیلی می‌ماند پیش ما.» آرسینه گفت «خُب، شما هم بمانید. این جوری مادربزرگ حسابی استراحت می‌کنند.»

امیل خندید و به من نگاه کرد. «دو شب پشت سر هم زحمت دادن پررویی نیست؟» مطمئن بودم تعارف می‌کند. گفتم «بمانید. آرتوش هم هرکجا هست پیدایش می‌شود.» جمله‌ام تمام نشده، صدای خرناس مانند شورلت از خیابان آمد.

آرمینه و آرسینه بالا پایین پریدند. «بمانید. بمانید. خواهش می‌کنیم.» بعد زُل زدند به من.

گفتم «تلفن می‌کنم به خانم سیمونیان.» همه خیلی زود یادگرفته بودیم که نه فقط اجازه‌ی امیلی که اجازه‌ی پدر امیلی هم دست مادربزرگ است.

جواب سلام آرتوش را دادم که دوقلوها از سر و کولش بالا می‌رفتند و در فکر واکنش اِلمیرا سیمونیان شماره گرفتم. صدایش خسته بود و بی‌حوصله. «به من مربوط نیست. خودشان می‌دانند.» و گوشی را گذاشت.

شروع کردم به درست کردن شام. کتلت با سیب‌زمینی سرخ‌کرده. ماجرای بعد از ظهر و تصمیم عجیب خواهرم در ذهنم کمرنگ شده بود. چرا این‌قدر عصبانی شده بودم؟ اولین بار نبود آلیس از این تصمیم‌های عجیب گرفته بود. مگر دکتر ارمنی بیمارستان نبود؟ یا برادر آن دوستی که از تهران آمده بود؟ دلیل بدحالی این بارم شاید این بود که — وَرِ فضول پرید جلو، «این بود که چی؟» روغن ریختم توی ماهیتابه. این بود که خسته بودم. این بود که — نمی‌دانم. امیل و آرتوش در اتاق‌نشیمن شطرنج بازی می‌کردند و صدای بدوبدو بچه‌ها از حیاط می‌آمد.

در فکر اِلمیرا سیمونیان کتلت‌ها را پشت و رو می‌کردم. مادر گفته بود «خانه‌ی پدرش مثل قصر بود. پنجاه شصت تا اتاق، باغ بزرگ، خدم وحشم. پرستاری که خودکشی کرد انگلیسی بود. می‌گفتند خانم با همین قدکوتوله صد تا عاشق داشت، چه قبل از شوهر کردن چه بعد. مردهای

خوش دک و پُز فرنگی که می آمدند اصفهان برای خودش و مهمانی‌هایی که می‌داد سر و دست می‌شکستند.»

سیب‌زمینی پوست کندم و فکر کردم حتماً یک کلاغ چهل کلاغ کرده‌اند. آخر با این قد ــــ

داشتم سعی می‌کردم خانم سیمونیان را در جوانی مجسم کنم که آرمن و امیلی نفس‌زنان و عرق‌کرده به آشپزخانه آمدند. آرمن شیشه‌ی آب را از یخچال درآورد و اول برای امیلی و بعد برای خودش آب ریخت. موهای امیلی چسبیده بود به پیشانی و چشم‌هایش برق می‌زد. از ذهنم گذشت «اگر مادربزرگ در جوانی شبیه الان نوه‌اش بوده ــــ»

شیشه‌ی آب را که آرمن روی پیشخوان جا گذاشته بود گذاشتم توی یخچال. «ــــ شاید هم حرف مردم واقعیت داشته.»

سیب‌زمینی‌ها را توی روغن داغ ریختم. مادر گفته بود «پدر بیچاره چه جشنی برای عروسی دخترش گرفت. ارکستر از تهران، آشپز فرانسوی. از لئون شرابساز کهنه‌ترین شراب‌هایش را خرید. کلی آدم از کله‌گنده‌های دربار تا سفرای خارجی دعوت داشتند.» سیب‌زمینی‌ها را زیر و رو کردم و فکر کردم بعد از زندگی‌ای که مادر وصف می‌کرد، خانه‌ای در بوارده شمالی چقدر باید محقر باشد. اتاق‌های خالی و کم‌نور خانه یادم آمد و رومیزی و دستمال‌سفره‌های کتان که یک وقتی زیبا بودند و حتماً گران قیمت. یاد قاشق چنگال‌های نقره‌ی کم‌وبیش سیاه شده افتادم و چینی‌های لب‌پر. فقط دو شمعدان چند شاخه هنوز جلال و جلای سال‌های حتماً خیلی دور را داشتند، و گنجه‌ی چوبی.

بالای سر سیب‌زمینی‌ها ایستاده بودم نسوزند و خیالبافی می‌کردم. المیرا سیمونیان رومیزی کتان را اولین بار کجا روی میز انداخته؟ در خانه‌اش در کلکته؟ یا در آپارتمانش در پاریس که گفت رو به کلیسای

نوتردام بود؟ یادم آمد رومیزی از هر طرف به زمین می‌کشید. پس مال میزی بوده خیلی بزرگ‌تر. دوازده نفره شاید، با صندلی‌های لابد پشت بلند رویه مخملی. میزبان با موهای یک‌دست سیاه، آرایش کرده، در لباسی با یقه‌ی شاید تور، گوشواره‌های آویز به گوش و سینه‌ریز الماس به گردن، گیلاس کریستال تراش‌داری را به لب‌های قرمز نزدیک می‌کرده و چشم‌های سیاه حتماً همان برق چشم‌های نوه‌اش را داشته، چند لحظه پیش، از بالای لیوان آب.

با صدای امیل سیمونیان که گفت «چه بوهای خوبی،» از تصور مهمانی خیالی جوانی مادرش بیرون آمدم و به سیب‌زمینی‌ها نگاه کردم که داشتند می‌سوختند.

داد زدم «واااای!» و بی‌هوا ماهیتابه‌ی داغ را دو دستی برداشتم گذاشتم روی پیشخوان. تازه وقتی که ماهیتابه را ول کردم سوزش را حس کردم. دست سوزاندن وقت آشپزی یا اتو از کارهای مرسومم بود. به درد و سوزش عادت داشتم و به‌ندرت صدایم در می‌آمد اما این بار نتوانستم جلو ناله را بگیرم. خیس عرق شده بودم.

امیل فریاد زد «چه بلایی سر خودتان آوردید؟» شانه‌هایم را گرفت بُرد طرف میز و نزدیک‌ترین صندلی را برایم عقب کشید. «ببینم.»

نشستم روی صندلی. چرا باز گفت شما؟ به کف دست‌ها نگاه کردم که هر لحظه قرمزتر می‌شد. آب ریخت توی لیوان و لیوان را به دهانم نزدیک کرد. «نگران نباش. الان درستش می‌کنم.» لیوان را گذاشت روی میز و از آشپزخانه بیرون دوید. باز گفته بود تو.

بدتر از درد و نگرانیِ این که تا چند روز نمی‌توانم هیچ کاری بکنم و غذای فردا چه می‌شود و ظرف‌ها را چه کسی می‌شوید و ده‌ها "چه می‌شود" و "چه کسی می‌کند" دیگر، غرولندهای آرتوش بود که از صدای

ناله‌ام دویده بود به آشپزخانه، بالای سرم ایستاده بود و غُرغُرهای همیشگی را تکرار می‌کرد، وقت‌هایی که اتفاق‌های این طوری می‌افتاد. «صد بار گفتم مواظب باش. سیب‌زمینی سوخت که سوخت. چرا به فکر خودت نیستی؟ اصلاً توی این گرما چرا داری کتلت و سیب‌زمینی سرخ می‌کنی؟ از بیرون غذا می‌گرفتیم. مطمئن باش غذای بیرون کسی را نکشته. وسواس بیخودی را از مادرت ارث بُردی. کاش نصف وسواس تو را خواهرت هم داشت که ــــ»

سعی کردم نشنوم. سال‌ها بود فهمیده بودم آرتوش با مقصر شمردن هرکسی که اتفاقی برایش می‌افتد محبتش را نشان می‌دهد. هربار بچه‌ها زمین می‌خوردند یا مریض می‌شدند یا جایی‌شان درد می‌گرفت همین بساط را داشتیم. این هم که از هر فرصتی برای گوشه کنایه زدن به مادر و آلیس استفاده می‌کرد، برای این بود که مادر و آلیس هم درست همین کار را با آرتوش می‌کردند و من این وسط سال‌ها بود نقش میانجی را خوب یاد گرفته بودم. حالا هم دور من و میز آشپزخانه راه می‌رفت و یک‌بند حرف می‌زد. سرم داشت گیج می‌رفت و سوزش دست‌ها بیشتر و بیشتر می‌شد که امیل سیمونیان با شیشه‌ی قهوه‌یی بزرگی سر رسید. بی‌حرف چند بار دست کرد توی شیشه و کف هر دو دستم را با ماده‌ی کرم مانندِ سیاه و لزجی پوشاند. آرتوش ساکت بالای سرمان ایستاده بود و تماشا می‌کرد. خیره به کف دو دستم ناگهان حس کردم داغ شدم، حس کردم دست‌هایم دوباره چسبید به ماهیتابه و سوخت. بعد کف دست‌ها به ذُق‌ذُق افتاد، بعد کم‌کم سرد شد و سردتر شد و سوزش و ذُق‌ذُق تمام شد. خیس عرق بودم. سر که بلند کردم امیل نگاهم می‌کرد، با لبخندی که انگار می‌گفت «نگفتم درستش می‌کنم؟»

۱۸

سه نفری پشت میز آشپزخانه نشسته بودیم. امیل از معجون ضد
سوختگی هندی می‌گفت و سیب زمینی پوست می‌کند. سیب‌زمینی‌های
سوخته را ریخته بود توی سطل زباله، از سبد کنار یخچال چندتا
سیب‌زمینی درشت برداشته بود و حالا داشت پوست می‌گرفت. آرتوش
مثلاً همکاری می‌کرد. فکر کردم آرتوش به عمرش چند بار سیب‌زمینی
پوست کنده؟ امیل سیمونیان چند بار؟ دو دستم را باز نگه داشته بودم و
به امیل گوش می‌کردم. «یکی از آشپزهایمان که اهل جنوب هند بود،
خیلی سال پیش دو شیشه از این معجون برای مادرم آورد.»

دوقلوها دویدند تو.

پرسیدم «رامو؟» و درجا از سؤالم پشیمان شدم. یادآوری
ناخوشایندی بود. کارد را گذاشت روی میز. گفت «پدرِ رامو بود.» چند
لحظه ساکت ماند، بعد دوباره کارد را برداشت. «چند بار جاهای مختلف
دادم آزمایش کردند ولی کسی از ترکیبش سر در نیاورد. همین قدر
فهمیدند که از ریشه و برگ گیاه‌های مختلف درست شده که خودم از اول
می‌دانستم.»

آرتوش در یخچال را بست و نشست پشت میز. پرسیدم «بچه‌ها چی
می‌خواستند؟» گفت «آب.»

تا آرتوش یکی دوتا سیب‌زمینی را کج و کوله پوست بکند، امیل بقیه را

پوست کند و یکدست خلال کرد. ریخت توی آبکش و از جا بلند شد.
«فقط یک نفر از خانواده‌ی رامو طرز درست کردن این معجون را می‌داند
که قبل از مرگ، فقط به یک نفر دیگر از همان خانواده یاد می‌دهد.» آبکش
را گذاشت توی ظرفشویی و شیر آب را باز کرد. فکر کردم مادرش که
نیست لفظِ قلم حرف نمی‌زند.

تلفن زنگ زد. توی راهرو کسی گوشی را برداشت و چند لحظه بعد
آرمن صدا زد «ماااماااا! تلفن. خانم نوراللهی.»

داد زدم «با من یا پدر؟»

«با تو.»

از جا بلند شدم. آرتوش گفت «سخـتت نیست گـوشی تـلفن دست
بگیری؟» امیل از کنار ظرفشویی سر چرخاند. آب شیر می‌ریخت روی
خلال‌های سیب‌زمینی توی آبکش. تصور من بود یا نگاهش نگران بود؟

دست‌هایم را باز کردم و بستم. درد خیلی کم شده بود. سر تکان دادم
که «نه، سختم نیست.» و رفتم به راهرو. از در باز اتاق‌نشیمن، امیلی و
آرمن را دیدم که توی راحتی‌ها نشسته بودند. امیلی بـا حـرکات سـر و
دست چیزی تعریف می‌کرد. اگر نمی‌دانستم فکر می‌کردم خانم جوانی
است و نه دختر بچه. آرمن دست زیر چانه از راحتی روبه‌رو به امیلی نگاه
می‌کرد.

در فکر این که خانم نوراللهی چکار دارد و نگاهم به دو دستم که انگار
تازه به اهمیتشان پی می‌بردم، گوشی را برداشتم.

خانم نوراللهی مثل هربار سلام احوالپرسی طولانی و گرمی کرد و تا
حال تک‌تک بچه‌ها را نپرسید نرفت سر اصل مطلب. چه حـافظه‌ای
داشت. نه فقط اسم بچه‌ها یادش بود که یادش بود کلاس چندم هستند.
حتی سرماخوردگیِ چند ماه پیش دوقلوها هم یادش مانده بود. بالاخره

گفت «جمعه‌ی پیش در جلسه‌ی سخنرانی باشگاه گلستان دیدمتان. ببخشید فرصت نشد خدمت برسم سلام کنم.»

هیچ نشانی از کنایه در لحنش نبود. خجالت کشیدم. من بودم که باید بعد از سخنرانی جلو می‌رفتم و تبریک می‌گفتم که نرفته بودم و نگفته بودم. خانم نوراللهی نه فرصت توضیح و عذرخواهی داد نه انگار توقعش را داشت. «می‌خواستم خواهش کنم لطف کنید در جلسه‌ی بعدی انجمن ما شرکت کنید. خانم‌های ارمنی نسبت به ما کم‌لطف‌اند. می‌دانم انجمن خودتان را دارید که فعالیت‌های مثبتی دارد، ولی می‌دانید که انتخابات مجلس نزدیک‌ست و حتماً می‌دانید که به خاطر مسأله‌ی حق رأی امسال برای زن‌های ایرانی سال مهمی‌ست و ــــ»

نمی‌دانستم انتخابات مجلس نزدیک است و درباره‌ی حق رأی زن‌ها فقط چیزهایی شنیده بودم. فکر کردم مثل بیشتر ارمنی‌ها انگار توی این مملکت زندگی نمی‌کنم. خجالت کشیدم و شاید برای جبران، تا خانم نوراللهی گفت «چندتا سؤال داشتم. اجازه می‌دهید هروقت فرصت داشتید خدمت برسم؟» گفتم «حتماً. با کمال میل.» قبل از خداحافظی گفت «راستی، امسال هم برای ۲۴ آوریل مراسم دارید؟»

گوشی را گذاشتم و رفتم طرف آشپزخانه. خانم نوراللهی که ارمنی نبود، از ۲۴ آوریل ما خبر داشت و من که توی این مملکت به دنیا آمده بودم ــــ باز خجالت کشیدم. گفته بود «ما باید خیلی چیزها از خانم‌های ارمنی یاد بگیریم.» حتماً تعارف کرده بود.

سر جایم نشستم و به دست‌هایم نگاه کردم. انگار نه انگار سوخته بودند. آرتوش خم شد طرفم، دستم را نوازش کرد و یواش دمِ گوشم گفت «درد نداری ؟» لبخند می‌زد و می‌دانستم دارد سعی می‌کند دلجویی کند. لبخند زدم و سر تکان دادم که «نه.»

به امیل نگاه کردم. آبکش به دست رو به مـا ایستاده بـود و نگاهـم میکرد. شیر آب ظرفشویی بسته بود. چند لحظه نگاه به نگاه مـاندیم. بعد گفت «روغن کجاست؟»

از جا پریدم. «شما چرا؟» و دست دراز کردم آبکش را بگیرم. آبکش را پس کشید.

آرتوش پابهپا شد. «حالا باید حتماً سیبزمینی سرخکرده بخوریم؟» گفتم «تو برو به بچهها سر بزن.» انگار از خدا خواسته رفت.

به امیل نگاه کردم. سیبزمینیها را تـوی آبکش زیرورو کرد. «گمانم جزو معدود مردهایی هستم که آشپزی دوست دارند.» دو دگمهی بالای پیراهنش باز بود و زنجیر طلا معلوم بود. به در آشپزخـانه نگـاه کـرد و صدایش را پایین آورد. «در عوض متنفرم از سیاست. ولی انگار آرتوش ــــ» منتظر نگاهم کرد.

گفتم «نه. یعنی آره. یعنی در حد این که خبرها را بـخوانـد و خُب بـعضی وقتهـا ــــ» چـرخیدم از قفسهی پشت سـر حلب روغن را برداشتم.

حلب را از دستم گرفت. «هیچوقت از سیاست خـوشم نیامده. از هیچکدام از این ایسمها و مرامها و مسلکها هم سر در نمیآورم. عوض این حرفها دوست دارم کتاب بخوانم. دنیا اگر قرارست بهتر شود، که من یکی شک دارم، با سیاستبازی نیست، ها؟ تو چی فکر مـیکنی؟» بهجای جواب لبخند احمقانهای زدم.

باهم سیبزمینی سرخ کردیم و سالاد درست کردیم.

از غذاهای هندی گفت و از ادویهی مختلف و خاصیت هر کدام. از نویسندههای مورد علاقهمان حرف زدیم و از کتابهایی کـه خـوانـده بودیم.

خواهش کرد به‌جای آقای سیمونیان "امیل" صدایش کنم.

دوباره فکر کردم مادرش که نیست چه راحت و خوش‌صحبت است.

میز شـام را مـی‌چیدم و آرتـوش و امیل سـر خـم کـرده بـودند روی صفحه‌ی شطرنج. گفتم «اشکالی ندارد برای مادرت شام ببرم؟ لابد بـا سر درد حوصله‌ی شام درست کردن نداشتند.» چند لحظه نگاهم کرد بعد گفت «بله، شاید، نمی‌دانم.» حتی حرف مـادرش کـه مـی‌شد لحن حرف زدنش تغییر می‌کرد.

۱۹

بشقاب کتلت و سیب‌زمینی را با ظرف کوچک سالاد گذاشتم توی سینی و برای این که تا می‌رسم آن طرف خیابان یک کرور حشره نیفتد توی غذا، روی سینی را با دستمال بزرگی پوشاندم. با این که چراغ‌های حیاط روشن بود، تمام طول راه‌باریکه سینی به دست قدم‌های محکم برداشتم و پا زمین کوبیدم. این شیوه‌ی اختراعی خودم بود برای خبر دادن به قورباغه‌های احمق که نپرند جلو پا و زَهره ترکم نکنند. بچه‌ها و آرتوش به این کارم می‌خندیدند.

آقای رحیمی داشت حیاط آب می‌داد و مثل همیشه بلندبلند آواز می‌خواند. آرمن می‌گفت «آقای رحیمی بس که بدصداست خانم رحیمی اجازه نمی‌دهد توی خانه آواز بخواند. برای همین آقای رحیمی هر روز سه بار باغچه و حیاط و نصف خیابان را آب می‌دهد.» با این که روزی نمی‌گذشت آرسینه و آرمینه با آرمن بگومگو نکنند و کار به دعوا نکشد، شوخی‌های حتی بی‌مزه‌ی برادر بزرگ‌تر دوقلوها را می‌خنداند. در این فکر که صدای آقای رحیمی هیچ هم بد نیست، از خیابان می‌گذشتم که پایم سُر خورد. آرمن راست می‌گفت. آقای رحیمی تمام عرض خیابان را هم آب داده بود.

در فلزی جی۴ را باز کردم. چراغ‌های حیاط روشن نبود اما نور ماه آن‌قدر بود که باغچه‌های بی‌گل و چمن زرد و جابه‌جا خشک شده‌ی

حیاط را ببینم. شاخه‌های خشک پیچک مثل تار عنکبوت چسبیده بود به
دیوار خانه. سال پیش همین دیوار یکدست سبز بود. به‌جای زنگ زدن
چند ضربه‌ی آهسته به در زدم. خانه تاریک بود. فکر کردم شاید خواب
باشد. می‌خواستم برگردم که در باز شد. با لباس‌خواب آستین‌بلند و یقه
بسته به سینی توی دستم نگاه کرد که درست روبه‌روی صورتش بود. بعد
سرش را بالا آورد. گفتم «ببخشید، چندتا کتلت آوردم. ولی اگر دوست
دارید استراحت کنید ــــ»

نور ماه به صورتش می‌تابید. به نظرم آمد چشم‌هایش سرخ و ورم
کرده است. لبخند بی‌رمقی زد. «لطف کردید. بیایید تو.» و از جلو در
کنار رفت. صدایش با صدای خسته و بی‌حوصله و عصبانی پای تلفن فرق
داشت. خسته بود اما عصبانی و بی‌حوصله نبود. «اشکالی ندارد دراز
بکشم؟ حالم زیاد خوب نیست.»

چراغ راهرو را روشن کرد و رفت طرف اتاق‌خواب‌ها. از چمدان‌های
فلزی خبری نبود اما فیل خرطوم‌شکسته هنوز بود. در اتاق امیلی باز بود.
روی زمین ورق‌پاره‌های مچاله‌ی نُت دیدم، با یک قیچی و تکه پاره‌های
پارچه‌ای سفید.

توی اتاق‌خواب خانم سیمونیان فقط چراغ کوچک پاتختی روشن بود.
پنجره پرده نداشت و یک طرف قالیچه تا خورده بود. روی تخت چند
عکس بود و روی زمین چند آلبوم نیمه‌باز. سینی را از دستم گرفت
گذاشت روی پاتختی و دستمال را پس زد. چند لحظه به بشقاب غذا و
کاسه‌ی سالاد نگاه کرد. بعد برگشت. «متشکرم که به فکرم بودید.» نور
چراغ‌خواب به صورتش می‌خورد. این بار مطمئن شدم گریه کرده.

برای این که حرفی زده باشم گفتم «چیزی میل کنید. می‌گویند غذا
خوردن برای سردرد مفیدست.» چرا داشتم لفظ قلم حرف می‌زدم؟

عکس‌های روی تخت را پس زد. دستی به موها کشید. نشست روی تخت و اشاره کرد بنشینم. یکی از عکس‌ها را برداشت. «سردرد ندارم.» چند لحظه به عکس نگاه کرد. بعد گرفت طرف من.

از عکس‌هایی بود که قدیم‌ها در عکاسخانه می‌گرفتند. یک لحظه فکر کردم امیلی است که با لباس یقه بسته‌ی تیره روی صندلی پشت بلند شق و رق نشسته. روبان فُکُل‌دار بزرگی به سر داشت و موها از دو طرف لوله لوله ریخته بود تا شانه‌ها. گربه‌ای روی زانوها نشسته بود. از زانو به پایین توی عکس نبود.

عکس را از دستم گرفت. «امیلی نیست، خودم هستم. کمی بزرگ‌تر از حالای امیلی بودم.» عکس را پشت و رو کرد و دوباره داد دستم. پشت عکس نوشته شده بود: المیرا هاروتونیان ــ پاییز پانزده سالگی. خط یکدست بود و درشت و محکم.

تکیه داد به کَلِگی تخت و خیره شد به سقف. «پدرم سالی چند بار عکاس می‌آورد خانه یا مرا به عکاسی می‌برد. اصرار داشت عکس‌ها همه در حال نشسته باشند و تا زانو، که کوتاهی قدم معلوم نباشد. فکر می‌کرد چون قدم کوتاه‌ست زود می‌میرم. می‌گفت می‌خواهد بعد از مُردنم عکس‌هایم را داشته باشد.» خیره به سقف پوزخند زد. «به پدرم ثابت کردم خیال ندارم زودتر از خودش بمیرم. به پزشک‌ها هم که می‌گفتند اگر بچه‌دار شوم می‌میرم همین طور.» چند عکس دیگر گرفت طرفم، دوباره سرش را تکیه داد به کلگی تخت و چشم‌ها را بست. فکر کردم چطور خیلی لفظ قلم حرف نمی‌زند؟

عکس‌ها را تماشا کردم. همه کم و بیش شبیه اولی بودند. روی نیمکتی در باغ، کنار بوته‌ی بزرگی که احتمالاً نسترن بود. جلو بخاری دیواری گچ‌بری شده، روی صندلی با بادبزنی در دست و سگی که فقط

سرش روی زانوها معلوم بود. پشت همه‌ی عکس‌ها با همان دستخط محکم و یکدست نوشته شده بود: المیرا هاروتونیان، در سیزده سالگی یا شانزده سالگی یا دوازده سالگی.

داشتم دوباره عکس‌ها را نگاه می‌کردم که چشم باز کرد، پشت صاف کرد و دست کشید به پیشانی. «ببخشید اگر پرحرفی کردم. گاهی یاد گذشته‌ها می‌افتم. لطف کردید آمدید، حالا ـــــ اگر اجازه بدهید ـــــ» خداحافظی که کردم پرسید «سوزش دست‌ها خوب شد؟» سر تکان دادم و با لبخندی بی‌رمق سر تکان داد.

شب توی تختخواب به آرتوش گفتم «انگار همه‌ی عمر از آدم‌ها انتقام می‌گرفته.» جواب که نداد سر چرخاندم و نگاهش کردم. خواب بود. چراغ‌خواب را خاموش کردم و به صدای یکنواخت کولرها گوش دادم. چقدر دلم می‌خواست بقیه‌ی عکس‌ها را ببینم.

۲۰

خانه‌ی نینا یکی از خانه‌های بزرگ محله‌ی بِریم بود. چند قدمی استخر. از ماشین که پیاده می‌شدیم آرمینه گفت «خوش به حال سوفی.» آرسینه گفت «تا استخر دو دقیقه هم نیست.»

آرتوش ماشین را پارک کرد و آرمن داد زد «بپا، شِوی جان خط نیفتد.» دخترها خندیدند. روزی نبود بچه‌ها متلکی بار شورلت قدیمی آرتوش نکنند.

وارد حیاط نشده، سوفی از خانه بیرون دوید و داد زد «خرگوش خریدیم.» رفتیم تو.

نینا خانه را نشان می‌داد و مادر زیرگوشم غُرمی‌زد. «نگاه کن. چه ریخت و پاشی. انگار دیروز اسباب‌کشی کرده.»

رسیدیم به آشپزخانه که بزرگ و دلباز بود. نینا شربت ریخت توی لیوان‌ها و گفت «می‌بینید؟ هنوز کلی اسباب جابه‌جا نشده دارم. هرکی نداند فکر می‌کند دیروز اسباب‌کشی کردم. به من می‌گویند شلخته‌ترین زن دنیا.» و غش‌غش خندید.

مادر و آلیس به هم نگاه کردند و گارنیک که با آرتوش همان لحظه وارد آشپزخانه شده بود گفت «به تو می‌گویند خوش‌اخلاق‌ترین زن دنیا.» و سینی شربت را از دست نینا گرفت. «بده من ببرم، عزیز جان.»

آلیس زیرلب گفت «یک جو شانس.» آرتوش سعی کرد جلو

خمیازه‌اش را بگیرد و دست‌ها توی جیب دنبال گارنیک رفت. شب شروع نشده حوصله‌اش سر رفته بود.

اتاق‌پذیرایی هم بزرگ و دلباز بود. دخترها اسباب‌بازی‌هایی را که برای سوفی هدیه آورده بودیم ولو کرده بودند روی فرش و بازی می‌کردند.

گارنیک سینی شربت به دست از وسط بچه‌ها گذشت و ادای پا گذاشتن روی اسباب‌بازی‌ها را در آورد. دوقلوها و سوفی جیغ زدند و خندیدند و نینا گفت «چه هدیه‌های قشنگی. مرسی بچه‌ها.» بعد رو کرد به آرمن که نزدیک پنجره ایستاده بود. «چرا ایستادی؟ عجب قدی کشیدی پسر. حسابی خوش‌تیپ شدی ها. حتماً بین دخترهای مدرسه کلی کشته مرده داری، آره؟»

دخترها به آرمن نگاه کردند، دست گرفتند جلو دهان و ریزریز خندیدند. آرمن به هر سه چشم‌غره رفت و نشست روی صندلی نزدیک پنجره. مادر دامنش را کشید روی زانو و لب‌ها را به هم چسباند. آلیس توی آینه‌ی جاپودری خودش را نگاه می‌کرد. از بوی پودر کُتی عطسه‌ام گرفت.

نینا رو کرد به من. «حالا هدیه‌ی تو را باز کنم. چه بسته‌ی بزرگی. خجالتم دادی کلاریس.» بسته را گذاشت روی میز جلو راحتی‌ها و کاغذ بسته‌بندی را پاره کرد.

به ضبط‌صوت بزرگ گروندیگ که گوشه‌ی اتاق روی زمین بود نگاه کردم. چند حلقه‌ی بزرگ نوار روی زمین ولو بود. ویگن داشت می‌خواند «ای رقیب، ای دشمن من ـــــ» شبیه این ضبط‌صوت را ما هم در خانه داشتیم. آلیس زیر گوشم گفت «می‌بینی؟ حسود خانم بدو بدو رفته لنگه‌ی ضبط‌صوت شماها را خریده.»

نینا زانو زده کنار میز، کاغذ بسته‌بندی را مچاله کرد و به من نگاه کرد. «ضبط‌صوت را دیدی؟ هنوز وقت نکردم میز زیرش را بخرم. گارنیک قول داده شعر و آوازهایی را که سوفی می‌خواند ضبط کند. گفتم از آرتوش یاد بگیر که مال دوقلوها را ضبط می‌کند. از بچگی تیگران که چیزی نداریم جز چندتا عکس که باید با ذره‌بین نگاه کنی تا بفهمی کی به کی‌ست. اقلاً از بچگی سوفی یادگاری داشته باشیم.»

گفتم «فقط امیدوارم گارنیک مثل آرتوش جمع کردن نوارها و گردگیری دستگاه را نیندازد گردن تو.»

نینا زد زیر خنده. «بیخود. از روز اول فهمیده که زنش اهل این کارها نیست. من فقط دستور دادن بلدم. گفتم باید عین ضبط‌صوت کلاریس و آرتوش باشد.»

به آلیس نگاه کردم که نگاهش را از من دزدید، جاپودری را با تقِ محکمی بست و به گارنیک که سینی شربت گرفته بود جلوش گفت «نمی‌خورم. رژیم دارم. آهنگ انگلیسی چی دارید؟»

گارنیک سینی را گرفت جلو مادر و به آلیس گفت «نات کینگ کول دوست داری؟ نوارش را دخترخاله‌ام از تهران آورده. امشب هم رژیم بی‌رژیم. تو هم شروع کردی مثل زن‌های تهرانی ادا درآوردن؟ زن باید یک پرده گوشت داشته باشد.» تکیه کلام مادر را تکرار کرد، «دروغ می‌گم خانم وسکانیان بگو دروغ می‌گی.» و قاه‌قاه خندید.

کسی گفت «باز که داری پشتِ سر زن‌های تهرانی حرف می‌زنی.» همه به در اتاق نگاه کردیم.

قد متوسطی داشت. نه لاغر و نه چاق، با موهای بور که تا شانه می‌رسید و چشم‌های عسلی. کفش‌های پاشنه‌بلندِ پشت‌باز پوشیده بود و بلوز بی‌آستین سفیدش خال‌های قرمز داشت. گارنیک سینی را گذاشت

روی میز و دو دستش را از هم باز کرد. «این هم ویولت، دخترخاله‌ی تهرانی من.»

دخترخاله‌ی تهرانی جلو آمد، با همه دست داد و دوقلوها را که با دهان باز نگاهش می‌کردند بوسید. آرمینه گفت «شما چقدر خوشگلید.» آرسینه گفت «عین راپونزِل.» ویولت سر عقب انداخت و خندید. «راپونزِل را نمی‌شناسم، ولی کاش همه با تو هم‌سلیقه بودند.»

نینا کاغذ بسته‌بندی را مچاله کرد. «همه می‌دانند تو خوشگلی و ماه و نازنین. فقط شوهر احمقت نفهمید. ببین کلاریس چی هدیه آورده.» و مجسمه‌ی چینی را از توی جعبه بیرون آورد. «وای! چه قشنگ.»

ویولت رو به آلیس و مادر و پشت به آرتوش و آرمن خم شد روی میز و دست کشید به مجسمه. پشت دامنش چاک کوچکی داشت. آرتوش سر چرخاند طرف پنجره. آرمن روی صندلی جابه‌جا شد. آلیس زُل زده بود به ویولت و مادر تند و تند شربت می‌خورد.

گارنیک و آرتوش و ویولت با بچه‌ها رفتند حیاط پشتی خرگوش‌هایی را ببینند که همان روز گارنیک خریده بود. مادر از نینا احوال پسرش تیگران را پرسید. «خوابگاه دانشگاه می‌ماند یا اتاق اجاره کرده؟»

نینا از روی اسباب‌بازی‌های ولو روی فرش رد شد نشست روبه‌روی ما. «چند هفته خوابگاه دانشگاه بود. بعد آمد پیش خاله‌ی گارنیک، یعنی مادرِ همین ویولت. راستش نخواستم خیلی با دانشجوها دمخور باشد. این روزها همه‌ی دانشجوها سرشان بوی قرمه‌سبزی می‌دهد. ما را چه به سیاست؟ خیلی هنر کنیم کلاه خودمان را نگه داریم باد نبرد.»

مادر خم شد از روی فرش چیزی را که بس که ریز بود معلوم نبود چی بود برداشت انداخت توی زیرسیگاری. «بعله. ما چکاره‌ی ولایتیم؟ هزار بار همین را به خدا بیامرز گفتم ولی ــــ»

آلیس ادای خمیازه کشیدن درآورد و گفت «واای، باز شروع شد.» مادر سقلمه‌ای به بازوی گوشتالوی آلیس زد. «باز شروع شد و درد بابام. دروغ می‌گم؟» آلیس به من نگاه کرد و خندید.

سوفی از پشت پنجره بچه خرگوشی نشان داد و نینا برایش دست تکان داد. «طفلک ویولت چند ماه بیشتر نیست طلاق گرفته. شوهرش دیوانه‌ای بود که نگو. دختر بیچاره حق نداشت تنها برود تا سر کوچه. حسودی می‌کرد و جنجال راه می‌انداخت. واویلا اگر کسی توی خیابان یا مهمانی به ویولت نگاه می‌کرد. می‌گفت حتماً خبری هست. می‌گفت چرا نگاهت کردند؟ سگِ خوشگلی که نگاهت می‌کنند؟ خلاصه جان به لبش کرد. قول‌هایی هم که قبل از ازدواج داده بود بماند. گفته بود خانه می‌خرم، جواهر می‌خرم، می‌برمت پاریس و لندن. هیچ کدام را که نکرد هیچ، داشت دیوانه‌اش می‌کرد. خوب کرد طلاق گرفت. تازه بعد از طلاق هم هر روز قال تازه‌ای چاق می‌کرد. تلفن می‌زد، سر راه دختر بیچاره سبز می‌شد. همین چند هفته پیش توی خیابان نادری، درست دم در پیراشکی خسروی جلو دختر بیچاره را گرفت و بی‌آبرویی راه انداخت. فکر کردیم چند ماهی بیاید آبادان شاید مرتیکه‌ی دیوانه وِل کند. نمی‌دانید چه دختر نازنینی‌ست. خدا کند شوهر خوبی گیرش بیاید.» مادر زُل زد به نینا و آلیس خیره شد به لیوان‌های نیمه‌پر شربت. فکر کردم یکی از این روزها برای بچه‌ها پیراشکی درست کنم.

نینا جعبه‌ی مجسمه‌ی چینی و کاغذ بسته‌بندی را جمع کرد. نگاهی به در اتاق انداخت، خم شد جلو و به ما هم اشاره کرد بیاییم جلو. صدایش را پایین آورد و گفت «بین خودمان باشد، خودِ ویولت هم هنوز نمی‌داند ولی ——» رو کرد به من. «هلندیِ همسایه که پای تلفن حرفش را زدم یادت هست؟ اگر با ویولت جور شود بد نیست. امشب دعوتش کردم.»

بلند شد ایستاد و خندید. «به نظرم بالاخانه را اجاره داده. ولی خُب، بیشتر خارجی‌ها به چشم ماها خُل و چِل می‌آیند. اگر با ویولت عروسی کند و از ایران بروند محشر می‌شود. ویولت به درد زندگی توی ایران نمی‌خورد.» جعبه‌ی خالی و کاغذها را زد زیر بغل. «ببرم اینها را بیندازم دور.»

از اتاق که داشت می‌رفت بیرون به مادر گفت «راستی، اگر گفتید شام چی درست کردم؟ لوبیاپلو. می‌بینید؟ کلی خانه‌دار شدم. وقت شوهرم شده، نه؟» و غش‌غش خندید. به آلیس نگاه کردم که بُغ کرده بود. با خودم گفتم «باز حرف ازدواج شد. امشب خدا به داد مادر برسد.»

تا نینا پا بیرون گذاشت، مادر زیرلب شروع کرد. «هزار بار گفتم معاشرت با این زن و شوهر درست نیست. دریغ از یک مثقال اخلاق و نجابت. جلو بچه‌ها هر چی از دهنشان در می‌آید می‌گویند. چنان از ازدواج و طلاق حرف می‌زند انگار یکی لباس خریده و چون خوشش نیامده برده پس داده. اصلاً بیخود آمدیم. اصلاً تقصیر کلاریس بود که ــــ» از جا پریدم. «به نینا کمک کنم میز بچینند.»

توی آشپزخانه نینا پرسید «تنهایی؟» به در نگاه کرد و از نبودن مادر و آلیس که مطمئن شد پقی زد زیر خنده و یواش گفت «راستش، ویولت را با خودم آوردم آبادان چون که ــــ» باز به در نگاه کرد و یواش‌تر گفت «گلوی تیگران پیش ویولت گیر کرده بود.»

با دهان باز و چشم‌های گشاد به نینا نگاه کردم و گفتم «چی؟»

قیافه‌ی تیگران آمد جلو چشمم.

لاغر بود و کم‌حرف و خجالتی. عینک می‌زد و مدام درس می‌خواند و همیشه شاگرد اول بود. نه سینما می‌رفت، نه باشگاه و نه دوستی داشت. سرگرمی‌اش ور رفتن با وسایل برقی بود. مادر بارها گفته بود

«عجیب نیست؟ از پدر و مادری به این بی‌بندوباری، پسری به این سربه‌زیری.»

نینا داشت می‌گفت «وقتی ویولت طلاق گرفت و برگشت پیش مادرش، تیگران هم منزل خاله‌ی گارنیک بود. چند روز که گذشت دیدم نخیر، پسره پاک قاطی کرده. یا آهنگ‌های عاشقانه گوش می‌کرد یا عین سگ که به صاحبش نگاه کند، یک گوشه می‌نشست زُل می‌زد به ویولت. نه فکر کنی ویولت عشوه می‌آمد یا کاری می‌کردها. طفلک اصلاً اهل این حرف‌ها نیست. خودم زنم، خر هم نیستم و می‌فهمم. نه. اصلاً تقصیر ویولت نیست. خوشگلی که گناه نیست. چون ظاهرش با باقی زن‌ها فرق دارد مردم پشت سرش حرف می‌زنند. برای همین گفتم اروپا به دردش می‌خورد. آن طرف‌ها زن موبور پوست سفید توی خیابان‌ها ریخته. تحقیق کردم چیزی به تمام شدن مأموریت هلندی نمانده. حالا ببینیم امشب چه می‌کنیم.» ظرف سالاد را از یخچال درآورد. «شاید باعث و بانی کار خیر شدیم.» خنده‌ی از تهِ دلش را سر داد.

دوقلوها دویدند توی آشپزخانه. آرمینه با بغض گفت «عمو گارنیک برای سوفی ـــ» آرسینه لب ورچید. «برای سوفی هولاهوپ خریده.» بعد دوتایی شروع کردند. «عمو گارنیک گفت هولاهوپ هیچ هم برای کمر بد نیست.» «اصلاً هم بد نیست.» «همه‌ی بچه‌ها هولاهوپ دارند.» «برای ما هم بخر.» «تو را به خدا بخر.»

گارنیک از توی اتاق پذیرایی داد زد. «خودم می‌خرم. حالا بیایید اینجا. خرگوش‌ها آمدند مهمانی.» دوقلوها داد زدند «آخ جان!» و «جانم جان!» و دویدند بیرون.

نینا سبد میوه را برداشت. «نمی‌فهمم کی این تخم لق را توی دهن مردم انداخته که هولاهوپ کمر درد می‌آورد. حالا مگر بیست و چهار

ساعته یکبند هولاهوپ می‌چرخانند؟ خیالت جمع. دو سه روز بازی می‌کنند و می‌اندازند گوشه‌ی حیاط. پیش‌دستی‌ها را بردار بیا.» و راه افتاد طرف اتاق‌پذیرایی.

ویولت نشسته بود روی فرش و یکی از بچه خرگوش‌ها را بغل کرده بود. دامن سیاهِ تنگش بالا رفته بود و زانوهای سفید بی‌جوراب معلوم بود. سوفی و دوقلوها یکی یک بچه‌خرگوش توی بغل دورش نشسته بودند. آرمن بچه‌خرگوش ویولت را نوازش می‌کرد.

مادر شق و رق زُل زده بود به لیوان‌های خالی شربت. آلیس تقریباً پشت کرده بود به مادر و زُل زده بود به دیوار لخت اتاق. پایی که انداخته بود روی پای دیگر تند و تند تکان می‌خورد. با خودم گفتم «آلیس و مادر دعواشان شده.» گارنیک داشت درباره‌ی جای کولر جدیدی که می‌خواست نصب کند با آرتوش مشورت می‌کرد. قبل از آمدن به آرتوش گفته بودم «بحث سیاسی راه نمی‌اندازی.»

داشتم به نینا کمک می‌کردم میز شام بچیند که زنگ زدند.

مرد هلندی بلندقد بود. با موهای صاف خیلی کوتاهِ رنگِ کاه. صورت کک‌مکی‌اش به قرمزی می‌زد. حتماً از حمام آفتاب بود. با تک‌تک ما حتی بچه‌ها خیلی محکم دست داد و گفت «سلام وَ علیک. بنده یوپ هانسن هستم. از آشنایی با جنابعالی بسیار خوشوقت هستم.»

ویولت همان‌طور که روی زمین نشسته بود، دست بی خرگوش را کمی بالا برد و گفت «ببینید چه خرگوش خوشگلی دارم.»

یوپ هانسن برای این که با ویولت دست بدهد، تقریباً روی زمین زانو زد. «بسیار بسیار قشنگ هست خرگوش.»

ویولت فقط لبخند زد. از فارسی حرف زدن کج و کوله‌ی هلندی نه تعجب کرد، نه خنده‌اش گرفت. یاد حرف نینا افتادم که گفته بود «دختر

خاله‌ی گارنیک شبیه توست.» فکر کردم نینا زده به سرش. کوچک‌ترین شباهتی بین خودم و این زن نمی‌دیدم، نه در ظاهر، نه در رفتار. هیچ بدم نمی‌آمد کمی شبیهش بودم، هم در ظاهر هم در رفتار.

یوپ هانسن خوش‌مشرب و خنده‌رو بود. از آرتوش خواهش کرد مستر هانسن صدایش نکند و به‌جای انگلیسی، فارسی صحبت کنند. «برای فارسی صحبت کردن بسیار علاقه‌مند هستم.» وقتی که سر میز شام دیس لوبیاپلو را به خواهرم تعارف کرد، مادر و آلیس برای اولین بار از سرِ شب لبخند زدند.

آلیس تشکر کرد و گفت فقط سالاد می‌خورد. یوپ ابروهای بورش را داد بالا. «چرا؟ لُبیاپالو دوست ندارید؟» آلیس گفت «چرا، ولی ـــــ»

یوپ دیس لوبیاپلو را گذاشت روی میز و ظرف سالاد را گرفت جلو آلیس. «آها! حتماً روی رژیم هستید.» صندلیش را عقب زد، با دقت آلیس را برانداز کرد و گفت «شما هیچ رژیم لازم ندارید. به عقیده‌ی اینجانب همین طور بسیار بسیار خوب هستید.»

به خانه که برگشتیم آرتوش لباسم را که انداخته بودم روی تختخواب برداشت، چند بار این ور و آن ور کرد و گفت «اگر امشب تنت ندیده بودم، فکر می‌کردم مال دوقلوهاست.»

لباس را از دستش گرفتم آویزان کردم توی گنجه. «متلک نگو. بگو زیادی لاغرم.» از پشت سر گفت «به عقیده‌ی اینجانب شما همین طور بسیار بسیار خوب هستید.» بعد زد زیر خنده. «آن لحظه با برق چشم‌های خواهرت می‌شد بیست تا لامپ صد ولت روشن کرد.»

روتختی طرف خودم را پس زدم. «ویولت خوش‌هیکل بود، نه؟» آرتوش روتختی طرف خودش را پس زد. «خوش‌هیکل بود؟ متوجه

نشدم.» شروع کرد به زمزمه‌ی آهنگ مونالیزای نات کینگ کول. گفتم
«متشکرم که با گارنیک بحث سیاسی نکردی.» شکلک درآورد. «بنده
هرچه شما بگویی می‌گویم بسیار بسیار چَشم.»

سعی کردم بلند نخندم و فکر کردم چرا آدم‌ها فکر می‌کنند آرتوش
بداخلاق است؟ پرسیدم «پنجشنبه می‌آیی مراسم ۲۴ آوریل؟» چشم‌ها
را بست، خمیازه کشید و گفت «ممم ـــــ» که معنی‌اش حتماً «نه» بـود.
چراغ‌خواب را خاموش کردم.

۲۱

تالار اجتماعات مدرسه پُر بود. روی دیوارها با فاصله‌های مشخص تاج‌های گلایول سفید زده بودند با نوارهای پهن سیاه. مادر به آلیس غر زد «گفتم دیر شده. حالا روز عزا سلمانی نمی‌رفتی آسمان به زمین نمی‌آمد.»

نینا را نشان مادر دادم که از ردیف دوم داشت اشاره می‌کرد برای ما جا نگه داشته. از لابه‌لای صندلی‌ها و آدم‌ها گذشتیم و ده بیست بار گفتیم «ببخشید،» تا رسیدیم به نینا. آلیس نشسته ننشسته سر گرداند دور تالار و شروع کرد به گزارش این که کی آمده و کی چی پوشیده. نینا برنامه‌ی مراسم را داد دستم و پرسید «چرا دیر کردید؟» مادر گفت «آلیس خانم رفته بود سلمانی.» و باز غر زد «روز عزا و سلمانی.» نینا دم گوشم گفت «شاید روز عزا بختش باز شد. خدا را چه دیدی ها؟» یقی خندید و دور و بر را نگاه کرد. «هرچند جز یک مشت پیر و پاتال کسی نیامده. بچه‌ها را گذاشتی پیش آرتوش؟ (نپرسید چرا آرتوش نیامده. دلیل نیامدن آرتوش احتیاج به توضیح نداشت.) گارنیک گیر داده بود که سوفی هم باید بیاید.» صدایش را کلفت کرد و ادای گارنیک را در آورد. «بچه‌ها از الان باید بدانند چه بر سر قومشان آمده. ولی نیم‌وجبی چنان الم‌شنگه‌ای راه انداخت که باباش کوتاه آمد. به بهانه‌ی این که سوفی تنها نماند ویولت را هم نیاوردم. می‌آمد چکار؟ حوصله‌اش سر می‌رفت. راستش خودم هم

اگر گارنیک مجری برنامه نبود نمی‌آمدم. خُب، چه خبرها؟» تا آمدم
بگویم «هیچ خبر،» شروع کرد به سلام احوال‌پرسی با زنی که ردیف جلو
ما نشسته بود و شوهرش سخنران اول مراسم بود. برنامه را خواندم:

سخنرانی روبرت ماداتیان درباره‌ی کشتار ۲۴ آوریل

گزارش انجمن کلیسا و مدرسه در مورد ساخت بنای یادبود

تنفس

خاطره‌ای از خاتون یرمیان، شاهد آن روزهای تلخ

چراغ‌های تالار خاموش شد و گارنیک آمد پشت بلندگو. خیر مقدم
گفت و اولین سخنران را معرفی کرد. ماداتیان سخنرانیش را شروع کرد.
یاد ۲۴ آوریل چند سال پیش افتادم و بحث تند آرتوش و ماداتیان. اگر
گارنیک نبود که با شوخی و خنده سر و ته قضیه را هم بیاورد، کار بالا
می‌گرفت. بعد از آن سال بارها به آرتوش گفته بودم «این روز چه ربطی به
اختلافات سیاسی دارد؟ چه ربطی به دست چپی یا دست راستی بودن
دارد؟ این همه آدم کشته شده. ارمنی هم نباشی باید متأسف باشی و در
مراسم شرکت کنی.» و آرتوش هربار جواب داده بود «متأسف هستم و
شرکت نمی‌کنم.»

به سخنرانی گوش می‌کردم و گوش نمی‌کردم. هر سال همان حرف‌ها
را می‌شنیدیم: مقداری آمار، مشتی شعار و همین. نینا چند بار به من نگاه
کرد و با چشم به خانم ماداتیان اشاره کرد و انگشت گذاشت روی لب.
یعنی مجبور است ساکت باشد چون حتماً به زن بر می‌خورد کسی وسط
سخنرانی شوهرش حرف بزند. خانم ماداتیان چند بار برگشت به
پشت‌سری‌ها نگاه کرد که حتماً نمی‌دانستند سخنران شوهرش است و
باید ساکت باشند. همه داشتند پچ‌پچ می‌کردند و با برنامه خودشان را باد
می‌زدند. من هم خودم را باد زدم و سعی کردم یادم بیاید صبح به دوقلوها

شربت *هالی بُرانژ* دادم یا نه؟ یادم آمد دادم چون غر زده بودند که «پس آرمن چی؟» «پس ما تا کی باید شربت بخوریم؟» «پس اگر ما می‌خوریم که سرما نخوریم آرمن چی؟»

آقای ماداتیان با هیجان یادداشت‌های دستش را تکان داد و بعد از چند جمله‌ی طولانی سخنرانی را تمام کرد. همراه همه دست زدم. از صندلی‌های دورو بر چند نفری به خانم ماداتیان تبریک گفتند و خانم ماداتیان انگار خودش سخنرانی کرده باشد لبخند زد و تشکر کرد و چشمش که به من افتاد سر برگرداند.

مادر داشت با زنی دو ردیف عقب‌تر سلام احوال‌پرسی می‌کرد. آلیس از جلو مادر خم شد طرف من. «حدس بزن کی آمده؟ خانم نوراللهی. تهِ تالار نشسته.» تا آمدم سر برگردانم گارنیک آمد روی صحنه و شروع کرد به خواندن گزارش ساخت بنای یادبود. یکی از دفعه‌هایی که برای شلوغ‌کاری آرمن به مدرسه احضار شده بودم، وازگن هایراپتیان طرح بنای یادبود را نشانم داده بود. مستطیل بزرگی بود از سنگ خاکستری. یک طرف کنده‌کاری زنی با بچه‌ای روی دو دست و طرف دیگر تاریخ قتل عام. گارنیک گفت بنا در شرف اتمام است و سال آینده در حیاط مدرسه، جلو در کلیسا نصب خواهد شد. بعد از همه‌ی حضار برای کمک‌های مالی و معنوی تشکر کرد و پانزده دقیقه تنفس اعلام کرد.

مادر گفت توی تالار می‌ماند تا با دوست ردیف پشتی که تازه از جلفا برگشته گپ بزند. نینا گفت می‌رود پشت صحنه ببیند گارنیک چه می‌کند و آلیس را هم با خودش برد. رفتم طرف یکی از چند در تالار که رو به حیاط مدرسه باز می‌شد. دم در خودم را کنار کشیدم و راه دادم به مردی که چند تا ساندویچ و پپسی دستش بود. گوشه‌ی حیاط، دورو بر بوفه غلغله بود. با چند آشنا سلام احوال‌پرسی کردم و مانیا را دیدم که داشت می‌آمد طرفم.

مثل همیشه هول و هیجان‌زده بود و یقه‌ی بلوز سیاهش کج شده بود. سلام کردم و یقه‌اش را صاف کردم و گفتم «تاج گل‌ها و روبان‌ها خیلی قشنگ‌اند. حتماً فکر تو بوده.»

چتری مو را از پیشانی عرق‌کرده پس زد. «بازوبندهای گروه انتظامات را دیدی؟»

البته که دیده بودم. شب قبل آرمن تلفن را برد اتاق خودش و در را قفل کرد و نیم ساعتی حرف زد. بعد آمد به آشپزخانه و به من و مادر که داشتیم سبزی پاک می‌کردیم اعلام کرد تصمیم گرفته در مراسم فردا جزو گروه انتظامات باشد و برای این که جزو گروه انتظامات باشد خانم مانیا گفته باید بازوبند سیاه ببندند. تا غر زدم که «باز گذاشتی لحظه‌ی آخر؟ نصف شبی پارچه‌ی سیاه از کجا پیدا کنم؟» مادربزرگ به داد نوه رسید. در صندوق‌های تاق و جفت مادرم چیزی که کم نبود پارچه‌ی سیاه بود. به مانیا گفتم «همه چیز عالی شده. خسته نباشی. برنامه‌ی بعدی هم که حتماً جشن آخر سال بچه‌هاست.»

جواب سلام کسی را داد و برگشت طرف من. «آره. جشن آخر سال را توی حیاط می‌گیریم. داریم صحنه‌ی نمایش درست می‌کنیم.» و ته حیاط را نشان داد که پُر بود از آجر و تیر و تخته. بعد دست گذاشت روی شانه‌ام که با قد کوتاه مانیا و شانه‌ی بلند من کار آسانی نبود. «از فردا پس فردا تمرین‌ها را شروع می‌کنیم.» دستش را سُر داد روی بازویم. «فکر بکری برای دوقلوها کردم. وازگن شعر قشنگی پیدا کرده از ــــ یادم نیست کی. اسم شعر هست *چهار فصل*. فکر کردم بامزه می‌شود دوقلوها یکی در میان بشوند چهار فصل و شعر را بخوانند. آرمینه بهار و پاییز و آرسینه تابستان و زمستان. این جوری وقت می‌کنند بروند پشت صحنه لباس عوض کنند و لباس‌ها را ــــ»

جلو یکی از درهای تالار چشمم افتاد به آرمن که با امیلی و دو پسر دبیرستانی حرف می‌زد. با شلوار سرمه‌یی و پیراهن سفید انگار مرد جوانی بود و نه پسرم. فکر کردم امیلی با پدرش آمده؟ نکند آلیس امیل سیمونیان را ببیند. گفتم «و لباس‌ها را حتماً من باید بدوزم.»

دستش را از روی بازویم برداشت، گرفت جلو دهان و خندید. «آره. برای همین دنبالت می‌گشتم. سخت نیست. چهار تا لباس ساده‌ی بلند با آستین‌های گشاد. فقط رنگ‌ها باهم فرق داشته باشد. مثلاً بهار صورتی، تابستان سبز، پاییز نارنجی و زمستان سفید.»

آن طرف حیاط چشمم افتاد به امیل سیمونیان که با کشیش کلیسا و زنش حرف می‌زد. باز با خودم گفتم «کاش آلیس این طرف‌ها پیدایش نشود.» بعد یادم آمد که خوشبختانه همدیگر را نمی‌شناسند. به مانیا گفتم «بد نیست روی لباس‌ها چیزهایی بدوزیم که فصل‌ها را مشخص کند. مثلاً گل برای بهار، ساقه‌ی گندم برای پاییز.» تِلِ سر امیلی افتاد زمین. آرمن زودتر از دو پسر دیگر خم شد تِل را برداشت. امیل سیمونیان را توی جمعیت گم کردم.

مانیا گفت «چه فکر بکری. راستی وازگن ترجمه‌ی لُرد فونتلِروی کوچک را تمام کرده و ــــ»

حرفش را قطع کرد و خیره شد به پشت سرم. با این لبخند محو به چی نگاه می‌کرد؟

سر که برگرداندم امیل سیمونیان نگاهش را از مانیا گرفت و به من سلام کرد. هردو منتظر نگاهم کردند. به هم معرفی‌شان کردم و باهم دست دادند. مانیا یقه‌ی بلوزش را که صاف کرده بودم دوباره صاف کرد. گفتم «داشتی می‌گفتی ترجمه‌ی ــــ»

انگار از خواب پریده باشد گفت «چی؟ آهان. ترجمه‌ی کتاب تمام

شده. می‌دهم بچه‌ها بیاورند. لطفاً زود بخوان و برگردان. خیال داریم تا قبل از جشن آخر سال چاپ کنیم.»

امیل سیمونیان گفت «از قرار مراسم را شما برگزار کردید. تبریک. خیلی جالب بود.»

مانیا سرخ شد و به یکی از بچه‌های انتظامات که صدایش می‌کرد گفت «آمدم.» بعد با سیمونیان دست داد و گفت «از آشنایی با شما خوشحال شدم.» و رفت. تصور بی‌مورد من بود یا دست‌هایشان زیادی توی دست هم ماند؟

دوروبر را نگاه کردم. خوشبختانه از آلیس و مادر خبری نبود. امیل سیمونیان کت‌شلوار سفید پوشیده بود با راه‌های خیلی باریک آبی. کراوات سیاه زده بود.

نگاهش به آدم‌های دوروبر بود که حرف می‌زدند و سیگار می‌کشیدند و ساندویچ و نوشابه می‌خوردند. گفت مادرش نیامده و خودش برای این که امیلی تنها نباشد آمده و البته کمی هم از سرکنجکاوی. «دلم می‌خواست با ارمنی‌های آبادان آشنا شوم.» بعد چرخید طرفم. «اگر همه‌ی خانم‌های اینجا مثل شما و خانم مانیا باشند، آبادان هیچ جای بدی نیست.» از شوخی خودش خندید. «ولی خودمانیم، مراسم خسته‌کننده‌ای بود.» گفت خیال دارد برگردد خانه و بعد بیاید دنبال امیلی. خوشحال شدم که می‌رود و برای این که مبادا برگردد و آلیس را ببیند اصرار کردم که «امیلی را ما می‌رسانیم.» تشکر کرد و خداحافظی کرد و رفت.

بین جمعیت گشتم شاید خانم نوراللهی را پیدا کنم. پیدا نکردم و به تالار برگشتم. شاید آلیس اشتباه کرده بود. خانم نوراللهی چرا باید می‌آمد؟ نه ارمنی بلد بود نه ۲۴ آوریل مراسم جالبی بود.

جمعیت کم‌کم برمی‌گشت به تالار. مادر با دوست جلفایی گپ زده بود و حالش خوش بود. نینا با خانم ماداتیان قرار مهمانی شام می‌گذاشت و آلیس تا نشستم گفت «چه بَره‌کُشانی کرده‌اند شوشانیک و ژانت. خانم‌های عزیز همه از دم لباس نو پوشیده‌اند، حالا گیرم سیاه.» شوشانیک و ژانت دوتا از خیاط‌های معروف آبادان بودند.

گارنیک آمد پشت بلندگو و منتظر ماند تا تالار ساکت شد. بعد با لحنی که شبیه حرف زدن خوش و خندان همیشگی نبود خاتون یرمیان را معرفی کرد که اهل شهر وان بود و فعلاً ساکن تهران. چند روزی مهمان عزیز ما بود در آبادان و شاهدی از آن روزهای تلخ. دستش را به طرف پشت صحنه بلند کرد. همه به آن طرف نگاه کردیم. یکی از پسرهای گروه انتظامات صندلی دسته‌داری آورد گذاشت پشت بلندگو. زنی مسن تکیه داده به بازوی یکی دیگر از پسرهای انتظامات با قدم‌های کوتاه آمد روی صحنه. ریزنقش بود و لاغر. دامن سیاهی پوشیده بود تا قوزک پا و شال سیاه بزرگی موهای سفیدش را می‌پوشاند. به کمک پسرها روی صندلی نشست و گارنیک بلندگو را برایش پایین آورد. زن دست استخوانیش را گذاشت روی سر پسرها و زیر لب چیزی گفت که گمانم دعای خیر بود.

همه ساکت نگاهش کردیم که چند لحظه ساکت نگاهمان کرد و بعد با صدایی خسته حرف زد. لهجه‌ی ارامنه‌ی شهر وان را داشت که به "یک کمی" می‌گفتند "کمی یک" و به "خوش" می‌گفتند "نمکین". گفت می‌خواهد قبل از گفتن از آن روزهای وانفسا "کمی یک" از روزهای "نمکین" بگوید. گفت می‌خواهد با ما به گذشته‌ها سفر کند.

از خانه‌شان گفت در شهر وان که توی حیاط دو درخت انار داشت و چندتایی درخت زیتون. گوشه‌ی حیاط تنوری بود که در آن مادر نان

لواش می‌پخت و در باغچه‌ی کوچک گل همیشه بهار می‌کاشتند. از پدرش گفت که عصرها از مغازه‌ی پارچه‌فروشی در بازار وان با پاکت‌های میوه به خانه می‌آمد. گاهی برای خاتون و خواهرش ته مانده‌ی توپ‌های پارچه را می‌آورد و مادر برای دخترها عروسک پارچه‌یی درست می‌کرد. برادر بزرگ با زغال برای عروسک‌ها صورت می‌کشید. برادر بزرگ روی هرچه دم دستش بود نقاشی می‌کرد. یکشنبه‌ها خاتون با خواهر و برادر و پدر و مادر به کلیسای شهر می‌رفت که در خیابان پهنی بود با ردیف درخت‌های بید و سپیدار. دخترها عروسک‌های پارچه‌یی به بغل دست در دست مادر می‌رفتند و از لابه‌لای بیدها و سپیدارها فینه‌های قرمز مردها را می‌شمردند که گاهی می‌ایستادند و با پدر احوالپرسی می‌کردند. پدر می‌گفت «مشتری‌های قدیمی دکان‌اند، خداترس و با وجدان.» جمعه‌ها، از مسجد محله صدای اذان بلند می‌شد. همسایه‌ها که از نماز جماعت برمی‌گشتند، پدر "عبادت قبول" می‌گفت. مادر آش ماست که می‌پخت در کاسه‌های گِلی برای همسایه‌ها می‌فرستاد. روی آش را با گلبرگ‌های همیشه‌بهار تزیین می‌کرد. همسایه‌ها در جواب باقلوا می‌فرستادند.

خانم ماداتیان از کیف ورنی سیاه دستمالی درآورد. توی تالار هیچ‌کس خودش را باد نمی‌زد.

خاتون یرمیان چند لحظه ساکت شد. سر زیر انداخت و دو سَرِ شال را دور دست پیچاند. «و بعد روزهای سیاه آمدند. روزی آمد که پدر زودتر از همیشه به خانه برگشت، دست خالی و پریشان. به مادر گفت ارمنی‌ها دکان‌ها را بسته‌اند. چند دکان باز را سربازها به آتش کشیده‌اند. گونی‌های برنج و گندم دکان دیگری را تاراج کرده‌اند. پدر گفت باید برویم. مادر چنگ به گونه زد که "خانه خراب شدیم".»

خاتون ساکت شد. نفس بلندی کشید، دستها را چند بار به زانو کوبید و بالاتنهی نحیف به چپ و راست جنبید. بعد سر تکان داد و گفت «و خانه خراب شدیم.»

آمدم کیفم را باز کنم که آلیس بستهی کوچک دستمالکاغذی را دراز کرد طرفم. دستمالی برداشتم و بسته را گرفتم طرف نینا. مادر سر میجنباند و زیر لب میگفت «امان از روزگار ظالم.»

توی تالار فقط صدای نفسهای بلند و کوتاه بود و صدای خستهی خاتون. «در خانه چارتاق باز بود. مادر گریه میکرد و بقچه و صندوق پُر میکرد و میبست. پدر فریاد میزد "جا نیست، زن. ول کن این خرت و پرتها را. وقت نیست، بجنب." مادر شیون میزد "کمی یک صبر کن. کمی یک فقط." با خواهرم زیر درختهای انار هاج و واج ایستاده بودیم. عروسکهای پارچهیی توی بغل. برادر ناسزا میگفت، همیشهبهارهای باغچه را لگد میکرد و حرف از انتقام میزد. سوار گاری شدیم. نشستیم روی بقچهها و صندوقها و راه افتادیم. خیابانها پُر بود از گاریهای دیگر، درشکه، اسب، قاطر و هرچه که میشد آدمی یا بقچهای بارش کرد. قیامتی بود از خاک و ناله و نفرین. عروسکهای پارچهیی گم شدند و من و خواهر گریه کردیم. اول برای عروسکها، بعد برای پدر، برای مادر، برادر و همدیگر.»

بستهی دستمالکاغذی دست به دست گشت و خالی شد.

شب در اتاقنشیمن پاها را گذاشتم روی میز جلو راحتی و سر تکیه دادم به پشتی. مو پیچیدم دور انگشت و به نقاشی بالای تلویزیون نگاه کردم. آبرنگی بود از کلیسای اِجمیآذین در ارمنستان. یادم نیست از کی شنیده بودم که کلیسای آبادان را از روی همین کلیسا ساختهاند. فکر کردم امیل

که آمد مانیا چرا هول شد؟ چه خوب که آلیس امیل را ندید و چرا امیل به من گفت مراسم خسته‌کننده است و به مانیا گفت جالب است؟ چشم به نقاشی گفتم. «طفلک خاتون.»

آرتوش از پشت روزنامه گفت «چی؟»

گـفتم «طفلک خـاتون، مـادرش، پـدرش، هـمه‌ی آن آدمـها. بـاید می‌آمدی.» روزنامه ورق خورد.

به اجمی‌آذین نگاه می‌کردم. «این همه آدم، این همه سـال خـوش و خُرم باهم زندگی می‌کردند. چه اتفاقی افتاد؟ چی شد؟ تقصیر کی بود؟» مو لوله می‌کردم. «از دست ما که جز احترامی خشک و خالی و برپا کردن مراسم یادبود کاری بر نمی‌آید. باید می‌آمدی.» روزنامه ورق خورد.

گفتم «حدس بزن کی آمده بود؟ خانم نوراللهی. آلیس دید. شاید هم اشتباه کرده.»

روزنامه را تا کرد، با ریشش ور رفت و خندید. «پس بالاخره آمد.» روز و ساعت مراسم را از من پرسید. دید که نمی‌دانم رفت سراغ ارمنی‌های دیگر. چراغ‌ها را من خاموش کنم یا تو؟»

گفتم «چرا روز و ساعت را نمی‌دانستی؟ چرا برایت مهم نیست؟ چرا نیامدی؟»

آرتوش ایستاد. دست کشید به ریش و به نقاشی اجمی‌آذین نگاه کرد. بعد گفت «می‌دانی شطیط کجاست؟» جواب که ندادم دست کرد تـوی جیب شلوار و رفت تا پنجره. چند لحظه حیاط را نگاه کرد. بعد برگشت. با نُک کفش یکی از گل‌های قالی را دور زد. «دور نیست. بغل گوشمان. چهار کیلومتری آبادان.» دوباره به حیاط نگاه کرد. «خواستی می‌برمت ببینی. ماداتیان و زنش و نینا و گارنیک را هم دعوت کن.» برگشت نگاهم کرد. «زن و مرد و بچه و گاومیش و بز و گوسفند همه باهم توی کَپَر زندگی

می‌کنند.» دست از جیب درآورد و بند ساعتش را باز کرد. «باید روز
برویم چون شطیط برق ندارد. یادت باشد آب هم برداریم چون لوله‌کشی
هم ندارد.» ساعت را کوک کرد. «باید حواسمان باشد با کسی دست
ندهیم و بچه‌ها را نوازش نکنیم چون یا سِل می‌گیریم یا تراخم.» راه افتاد
طرف در اتاق. «به خانم ماداتیان بگو شکلات انگلیسی برای بچه‌ها
نیاورد چون گمان نکنم بچه‌های شطیط به عمرشان شکلات دیده باشند.
به گارنیک هم بگو کفش ایتالیایی نپوشد که گِل و پِهن تا قوزکش بالا
می‌آید.»

زل زده بودم به اجمی آذین. آرتوش از دم در اتاق برگشت، آمد ایستاد
روبه‌رویم و زل زد توی صورتم. «فاجعه هر روز اتفاق می‌افتد. نه فقط
پنجاه سال پیش که همین حالا. نه خیلی دور که همین‌جا، ور دل آبادان
سبز و امن و شیک و مدرن.» ساعتش را بست. گفت «در ضمن حق با
توست. طفلک خاتون. طفلک همه‌ی آدم‌ها.» و از اتاق بیرون رفت.

۲۲

برای عصرانه‌ی بچه‌ها چُمبور درست می‌کردم. ترید نان خشک، رویش پنیر و مغزگردوی چرخ‌کرده. صدای ترمز کشدار اتوبوس از خیابان آمد.

منتظر شنیدن صدای دویدن، دست کشیدم به پیشبندم. خبری که نشد رفتم به راهرو و در خانه را باز کردم. رسیده بودند وسط راه‌باریکه. آرسینه سرش پایین گریه می‌کرد. آرمینه با یک دست کیف‌های هر دو را می‌آورد. دست دیگرش روی شانه‌ی خواهرش بود و توی گوشش پچ‌پچ می‌کرد. از آرمن خبری نبود.

هول دویدم جلو. «چی شده؟ زمین خوردی؟ با کسی دعوا کردی؟ مریض شدی؟»

گریه‌اش شدیدتر شد و وسط هق‌هق، بریده‌بریده گفت «تقصیر من چی بود؟ من که حرفی نزدم. بچه‌های مدرسه گفتند. بچه‌ها خندیدند.» و از شدت گریه به سرفه افتاد.

آرمینه یکبند می‌گفت «حق با آرسینه‌ست، حق با آرسینه‌ست.»

دست و روی آرسینه را شستم، نشاندمش روی صندلی آشپزخانه، چند جرعه آب به خوردش دادم و گفتم «حالا بگو ببینم چی شده؟»

به هم نگاه کردند. آرسینه سر زیر انداخت و انگشت‌ها را توی هم پیچاند. آرمینه یکهو چانه بالا داد، چند قدم عقب رفت، دست به کمر وسط آشپزخانه ایستاد و گفت «تا حالا به خاطر آرمن ساکت ماندیم و

هیچی نگفتیم. به‌جای تشکر، امروز توی اتوبوس جلو همه‌ی بچه‌ها زد توی گوش آرسینه. وقتش شده همه‌چی را برای تو تعریف کنیم.» و تعریف کرد که آرمن عاشق امیلی شده. امیلی مدام آرمن را اذیت می‌کند. توی مدرسه جلو آرمن سربه‌سر پسرها می‌گذارد، شوخی می‌کند و می‌خندد. امروز یکی توی اتوبوس، بالای صندلی‌ها بزرگ بزرگ نوشته بوده "آرمن عاشق امیلی، امیلی عاشق هیچ‌کی." بچه‌های مدرسه خندیده‌اند و آرمن با آرمینه و آرسینه دعوا کرده و گفته «شماها نوشتید،» و خوابانده توی گوش آرسینه. آرمینه نفس بلندی کشید و ادامه داد «آن شب هم خانه‌ی امیلی آرمن برای این سرفه‌اش گرفت که ـــــ»

آرسینه داد زد «نگو.»

آرمینه گفت «چرا نگو؟ خیلی هم بگو. آن شب آرمن برای این سرفه‌اش گرفت که سرِ بطری بازی امیلی دستور داد یک لیوان سرکه سر بکشد. تازه، توی لیوان یک عالم از آن چاتنی ریخت که مادربزرگش درست کرده بود.»

نشستم روی صندلی.

از تصور سر کشیدن لیوانی سرکه با آن چاتنی وحشتناک گلویم سوخت. دوقلوها زُل زدند به من. موهای مجعد از زیر تِل‌های همرنگ زده بود بیرون، گونه‌های گوشتالو گُل انداخته بود و نگران، منتظر واکنش من بودند.

چه اتفاقی داشت می‌افتاد؟ حواسم کجا بود؟ چرا نفهمیده بودم؟ دست کشیدم به پیشانی عرق کرده‌ام و پرسیدم «حالا آرمن کجاست؟» باهم شانه بالا دادند و دوتایی بغض کرده نگاهم کردند.

به گل‌نخودی‌ها نگاه کردم که با باد تکان می‌خوردند. دم غروب بود و روی هره سایه افتاده بود. زنبوری دور یکی از گل‌ها وزوز می‌کرد.

چشم‌های آرسینه هنوز سرخ بود و آرمینه توی کیف مدرسه عقب چیزی می‌گشت. دفترچه و کتابی درآورد گرفت طرفم. «خانم مانیا داد.» دست‌نویس ترجمه‌ی *لرد فونتلِروی کوچک* بود با اصل انگلیسی کتاب.

گفتم بنشینند عصرانه بخورند و رفتم اتاق نشیمن. توی راحتی سبز، نگاهم به پنجره‌های لخت که پرده‌هایشان را آن روز شسته بودم به امیلی فکر کردم. مگر می‌شد؟ آرتوش گفته بود «چه بچه‌ی نازنینی.» خودم فکر می‌کردم «چقدر کمرو.» باز یاد لیوان سرکه و چاتنی افتادم و نمی‌دانم چرا یاد روزی که آرمن به دنیا آمد.

دختر عموی آرتوش با شوهرش از تبریز مهمان آمده بودند. سر میز ناهار مادر و آلیس هم بودند. بین آشپزخانه و ناهارخوری می‌رفتم و می‌آمدم و صحبت‌ها را می‌شنیدم.

«چنین سرمایی سابقه نداشته.»

«شاید برف آمد.»

«آبادان و برف؟ چه حرف‌ها. اینجا که تبریز نیست.»

«کلاریس، این‌قدر راه نرو. خوب نیست.»

«بَه! امروز پابه‌پای باغبان همه‌ی گوجه‌فرنگی‌ها را چوب زد.»

«چی زد؟»

«گوجه فرنگی تا قد کشید، پای بوته‌اش چوب فرو می‌کنند و شاخه‌ها را می‌بندند به چوب.»

«تبریز توی خانه‌ها گوجه‌فرنگی نمی‌کارند.»

«تبریز چی می‌کارند که گوجه‌فرنگی بکارند.»

اولین بار بود گوجه‌فرنگی کاشته بودم. هر صبح تا بیدار می‌شدم اولین کارم رفتن به حیاط پشتی بود و سر زدن به گوجه‌فرنگی‌ها که هنوز سبز بودند و خیلی ریز.

عصر رفتیم خرمشهر، دخترعموی آرتوش و شوهرش را بـرسانیم ایستگاه قطار. وقت برگشتن، نزدیکی‌های آبادان دردم گرفت و یکراست رفتیم بیمارستان. نیمه‌های شب بود که آرمن به دنیا آمـد. تـوی تـخت بیمارستان شرکت نفت تا صبح بیدار ماندم و لرزیدم. فکر کـردم لرز و سرما حتماً از زایمان است. صبح کـه آلیس و مـادر آمـدند بیمارستان بافتنی‌های کلفت پوشیده بودند.

«دیشب هوا خیلی سرد شد.»

«رسید تا چند درجه زیر صفر.»

«توی این پنجاه سال چنین سرمایی سابقه نداشته.»

«هرچی گل و سبزی توی شهر بوده سیاه شده.»

گفتم «گوجه‌فرنگی‌ها ـــ»

مادر آرمن را بغل کرد. «همه‌ی گل‌ها و سبزی‌ها و گـوجه‌فرنگی‌ها فدای یک تار موی نوه‌ام.»

آلیس سر آرمن را بوسید و قاه‌قاه خندید. «کدام مو؟»

از بیمارستان که برگشتم خانه یکراست رفتم حیاط پشتی. بـوته‌های گوجه‌فرنگی همه سیاه شده بودند. نشستم روی زمین و زدم زیر گریه. مادر گفت «خجالت بکش. گریه بـرای چـند تـا گـوجه‌فرنگی کـوفتی؟» آرتوش زیر بغلم را گرفت و بلندم کرد. آلیس گفت «افسردگی بـعد از زایمان.» مادر گفت «چه حرف‌ها. بچه را ببرید تو سرما نخورد.»

توی اتاقی که برای آرمن درست کرده بودیم، به پرده‌هایی که خـودم گلدوزی کرده بودم نگاه کردم و به عکس‌های رنگارنگ موش و گربه و خرگوش که زده بودیم به دیوار. روتختی را که مادر برای تخت بچه بافته بود کنار زدم، آرمن را خواباندم، اشک‌هایم را پاک کردم و گفتم «طفلکِ کوچولویم.»

تکیه داده به پشتی راحتی سبز اشک‌هایم را پاک کردم و از پنجره به آسمان بی‌ابر نگاه کردم. کسی به "طفلکِ کوچولویم" یک لیوان سرکه داده بود. دلم گرفت و فکر کردم کاش بزرگ نشده بود. کوچک که بود فقط کارهایی را می‌کرد که من می‌خواستم. چه بخورد، چه نخورد، کجا برود، کجا نرود و حالا ـــ حالا کسی به بچه‌ام یک لیوان سرکه خورانده بود و من حتی نفهمیده بودم. دوباره به امیلی فکر کردم. از کی یاد گرفته؟

دفترچه هنوز توی دستم بود. بازش کردم. خط وازگن یکدست بود و خوانا. همیشه با جوهر مشکی می‌نوشت. فکر کردم «بعداً می‌خوانم.» دفترچه را بستم گذاشتم توی قفسه‌ی کتاب و برگشتم به آشپزخانه. آرسینه و آرمینه داشتند پچ‌پچ می‌کردند. تا مرا دیدند از جا پریدند.

«آرمن الان آمد رفت اتاقش.»

«کار بدی کردیم که ـــ»

«که به تو گفتیم؟»

«دعواش که نمی‌کنی؟»

«دعواش که نمی‌کنی؟»

مطمئنشان کردم که کار بدی نکرده‌اند و با آرمن دعوا نمی‌کنم و گفتم بروند سراغ درس و مشق.

در زدم. از پشت در گفت «قفل نیست.»

روی تخت دراز کشیده بود ودست‌ها زیر سر به سقف نگاه می‌کرد. کنارش نشستم. پرده‌های اتاق را سال‌ها بود عوض کرده بودم. تخت بچگی را بخشیده بودم و روتختی کوچک توی چمدانی بود در انباری. فکر کردم عکس‌ها را چه کردم؟ یادم نیامد. از یکی دو سال پیش روی دیوار به‌جای عکس موش و گربه و خرگوش، آلن دلون بود و کرک داگلاس و برت لنکستر. کلودیا کاردیناله و بریژیت باردو.

نگاهش کردم و حس کردم دارم به موجودی غریبه نگاه می‌کنم. تا آن روز صبح پسر پانزده ساله‌ام هنوز برایم "طفلکِ کوچولویم" بود و حالا ـــ به مژه‌هایش نگاه کردم که عین بچگی‌هایش بود، بلند و برگشته. کنار چشم چپ، جای آبله مرغانی که در یک سالگی گرفته بود هنوز بود و با همه‌ی اینها انگار بعد از پانزده سال اولین بار بود می‌دیدمش. داشتم فکر می‌کردم چه بگویم که خودش به کمکم آمد و هنوز خیره به سقف گفت «می‌دانم کار بدی کردم. تقصیر آرسینه نبود.»

اگر وقت دیگری بود توی گوش آرسینه زدن به خودی خود موضوع قابل بحثی بود و حتماً سرش جنجال راه می‌انداختم، اما حالا دلم می‌خواست درباره‌ی اصل موضوع حرف بزند و حرف بزنم و حرف بزنیم. امیلی و ــ حتی به زبان آوردنش برایم سخت بود ــ عشق و عاشقی‌شان.

نمی‌دانستم از کجا شروع کنم و چطور شروع کنم. به نقشه‌ی ایران نگاه کردم، روی دیوار بالای تختخواب. با نگاه دور دریاچه‌ای چرخیدم که سر جلو بردم تا اسمش را بخوانم و بدانم بختگان است. یاد قرارم با خانم نوراللهی افتادم و فکر کردم چرا همه‌ی شهرهای ارمنستان را ندیده روی نقشه می‌شناسم و اسم دریاچه‌های ایران را بلد نیستم؟

سعی کردم یادم بیاید دوران نامزدیم با آرتوش چه حسی داشتم. این تنها زمانی بود که می‌توانستم جزو دوران عشق و عاشقی زندگیم به حساب بیاورم. چیز زیادی یادم نیامد. فاصله‌ی آشنایی تا نامزدی و نامزدی تا ازدواج طولانی نبود. یک هفته بعد از مهمانی تولد دوست مشترک، نزدیک خانه‌مان به آرتوش برخوردم. قبل از این که خوشحال شوم تعجب کردم. آرتوش هم ظاهراً تعجب کرد و گفت «چه تصادف جالبی.» گفتم «واقعاً هم چه تصادفی.» بعدها، روزی که در خیابان سعدی

راه مـی‌رفتیم و پـونچیک‌هایی را کـه از قنادی مینیون خریده بودیم می‌خوردیم گفت «یعنی نفهمیدی از قصد آمده بودم؟» باز تعجب کردم. «منزل ما را از کجا بلد بودی؟» خیلی جدی گفت «البته پیدا کردن نشانی خیلی خیلی مشکل بود ولی ــــ» نمی‌دانم توی نگاهم چی دید که نتوانست به شوخی ادامه بدهد و زد زیر خنده. «خُب، پرسیدم.» بعد دست انداخت دور شانه‌ام. «از همین معصوم بودنت خوشم می‌آید.»

چشم به دریاچه‌ی بختگان فکر کردم «معصوم بودم یا احمق؟»

آرمن نگاه به سقف پرسید «تو و پدر قبل از این که عروسی کنید عاشق هم شدید؟»

هول شدم. سؤال‌های ناگهانی، رفتار پیش‌بینی نشده و هر چیزی که از قبل خودم را برایش آماده نکرده بودم دستپاچه‌ام می‌کرد و آرمن خدای این کارها بود. حالا به‌جای سقف زُل زده بود به من و منتظر جواب بود.

پاشدم رفتم کنار پنجره ایستادم. یاد روزی افتادم خیلی سال پیش، که دبیر جبر قرار نبود از من درس بپرسد و پرسیده بود و بلد نبودم معادله‌ی روی تخته‌سیاه را حل کنم. نگاه‌های همکلاسی‌ها را پشت سرم حس می‌کردم و از زیر چشم دبیر ریاضیات را می‌دیدم که بی‌حوصله و منتظر، با انگشت روی میز ضربِ یورتمه گرفته بود. خیس عرق بودم و قلبم به شدت می‌زد. توی دلم می‌گفتم «خدایا کمکم کن. این لحظه‌ها را زودتر بگذران.»

قلبم زیاد تند نمی‌زد و خیس عرق هم نبودم، اما دلم می‌خواست لحظه‌ها زودتر بگذرند. چشم به درخت کُنار و پشت به پسرم گفتم «من هم مثل تو از ریاضی خیلی خوشم نمی‌آمد.»

آرمن تا شب از اتاق بیرون نیامد و برای شام که صدایش کردم، از پشت در داد زد «گشنه‌ام نیست.»

دوقلوها بی‌حرف شام خوردند، بی‌حرف دندان مسواک زدند، لباس خواب پوشیدند و خوابیدند. نه قصه خواستند، نه برای دیرتر خوابیدن بهانه‌های معمول را آوردند. آن شب نه ایشی گم شد نه راپونزل.

۲۳

آرتوش روبه‌روی تلویزیون نشسته بود. یک دستش کتاب مسایل شطرنج بود و دست دیگر توی ریش. صفحه‌ی شطرنج روی میز بود.

کنارش نشستم و چند دقیقه تلویزیون تماشا کردم. فیلم مستندی بود از نخلستان‌های اطراف اهواز. گفتم «مادر حق دارد. بعد از این باید حد معاشرت با سیمونیان‌ها را نگه داریم.» دستش توی ریش بی‌حرکت ماند. «چطور؟» تعریف کردم. لیوان سرکه و چاتنی را گوش کرد. به نوشته‌ی توی اتوبوس که رسیدم خندید و سر کتک خوردن آرسینه از آرمن برگشت به کتاب و صفحه‌ی شطرنج و گفت «جدی نگیر. بچه‌اند. راستی، امیل گفت فردا بعد از ظهر مرخصی گرفته بیاید گلدان عوض کنید؟ گل بکارید؟ همچون چیزی. درست یادم نیست.»

چند لحظه آرمن و امیلی و لیوان سرکه و حد معاشرت نگه داشتن با سیمونیان‌ها یادم رفت. مو دور انگشت پیچیدم. «چه جالب. پس یادش نرفته.» آرتوش مهره‌ای جابه‌جا کرد. «چی یادش نرفته؟» توی فیلم مرد عربی آماده می‌شد از نخلی بالا برود. «چند روز پیش گفت می‌آید خاک گل‌نخودی را عوض کنیم. فکر کردم تعارف کرده.»

آرتوش سر بلند کرد و چند لحظه نگاهم کرد. «گل‌نخودی؟»

گفتم «گل‌نخودی هره‌ی آشپزخانه.»

گفت «آشپزخانه؟»

نفس بلندی کشیدم، تکیه دادم به پشتی و چشم دوختم به تلویزیون. مرد عرب با سرعت از نخل بالا می‌رفت. گفتم «ما خانه‌ای داریم که این خانه آشپزخانه‌ای دارد که این آشپزخانه پنجره‌ای دارد که روی هره‌ی این پنجره سال‌هاست گلدانی گذاشته‌ایم و من سالی یک بار توی این گلدان گل‌نخودی می‌کارم و سالی دوبار خاک این گلدان را ——» مرد عرب رسیده بود بالای نخل.

آرتوش مهره‌ای توی دست چرخاند. «آهان.» بعد پوزخند زد. «مرخصی گرفته برای عوض کردن خاک گلدان؟ واقعاً که.»

«برای گلدان ما مرخصی نگرفته. می‌خواست توی حیاط خودشان هم گلکاری کند.» دوباره یاد لیوان سرکه و چاتنی افتادم. «ولی گمانم همان بهتر که کمتر با سیمونیان‌ها معاشرت کنیم.»

کتاب شطرنج را بست. انگشتش لای کتاب بود. «باز از کاه کوه ساختی؟ بچه‌اند. دعوا می‌کنند، آشتی می‌کنند، باز دعوا می‌کنند. معاشرت کردن یا نکردن ما چه ربطی به این چیزها دارد؟»

توی دلم گفتم «فقط نگران از دست دادن همبازی شطرنجی.» بلند گفتم «حق داری. من چی را گنده نمی‌کنم؟ هربار راجع به چیزی با تو حرف بزنم دارم ماجرایی را گنده می‌کنم.»

چند لحظه به سقف نگاه کرد، بعد به تلویزیون، بعد ایستاد. کتاب شطرنج را پرت کرد روی میز و از اتاق بیرون رفت. پیاده‌ی سیاهی قل خورد رفت زیر راحتی.

خانم دوراندیش گوینده‌ی تلویزیون لبخند زد و گفت «شب خوشی برایتان آرزو می‌کنیم.»

بغض گلویم را گرفته بود.

۲۴

آلیس از شدت هیجان نمی‌توانست درست حرف بزند. «تلفن کرد. باور می‌کنی؟ تلفن کرد بیمارستان. شام دعوتم کرد باشگاه.» می‌خندید، سکسکه می‌کرد و دور من و مادر و میز آشپزخانه راه می‌رفت.

مادر پاشد در یخچال را باز کرد. آب ریخت توی لیوان، داد دست آلیس و گفت «پناه بر خدا. پاک خُل شده.»

خواهرم بالاخره آرام گرفت. لب به شیرینی نزد. قهوه هم نخورد و تلفن کردن یوپ هانسن را با جزییات لازم و غیر لازم تعریف کرد. بعد بلند شد، کیفش را زد زیر بغل و راه افتاد طرف در. پایش گرفت به صندلی و خورد به میز و نزدیک بود با سر برود توی دیوار تا بالاخره در را پیدا کرد و نفس‌زنان گفت «قرار سلمانی گذاشتم. هشت شب باید باشگاه باشم.» و سکسکه کنان رفت.

زُل زدیم به وسط میز. مادر به جاشکری، من به نمکدان. بالاخره مادر گفت «تو چی فکر می‌کنی؟»

از دیدن قیافه‌ی هراسان و نگرانش خنده‌ام گرفت. مادرم از هر اتفاقی هراسان و بابت هر چیز نگران می‌شد. از این که آلیس تا آن وقت ازدواج نکرده بود مدام نگران بود و وقتی هم مردی در زندگی خواهرم پیدا می‌شد ترس برش می‌داشت. خودم هم شب مهمانی نینا از رفتار مرد هلندی و توجهی که به آلیس نشان داده بود تعجب کرده بودم و حالا هم

که چند روز نگذشته دعوتش کرده بود بیشتر تعجب می‌کردم. اما خوشحال هم بودم. اول به این خاطر که خواهرم از برنامه‌ی عجیبی که برای امیل سیمونیان تدارک دیده بود حتماً منصرف می‌شد و دوم این که با خودم گفتم «کسی چه می‌داند؟ شاید ـــــ»

مادر انگار فکرم را خوانده باشد گفت «محال‌ست. نینا می‌گفت مردک از این زن تهرانی خوشش آمده ـــــ اسمش چی بود؟ دخترخاله‌ی گارنیک. پس یعنی چی که به آچو تلفن کرده؟» حالا که خواهرم نبود مادر با خیال راحت و بی‌ترس از غرغر و پرخاش، خواهرم را به اسم بچگی صدا می‌کرد.

از جا بلند شدم، توری پنجره را پس زدم گلدان گل‌نخودی را آب بدهم. سعی کردم با دلیل‌هایی که برای خودم هم ضعیف بودند و غیرقابل قبول، این اتفاق نسبتاً عجیب را برای مادر توجیه کنم.

مادر دست به سینه و شق و رق روی صندلی نشست و فقط گفت «محال‌ست. ببینی مرتیکه چه نقشه‌ای کشیده.»

یاد شب پیش افتادم. «امیل گفت می‌آید خاک گلدان را عوض کند.» یک آن خوشحال شدم، بعد یاد پیاده‌ی سیاه افتادم که حتماً هنوز زیر راحتی نشیمن بود. منتظر بودم بغض دیشب برگردد. برنگشت. فکر کردم آب دادن گلدان بماند برای بعد از عوض کردن خاک.

پارچ آب را گذاشتم روی پیشخوان و چرخیدم طرف مادر. «شاید واقعاً از آلیس خوشش آمده. چی از این بهتر؟» به ساعت دیواری نگاه کردم. «بهتر نیست خانه باشی؟ مواظب باش طبق معمول زیادی آرایش نکند. من باید عصرانه‌ی بچه‌ها را درست کنم. چیزی نمانده از مدرسه برگردند.» با خودم گفتم «چون می‌خواهم با امیل درباره‌ی امیلی و آرمن صحبت کنم، مادر نباشد راحت‌ترم.»

مادر آن‌قدر حواسش به آلیس و مرد هلندی بود که نگفت بـه آمـدن بچه‌ها از مدرسه و رفتن آلیس سر قرارش خیلی مانده. چند بار گفت «یا مریم مقدس، به خیر بگذران.» و رفت.

چند لحظه وسط آشپزخانه ایستادم.

دو ورِ ذهنم در حال جدل بودند. آخرسر این یکی به آن یکی گفت «مرتب بودن که گناه نیست.»

رفتم به اتاق‌خواب. مو شانه کردم و ماتیک مالیدم. بعد دست شستم و کرم زدم و به ساعت نگاه کردم. کاش می‌دانستم چه ساعتی می‌آید. به کارهایی که باید می‌کردم فکر کردم. اتوی روپوش دوقلوها، مرتب کردن کشوهای اتاق آرمن، جمع کردن رخت‌های شسته از حیاط پشتی. عوض همه‌ی اینها رفتم به اتاق نشیمن، نشستم توی راحتی سبز و دست‌نویس *لرد فونتلروی کوچک* را باز کردم.

قرن نوزده. زنی آمریکایی با مردی انگلیسی ازدواج می‌کند که وارث عنوان لُردی است. ترجمه‌ی وازگن مثل همیشه روان بود و ساده. خانم سیمونیان می‌داند پسرش می‌آید خانه‌ی ما؟ چرا نداند؟ لُردِ بزرگ از این که پسرش با دختری آمریکایی ازدواج کرده دل‌چرکین است و پسر را از عنوان و ارث محروم می‌کند. دوقلوها حتماً از قصه خوششان می‌آید. من که هیچ‌وقت توی خانه ماتیک نمی‌زنم. جمله خیلی طـولانی است، دو جمله‌اش کنیم. مدادم کو؟ لابد باز بچه‌ها برداشته‌اند. توی این خانه هیچ چیز هیچ‌وقت سرجایش نیست. پسـر لُـرد و دخـتر آمـریکایی صـاحب پسری می‌شوند. ازکاه کوه می‌سازی. سر چیزهایی که هیچ به ما مربوط نیست ساعت‌ها حرف می‌زند و سر مسایل خودمان ول می‌کند می‌رود. چه چیزی مهم‌تر از بچه‌ها؟ پسـر لُـرد مـی‌میرد. پـدربزرگ عـجب آدم خودخواهی است. طفلک زن آمریکایی. آرتوش خودخواه است. خیلی

خودخواه. زنگ در را که زدند از جا پریدم. نرسیده به راهرو، با دستمال‌کاغذی ماتیکم را پاک کردم.

شلوار قهوه‌یی پوشیده بود با پیراهن آستین کوتاه سفید. گونی کوچک خاک را گذاشت توی حیاط زیر پنجره‌ی آشپزخانه. تا آمدم گلدان را بردارم گفت «برندار. دست هم به خاک نزن. فقط بیلچه را بده به من.»

چرا یاد شاهنده افتادم؟

از بازار کویتی‌ها دوتا چمدان خریده بودیم. چمدانی در هر دست، پشت سر آرتوش می‌رفتم طرف ماشین که پارک کرده بودیم نزدیک مغازه‌ی شاهنده. شاهنده از مغازه بیرون آمد. سلام احوالپرسی کرد، به چمدان‌ها نگاه کرد، بعد به من، بعد با خنده به آرتوش گفت «مهندس، باربر خوشگلی پیدا کردی.» شب آرتوش گفت «شاهنده مرد شوخی‌ست. از حرفش ناراحت که نشدی؟»

امیل تَر و فِرز خاک گلدان را عوض کرد و ایستاد. «خُب، کارمان تمام شد.»

گفتم «کار شما تمام شد. من که فقط تماشا کردم.»

پشت دست کشید به پیشانی عرق‌کرده و نگاهم کرد. «شما نه، تو.» بعد لبخند زد. «پس آب دادن گلدان با تو. صابون خوشبو هنوز هست؟»

گلدان را آب دادم. دو ورِ ذهنم باز کشمکش را شروع کردند. اولی به دومی مجال نمی‌داد. «چرا این‌قدر عجله داری؟ چرا مثل همیشه شلنگ را دور شیر آب حلقه نمی‌کنی؟ چرا پرتش کردی روی زمین؟ چرا باز به ساعت نگاه می‌کنی؟ چرا یادت آمد آرتوش گفته امروز دیر می‌آید؟ چرا دلیل دیر آمدنش یادت نیست؟» دومی پرید وسط حرف‌های اولی. «می‌خواهم تا قبل از آمدن بچه‌ها درباره‌ی امیلی و آرمن حرف بزنم. همین.»

قهوه درست کردم و اصرار کردم توی اتاق‌نشیمن بنشینیم. پرده‌ها را شسته بودم، اتو زده بودم و همان روز صبح آویزان کرده بودم. فکر کردم بعد از قهوه حرف می‌زنم.

دست‌نویس ترجمه‌ی وازگن و کتاب انگلیسی *لرد فونتلروی کوچک* روی میز بود. کتاب را برداشت ورق زد. بعد به دست‌نویس نگاه کرد. «خودت ترجمه کردی؟»

فنجان‌های قهوه را گذاشتم روی میز و تا شروع کردم به توضیح دادن، گفت «یادم آمد. همان کتابی که خانم مانیا حرفش را می‌زد؟» گفتم آره و فکر کردم کتاب یادش مانده یا مانیا؟

رفت طرف قفسه‌ی کتاب‌ها. خم شد اسم‌ها را خواند. «تقریبا همه‌ی کارهای ساردو را داری، جز یکی دوتا.»

نمی‌دانم چطور شد که شروع کردم، ولی شروع کردم. درباره‌ی ساردو حرف زدم و این که از کدام کتابش خوشم می‌آید و از کدام خوشم نمی‌آید و چرا خوشم می‌آید و چرا نمی‌آید و نظر آقای داوتیان درباره‌ی ساردو چی است و آقای داوتیان صاحب کتابفروشی آراکس است و کتابفروشی آراکس در تهران سر چهارراه قوام‌السلطنه است و من این کتابفروشی را خیلی دوست دارم و تهران که می‌روم اولین جایی است که سر می زنم و ساعت‌ها می‌مانم و با آقای داوتیان قرار گذاشته‌ام از تهران برایم کتاب بفرستد و می‌فرستد و البته همه‌ی کتاب‌های ساردو را نخوانده‌ام ــــ گفتم و گفتم و گفتم. بچه‌ها که کیف مدرسه به دست توی درگاهی اتاق پیدایشان شد فکر کردم چطور صدای اتوبوس مدرسه را نشنیدم؟

امیل تمام مدت فقط نگاهم کرده بود. آرنج روی دسته‌ی راحتی، دست زیر چانه.

۲۵

بادمجان می‌شستم که آلیس و مادر وارد شدند.

مادر به‌جای سلام غُرغُری کرد، نشست روی صندلی و چشم دوخت به سقف.

آلیس نشسته ننشسته شروع کرد به تعریف ماجرای شب قبل. «اول این که نمره‌ی آداب معاشرت بیست. تا وارد رستوران شدم فوری از سر میز بلند شد تعظیم کرد.»

آمدم بپرسم «چرا نیامد دنبالت؟» که زود حرفم را خوردم و پرسیدم «قهوه می‌خوری؟» هیجان‌زده سر تکان داد که قهوه نمی‌خورد و نفس‌زنان ادامه داد. «از همه چیز گفت. از مادرش که با خاله‌اش زندگی می‌کند. نزدیک شهر کوچکی، جنوب هلند. توی خانه‌ای نزدیک جنگل، عین کلبه‌های کارت پستال‌ها ــــ»

شروع کردم به قهوه درست کردن برای خودم و مادر که حالا عصبانی به آلیس نگاه می‌کرد.

آلیس صندلی را عقب زد، ایستاد و راه افتاد طرف یخچال. «عکس خانه را نشانم داد، با چندتا عکس از مادر و خاله‌اش.» در یخچال را باز کرد و شیشه‌ی آب را برداشت. «طفلک خاله‌اش فلج شده و با صندلی چرخدار این ور آن ور می‌رود ــــ» لیوان را پر آب کرد. «یوپ گفت ماها که آبادان هستیم باید آب زیاد بخوریم.» دو قُلُپ آب خورد. «خاله‌ی

یوپ از خوش‌اخلاقی و مهربانی عین فرشته‌هاست.» باز آب خورد. «مادر هم عین خاله. بگو جواهر، از مهربانی و خوش‌اخلاقی.» بقیه‌ی آب را خورد. «طفلک سال‌هاست از خواهرش نگهداری می‌کند و تازه این آخری‌ها یک کم از کمردرد می‌نالد.» لیوان خالی را گذاشت روی پیشخوان. «یوپ گفت مادر و خاله‌اش با احدی معاشرت و رفت و آمد ندارند و فقط می‌خواهند یوپ ازدواج کند و زنش را ببرد توی آن خانه‌ی خوشگل و همه باهم زندگی کنند.»

قهوه‌جوش را از روی شعله برداشتم، اجاق را خاموش کردم و برای خودم و مادر قهوه ریختم.

آلیس می‌رفت و می‌آمد و نگاهش به همه‌جا بود جز به من و مادر. «دوروبر خانه تا کیلومترها بنی بشری نیست و صبح‌های زود از پنجره آهو می‌بینی. رویایی نیست؟ شب‌ها هم از جنگل صدای زوزه‌ی شغال می‌شنوی.» مادر گفت «یا مریم مقدس!»

لیوان خالی را شستم گذاشتم توی ظرف خشک‌کن و نشستم پشت میز. آلیس هم نشست. «چه مرد نازنینی. چقدر با احساس، چقدر دوست داشتنی، چقدر مهربان. از همه چیز پرسید. کجا درس پرستاری خواندم، چند وقت‌ست کار می‌کنم.» خندید. «اول فکر می‌کرد پرستار معمولی‌ام. بعد که فهمید سرپرستار اتاق عمل هستم، گمانم خیلی *ایمْپرِسْد* شد.» به مادر نگاه کرد. «یعنی تحت تأثیر قرار گرفت.» دوباره به من نگاه کرد. «پرسید از کی استخدام شدم. استعفا بدهم چقدر پول از شرکت می‌گیرم. خلاصه از همه‌چیز پرسید. اگر نظر خاصی نداشت چرا باید می‌پرسید؟ نه؟ تو چی فکر می‌کنی؟»

به‌جای جواب شیرینی عسلی تعارفش کردم.

مادر گفت «خواهرت هم مثل من فکر می‌کند تو خری.»

آلیس انگار نه انگار مادر حرف زده و من حرف نزده‌ام، شیرینی را پس زد و ایستاد. «پنجشنبه که آف دارم دعوتم کرده برویم کوت عبدالله. باید به پروژه‌ی نمی‌دانم چی سرکشی کند، درست وسط بیابان. قرار شده ساندویچ درست کنم همان‌جا وسط بیابان بخوریم و پیاده‌روی کنیم. یوپ عاشق بیابان و کویر و آفتاب‌ست.» بیابان و کویر و آفتاب را درست مثل دکلمه‌ی شعرهای عاشقانه اداکرد. دست‌ها باز به دو طرف، سر کمی بالا و نگاه به پنجره.

مادر ناگهان فریاد زد «چرا نمی‌فهمی؟»

آلیس بُراق شد. «تو نمی‌فهمی. خودش گفت همان بار اول که چشمش به من افتاده عاشقم شده.»

مادر شروع کرد به داد و فریاد کردن. به شیرینی گاز زده‌ی توی دستم نگاه کردم. من که شیرینی عسلی دوست نداشتم؟ انداختمش توی زیرسیگاری و از جا بلند شدم.

شروع کردم به پوست کندن بادمجان‌ها. چرا خواهرم این‌قدر احمق بود؟ چرا مادر حرف‌هایی را که صد بار گفته بود بی‌ربط و با ربط تکرار می‌کرد؟ چرا حالم این‌قدر بد بود؟ انگشتم را که بریدم فریادی کشیدم که خیلی هم به خاطر درد نبود.

مادر از جا پرید. «چی شد؟»

زیر شیر ظرفشویی خون را شستم و گفتم «چیزی نشد.»

مادر و آلیس دوباره جر و بحث را شروع کردند. از خودم پرسیدم «چی شد؟» به خودم جواب دادم «لیوان سرکه و چاتنی، اوقات تلخی دیشب با آرتوش، حماقتِ آلیس، زرنگی مرد هلندی، جیغ و دادهای مادر و ـــ امیل سیمونیان با خودش چی فکر کرده؟ چه مدت یک‌بند حرف زده بودم؟ نیم ساعت؟ یک ساعت؟» از خجالت گُر گرفتم.

مادر می‌گفت «تمامش تقصیر نیناست. صد بار گفتم نباید با اینها معاشرت کنیم.»

آلیس گفت «بیخود داد و بیداد نکن. به نینا چه مربوط؟»

امیل وقت رفتن گفته بود «متشکرم. از قهوه و از همه‌ی حرف‌های جالب.» حتماً مسخره‌ام کرده بود. حتماً مسخره‌ام کرده بود و حقم بود.

مادر نمکدان را کوبید روی میز. «یعنی تو نمی‌فهمی که مرتیکه دنبال کلفت بی‌جیره مواجب می‌گردد؟»

آلیس کارد میوه‌خوری را محکم‌تر کوبید روی میز. «شماها نمی‌فهمید.»

بادمجان‌ها را چیدم توی آبکش. وَرِ ایرادگیر ذهنم جولان می‌داد. «تا تو باشی اظهار فضل نکنی.» روی بادمجان‌ها نمک پاشیدم. وَرِ مهربان به کمکم آمد. «اظهار فضل نکرد، از چیزهایی که دوست داشت حرف زد.» نمک رفت توی بریدگی و انگشتم سوخت. جای بریدگی را مکیدم و به گل‌نخودی‌ها نگاه کردم. ورِ سخت‌گیر پرسید «از کی تا حالا از چیزهایی که دوست داریم حرف می‌زنیم؟» وَرِ دوم دنبال جواب می‌گشت.

با صدای مادر برگشتم. «حواست کجاست کلاریس؟ یک چیزی هم تو بگو.»

تا انگشت توی دهان چرخیدم طرف مادر، دوقلوها آمدند تو. «کارهای مدرسه تمام شد.»

انگشتم را از توی دهان درآوردم گرفتم طرف در و داد زدم «بیرون.»

جفتی اول زُل زدند به من، بعد به مادر نگاه کردند که خودش را باد می‌زد، بعد به آلیس که خونسرد سیب پوست می‌کند، بعد دوباره زُل زدند به من. مدت‌ها بود یاد گرفته بودند چه وقت‌هایی "نه" نمی‌شنوند. جفتی سر کج کردند. «اجازه داریم که ــــ» «که امیلی ــــ»

پریدم وسط حرفشان. «بیرون.»

مادر برگشت طرف آلیس. «آخر فقط با یک بار دیدن ــــ»

آلیس گفت «دو بار.»

مادر گفت «حالا هرچند بار. خدا بیامرز اگر زنده بود ــــ»

چشم‌ها را بستم و دست گذاشتم روی پیشانی. باز باید به آلیس می‌گفتم حق با توست؟ دوقلوها هنوز توی راهرو بودند که زنگ زدند.

«سلام، خاله نینا.»

«سلام، خاله ویولت.»

«چه لباس خوشگلی پوشیدی سوفی.»

«چه خوب کردید آمدید.»

خوب کردید آمدید؟ مادر چنان قیافه‌ای گرفت که فکر کردم الان است دعوا راه بیندازد. آلیس سیب را گذاشت توی پیش‌دستی. «نیناست؟ چه عالی.»

صدای نینا از راهرو آمد. «کجایی صاحبخانه؟»

خودم را رساندم به راهرو. هرچه اصرار کردم برویم اتاق‌نشیمن، نینا گفت «نه. دلم برای کلبه‌ی هنزل و گرتل تنگ شده.» و وارد آشپزخانه شد. «بَه‌بَه، خانم وسکانیان و آلیس هم که هستند. *بارِوْ، بارِوْ*.»

آلیس با دست‌های باز رفت طرف نینا و ویولت و هر دو را بغل کرد و بوسید. مادر جواب سلام نینا را نداد. ویولت دوروبر را نگاه کرد و گفت «چه آشپزخانه‌ی بامزه‌ای.»

آلیس به نینا گفت «همین الان به کلاریس گفتم دلم برای نینا یک ذره شده.» مادر به من و نینا و ویولت و در و دیوار آشپزخانه چشم‌غره رفت و تا پرسیدم «صندلی برای همه هست؟» دوباره زنگ زدند و از راهرو صدای آرمینه و آرسینه بلند شد.

«سلام، عمو امیل.»

«سلام، خانم سیمونیان.»

«داشتیم می‌آمدیم دنبالت، امیلی.»

«همه توی آشپزخانه‌اند.»

نه فرصت فکر کردن پیدا کردم، نه حرکت کردن. مادر و پسر دم در آشپزخانه ایستاده بودند.

چند لحظه سکوت شد. فقط صدای ویولت بود که زیر لب آهنگی زمزمه می‌کرد. توری پنجره را باز کرده بود و پشت به ماگل نخودی‌ها را بو می‌کرد. اولین کسی که حرف زد خواهرم بود. شق و رق رفت طرف خانم سیمونیان و دست جلو برد. «عصر شما بخیر. بنده آلیس وسکانیان، خواهر کلاریس.»

دوقلوها که با سوفی و امیلی پشت سیمونیان‌ها ایستاده بودند پقی خندیدند و قبل از این که نگاهم به نگاهشان بیفتد در رفتند. اگر وضع عادی بود، لحن غیرعادی معرفی آلیس و هیکل تنومندش کنار اندام کوچک خانم سیمونیان مرا هم می‌خنداند.

حالا آلیس داشت با امیل دست می‌داد. «خیلی خوشوقتم. مشتاق زیارت جنابعالی و سرکار مادرتان بودم. کلاریس خیلی از شما تعریف کرده.»

من کی تعریف کردم؟ چرا آلیس لفظ قلم حرف می‌زند؟ چرا همه‌ی شهر امروز عصر جمع شده توی آشپزخانه‌ی من؟

صدایی گفت «چه گل‌های خوش‌بویی.»

همه برگشتیم طرف پنجره. ویولت با بلوز قرمز، دامن سفیدِ کلوش و گوشواره‌های حلقه‌یی تکیه داده بود به چارچوب پنجره. موهایش زیر نوری که از پنجره می‌تابید کم‌رنگ‌تر به نظر می‌آمد.

بعد از این که همه را به همه معرفی کردم، تعارف کردم برویم اتاق نشیمن. خانم سیمونیان گفت داشتند می‌رفتند بازار کویتی‌ها و سر راه آمدند چون امیل می‌خواست چیزی به من بدهد. بعد سری برای نینا تکان داد و چرخید طرف مادر که داشت چیزی می‌پرسید.

آلیس برای امیل و مادرش پشتِ چشم نازک کرد که هیچ‌کدام ندیدند، دست انداخت دور کمر نینا و راه افتاد طرف اتاق نشیمن. «چه خوب شد دیدمت، می‌خواستم امشب تلفن کنم.»

مادر به خانم سیمونیان می‌گفت «مرحوم پدرتان با مرحوم پدرم دوست بودند. در جشن ازدواج شما هم دعوت داشتند. البته من نه، چون بچه بودم ولی ——»

دوباره تعارف کردم برویم اتاق نشیمن. خانم سیمونیان زیرلب چیزی گفت و برگشت طرف پسرش. من هم برگشتم طرف پسرش. نگاه هردویمان نگاه امیل را دنبال کرد تا رسید به پنجره. ویولت گل‌نخودی سفیدی توی دست می‌چرخاند و لبخند می‌زد.

مادر گفت «حیف از آن خانه‌ی بزرگ و قشنگ که فروختید. دیروز به کلاریس می‌گفتم ——»

خانم سیمونیان گفت «امیل!»

مادر گفت «به کلاریس می‌گفتم ——»

خانم سیمونیان بلندتر گفت «امیل!» برگشت و از آشپزخانه بیرون رفت.

دنبال امیل که دنبال مادرش تقریباً دوید تقریباً دویدم. وسط راه‌باریکه، برگشت بسته‌ی توی دستش را دراز کرد طرفم. «دیروز صندوق کتاب‌ها را باز کردم ——»

خانم سیمونیان فریاد زد «امیلی!»

دست دراز کردم و بسته را گرفتم و نگاهش کردم و سر که بلند کردم کسی توی حیاط نبود و در فلزی نیمه‌باز بود. برگشتم به آشپزخانه.

مادر داشت پیشخوان را دستمال می‌کشید. مادر معمولاً تند کار می‌کرد اما وقت‌هایی که عصبانی بود حرکاتش شبیه فیلم‌های قدیمی می‌شد، سریع و منقطع. ویولت خیره شده بود به مادر. مرا که دید گفت «چقدر تند کار می‌کنند. راستی، همسایه‌تان چه خانم کوچولوی بامزه‌ای بود. ولی انگار از چیزی عصبانی شد، نه؟»

مادر چرخید طرف ویولت. «بعله که عصبانی شد. عصبانی شد چون گفتم چرا خانه‌ی به آن قشنگی را فروخته. عصبانی شد چون فهمید از سیر تا پیاز زندگیش را می‌دانم و جلو من نمی‌تواند قُمپز در کُند. عصبانی شد چون گفتم وقت عروسیش من بچه بودم. دروغ که نگفتم.» پشت به ما کرد و دوباره افتاد به جان پیشخوان.

ویولت با دهان نیمه‌باز چند لحظه به دست مادر نگاه کرد که تند و تند روی پیشخوان دایره می‌زد، بعد تکه مویی را که افتاده بود روی صورت پس زد و گفت «آهان، پس برای این عصبانی شد.»

دستمال را از دست مادر گرفتم و همراه ویولت فرستادمش به اتاق نشیمن. تنها که شدم چند لحظه دو دستم را گذاشتم روی سر، بعد نفس بلندی کشیدم، بعد فنجان‌های قهوه‌خوری را چیدم توی سینی و قهوه جوش را گذاشتم روی اجاق. حالم هیچ خوب نبود. خسته و عصبانی و دلخور بودم. از دست آلیس؟ از دست مادر؟ از نینا که بی‌خبر سروکله‌اش پیدا شده بود یا از دست خودم و این که چرا دنبال امیل و مادرش دویده بودم؟ قهوه از کناره‌های قهوه‌جوش شروع کرد به جوشیدن. هرچه دایره‌ی وسط قهوه کوچک‌تر می‌شد، نفس‌هایم تندتر

می‌شد. درست لحظه‌ای که باید شعله را خاموش می‌کردم دو صدا باهم گفتند «ماا ماا، اجازه داریم که ــــ»

برگشتم داد زدم «نه. اجازه ندارید.»

با فِشِ سر رفتن قهوه چرخیدم. به قهوه‌جوش نیمه‌خالی نگاه کردم و به اجاق کثیف و چشم‌هایم را بستم.

از راهرو صدای آرمینه را شنیدم. «عصبانی شد، چون که قهوه سر رفت.» آرسینه گفت «نه. اول عصبانی شد بعد قهوه سر رفت.» قهوه‌جوش را زیر شیر ظرفشویی شستم. دوباره قهوه پیمانه کردم، دوباره شکر، دوباره آب.

سینی به دست وارد اتاق نشیمن که شدم آلیس به نینا می‌گفت «چه زحمتی؟ هیچ زحمتی نیست. الان تلفن می‌کنم به گارنیک.» چشمش به من افتاد و گفت «قرار شده شام دور هم باشیم. تلفن می‌کنی به گارنیک؟» نمی‌دانم در نگاهم چی دید که گفت «خودم تلفن می‌کنم.» و رفت به راهرو.

فنجان‌های قهوه را چیدم روی میز، نشستم بغل دست نینا و سعی کردم گوش کنم چه می‌گوید. مادر نشسته بود روی لبه‌ی یکی از صندلی‌های ناهارخوری. لب‌ها را محکم به هم چسبانده بود و خیره شده بود به فرش.

آلیس برگشت به اتاق. «گارنیک گفت سرما خورده، می‌ترسد ماها هم بگیریم. گفت لازم نیست نینا و ویولت نگران باشند. گفت خوش باشید. واقعاً که چه مرد نازنینی.» بعد رو کرد به من. «برو آن طرف‌تر. من با نینا حرف دارم.»

تا آمدم بلند شوم، از راهرو صدای داد و فریاد آمد. بعد تق محکم بسته شدن در و شکستن شیشه. بعد جیغ سوفی که «دستم، آخ، دستم.»

همه دویدیم به راهرو. کتیبه‌ی بالای در اتاق آرمن شکسته بود و خرده شیشه‌ها ریخته بود کفِ راهرو. سوفی مچ دستش را چسبیده بود و جیغ می‌زد و دوقلوها داد می‌زدند «دست سوفی برید.»

نفسم بند آمد. «نکند رگ دست بچه پاره شده؟»

نینا بازویم را محکم چنگ زد. «یا حضرت مسیح! دیدی چه خاکی به سرم شد؟ حالا چکار کنم؟»

سوفی دولا شده بود و مچ دست را ول نمی‌کرد و یکبند جیغ می‌زد. دوقلوها همدیگر را بغل کرده بودند و گریه می‌کردند. مادر پشت سر هم می‌زد به گونه‌اش و می‌گفت «لعنت بر شیطان.»

آلیس با سرعتی که از هیکل تنومندش بعید بود دوید جلو، دست سوفی را کشید و داد زد «ول کن ببینم چی شده.»

همه یک لحظه ساکت شدند و آلیس مچ سوفی را بالا گرفت. طوری که همه خراشیدگی کوچک روی مچ را دیدیم.

آلیس خم شد و زُل زد توی صورت سوفی. «پریروزها موشی آوردند بیمارستان که همین بلا سرش آمده بود. اگر گفتی چی شد؟» و سوفی که با چشم‌های اشک‌آلود به آلیس نگاه کرد، آلیس گفت «مُرد.» و زد زیر خنده.

نینا بازویم را ول کرد، رفت سوفی را بغل کرد و گفت «خدایا شکرت.»

مادر دست از زدن خودش برداشت و گفت «خدایا شکرت.»

توی دلم گفتم «خدایا شکر.»

دوقلوها سوفی را بغل کردند که لب ورچید و گفت «آاااخ!»

آلیس آمد طرف نینا. «الان کلاریس ضدعفونی می‌کند. بیا تا بقیه‌اش را تعریف کنم.» و دست انداخت زیر بازوی نینا.

سوفی تا دید مادرش دارد می‌رود دوباره زد زیر گریه.

رفتم حمام. قفسه‌ی دوا را باز کردم. شیشه‌ی ***دِتول*** و پنبه برداشتم و برگشتم به راهرو. سوفی هنوز گریه می‌کرد. نینا دوباره بغلش کرده بود. دوقلوها رو به در بسته‌ی اتاق آرمن فریاد می‌زدند «تقصیر تو بود.» آرمن از پشت در فریاد می‌زد «به من چه؟» و مادر سر بچه‌ها داد می‌زد «ساکت.» چشمم افتاد به ویولت که سنجاق‌سر نگین‌داری لای دندان، جلو آینه‌ی راهرو مو مرتب می‌کرد. تمام این مدت کجا بود؟

آلیس سرم داد زد «زود باش، بابا. چقدر فِس فِس می‌کنی.» و ***دِتول*** و پنبه را از دستم قاپید.

در خانه باز شد و آرتوش و امیل وارد شدند.

آرتوش شروع کرد که «گفتیم قبل از شام یک دست شطرنج ــــ» امیل انگار فکرم را خوانده باشد گفت «مادر سردردشان عود کرد و ــــ نرفتیم بازار.» بعد هر دو به شیشه‌های روی زمین نگاه کردند.

سوفی با دیدن تماشاچی‌های جدید باز زده بود زیر گریه و آلیس تندتند جای خراشیدگی را ضدعفونی می‌کرد. نینا و دوقلوها و مادر همه باهم ماجرا را تعریف می‌کردند.

نگاهم افتاد به ویولت. لبخند زد و سنجاق‌سر از لای دندان افتاد زمین. دستش را گرفت جلو دهان و گفت «وای!» بعد خم شد سنجاق را برداشت. از شکاف بلوز یقه‌باز، زیرپوش تور سیاهش را دیدم. فکر کردم «چه پوست سفیدی.»

داشتم لکه‌های قهوه را از روی اجاق تمیز می‌کردم و فکر می‌کردم شام برای این همه آدم چی درست کنم و اصلاً چرا باید برای این همه آدم شام درست کنم و آلیس به چه حقی در خانه‌ی من سرخود مهمان دعوت کرده و آرمن چه مرگش شده و دوقلوها چرا این‌قدر سر و صدا می‌کنند و نینا چرا این‌قدر بلند می‌خندد که آرتوش پشت سرم گفت «شام چی داریم؟»

دستمال را پرت کردم توی ظرفشویی و گفتم «هیچی. برو از ***اَنِکس*** غذا بگیر.» اول تعجب کرد. بعد به نظرم آمد خوشحال شد. گفت «خورش کاری ***اَنِکس*** بد نیست.» بعد انگار یادش آمد خودش غذای تند دوست ندارد. «***فیش اَند چیپس*** هم می‌گیرم. چند نفریم؟ الان می‌شمرم.» و از آشپزخانه بیرون رفت.

بچه‌ها عاشق ماهی برشته و سیب‌زمینی سرخ‌کرده‌ی رستوران ***اَنِکس*** بودند. چند بار خودم برایشان درست کرده بودم ولی هربار لب ورچیده بودند که «به خوشمزگی مال ***اَنِکس*** نیست.»

شورلت بعد از چند دقیقه ادا اصول، روشن شد و راه افتاد و مادر وارد آشپزخانه شد. «پس که آقای مهندس از خدا خواسته رفت دنبال غذای بیرون، آره؟ لابد رفته سراغ کباب ترکی بازار، هوم! یا سمبوسه که هزارهزار مگس رویش رژه رفته، اَه!»

ویولت به آشپزخانه آمد. داشت با بند زیرپوششش ور می‌رفت. «گفتند از "آنیکس" غذا می‌گیرند. دیشب با نینا و گارنیک رفتیم "آنیکس" پلو خورش کاری خوردیم. خیلی خوشمزه بود.»

مادر مثل این که بخواهد قد ویولت را دقیق اندازه بگیرد، از نُک موهای انگار از قصد نامرتب تا نُک کفش‌های پاشنه‌بلند را برانداز کرد و گفت «"آنیکس" نه و ***اَنِکس***. غذایش هم برای غذای خانگی نخورده‌ها خوشمزه‌ست.» و بلندتر و محکم‌تر از دو بار قبل هوم و اَه کرد و از آشپزخانه بیرون رفت. ویولت خندید. «انگلیسی من افتضاح‌ست.» بعد گفت «داری سالاد درست می‌کنی؟ کمک بکنم؟»

اگر وقت دیگری بود حتماً می‌گفتم «زحمت نکش، خودم درست می‌کنم.» وقت دیگری نبود. پیاز درشتی گذاشتم روی میز و گفتم «پوست بکن.»

۲۶

روزم بد شروع شد.

تا آرتوش پرسید «عینکم را ندیدی؟» گفتم «روی پیشانی من نوشته‌اند "مأمور پیدا کردن اشیاء گمشده".» نان ساندویچی برای خوراکی زنگ تفریح بچه‌ها نداشتم. پول دادم بیسکویت بخرند و چشم‌های دوقلوها که برق زد گفتم «چیپس و هله هوله، نه. فقط بیسکویت، آن هم بعد از ناهار.» و سعی کردم یادم بیاید ناهارخوری مدرسه آن روز چه غذایی می‌دهد و بچه‌ها آن غذا را دوست دارند یا نه. برنامه‌ی ناهارخوری یادم نیامد و در عوض یاد حرف نینا افتادم که اگر مثلاً می‌گفتم «امروز مدرسه خوراک ماهیچه دارد، بچه‌ها دوست ندارند،» اخم می‌کرد که «دوست دارم دوست ندارم یعنی چی؟ بچه باید عادت کند هرچی گذاشتند روی میز بخورد.» پایین روپوش آرسینه را که تا شده بود صاف کردم و فکر کردم شاید هم حق با نیناست.

آرمن اسکناس را گذاشت توی جیب و بی خداحافظی از خانه بیرون زد. از دیروز چند بار با دوقلوها دعوا کرده بود، با من و پدرش حرف نزده بود و تقریباً چیزی نخورده بود. حوصله نکردم یادآوری کنم که «مبادا باز از مدرسه بزنی بیرون دنبال نان لواش.» پسرهای دبیرستان می‌گفتند «خوراکی از منزل آوردن کار بچه‌ننه‌هاست.» و برای این که بچه‌ننه نبودن خودشان را ثابت کنند، هر روز یکی مأمور می‌شد از مدرسه در برود و از

نانوایی نان لواش بخرد. خدا می‌داند چندبار برای این کار آرمن رفته بودم دفتر مدرسه و آرمن قول داده بود نکند و باز کرده بود.

دست در دست دوقلوها به حیاط رفتم. وسط راه‌باریکه پرسیدم «باز چه‌ش شده؟» و به آرمن اشاره کردم که پشت به ما، درِ فلزی را باز می‌کرد. دوقلوها به هم نگاه کردند، بعد به من، بعد شانه بالا انداختند که «نمی‌دانیم.» گفتم «چون دیشب امیلی نیامد؟» این‌بار بدون این که به هم نگاه کنند سعی کردند نخندند.

اتوبوس مدرسه بچه‌ها را سوار کرد و راه افتاد و صدایش دور و دورتر شد. در فلزی را بستم. از راه‌باریکه گذشتم، وارد خانه شدم و تا خواستم در را ببندم و نفس بلندی بکشم که «تا عصر تنهام،» صدای استارت کم‌جان شورلت را شنیدم.

روشن نشدن شورلت جزو برنامه‌های ثابت زندگی بود. آرتوش کاپوت را بالا می‌زد و خیره می‌شد به دل و روده‌ی کهنه و جابه‌جا زنگ‌زده‌ی ماشین. بعد با شلنگ‌هایی ور می‌رفت که نمی‌دانستم چی را به چی وصل می‌کنند ومطمئن بودم آرتوش هم نمی‌داند. می‌پرسیدم «روشن نشد؟» آرتوش می‌گفت «هوم.» چند لحظه همراهش خیره می‌شدم به موتور ماشین و فکر می‌کردم «عین مریض رو به مرگی که به‌زور سِرُم و دوا زنده نگهش دارند.» می‌گفتم «تاکسی خبر کنم یا تلفن کنم به آقا سعید؟» اگر دیرش شده بود می‌گفت «تاکسی.» مثل جراحی که به پرستار بگوید «قیچی.» و اگر عجله نداشت و ماشین هم رضایت نمی‌داد لک‌ولک‌کنان برود تا تعمیرگاه می‌گفت «تلفن کن به آقا سعید.» مثل جراحی که به پرستار بگوید «خون تزریق کنید.»

آقا سعید صاحب تعمیرگاهی نزدیک سینما خورشید بود. هربار آرتوش و شورلت را می‌دید می‌خندید، دست‌های سیاه شده را

می‌گذاشت روی موهای وزوزی سیاه‌ترش و می‌گفت «بـاز شِـوی جـان خراب شد؟» تقریباً هربار که آقا سعید می‌آمد بالای سر شورلت، دور از گوش آرتوش به من می‌گفت «خانم مهندس، اگه شمام ـ ببخشین‌ها! ـ مثِ خانومای دیگه یه‌کم غر بزنین به جونِ شوهرتون، آقا مهندس حتماً یه ماشین مدل بالا می‌خره.» و وقتی که می‌گفتم «مهندس با این ماشین اُخت شده،» آقا سعید سر تکان می‌داد و زیر لب می‌گفت «راستش سر از کار شما و آقا مهندس در نمی‌آرم. مشتریای شرکت نفتی تا تـقی بـه تـوقی می‌خوره و حقوق زیاد می‌شه و گِرِید میره بالا، اولین کارشون عوض کردن خونه و ماشینه ولی شماها ـــــ» برایش شربت یا چای می‌بردم و می‌گفتم «رتبه و حقوق چه ربطی به خانه و ماشین داره؟» شربت یا چای را سر می‌کشید و می‌گفت «نداره؟»

به‌جای رفتن و ایستادن کنار ماشین و شرکت در مراسم همیشگی تکیه دادم به دیوار راهرو، چشم‌ها را بستم و بلند گفتم «خدایا، روشنش کن.» می‌خواستم تنها باشم. می‌خواستم خیلی زود تنها باشم. سرم درد می‌کرد و بی‌حوصله بودم.

با صدای روشن شدن ماشین چشم‌ها را باز کردم. اما تا آرتوش دنده عقب از گاراژ بیرون نرفت و توی خیابان نپیچید و صدای ماشین دور نشد نگفتم «خدایا، متشکرم.»

رفتم به آشپزخانه، نشستم پشت میز و سـر خـودم داد زدم «مـعلوم هست چه مرگت شده؟» از جعبه‌ی کلینکس دستمالی بـیرون کشیدم گذاشتم روی چشم‌هایم و یاد پدرم افتادم.

وقت‌هایی که حالم خیلی بد بود یاد پدر می‌افتادم. وقت‌هایی هم که حالم خوب بود یاد پدر می‌افتادم. مثل وقت‌هایی که شاخه‌ی گیاهی که در آب گذاشته بودم ریشه می‌داد یا غذایی که بـار اول مـی‌پختم خـوشمزه

می‌شد یا آرمن نمره‌ی خوب می‌گرفت. شروع کردم به ریزریز کردن کلینکس و فکر کردم چرا همیشه در بدحالی یا خوشحالی یاد پدرم می‌افتم؟

سر بلند کردم و به دو نقاشی نگاه کردم که چسبانده بودم به در یخچال. یکی مال دوقلوها بود. هدیه‌ی روز مادر سال گذشته. قلب‌ها و گل‌های بزرگ و رنگارنگ که وسط هر کدام نوشته بودند «دوستت داریم.» دومی نقاشی آرمن بود. مال چهار، پنج سالگی. با آبرنگ زرد طرح مثلاً زنی را کشیده بود. توی دست‌های زن که شبیه دست نبود دایره‌ی سبزی بود، شبیه سری با دو چشم. وقتی که پرسیده بودم «چی کشیدی؟» گفته بود «ماما که آرمن بغل کرده.» دست زیر چانه به نقاشی نگاه کردم و فکر کردم «دیگر هیچ‌وقت این جوری بغلت نمی‌کنم.»

چشمم افتاد به پیشخوان و بسته را دیدم. بسته‌ای که امیل سیمونیان روز قبل، وقتی که خودم و خودش توی حیاط دنبال مادرش می‌دویدیم داده بود دستم. چطور تا الان یادش نیفتاده بودم؟ بسته را برداشتم رفتم اتاق نشیمن. در بلبشوی دیروز عصر و دیشب عجیب نبود که فراموشش کرده باشم.

لم دادم توی راحتی چرمی و بازش کردم. یکی از کتاب‌های ساردو بود که گفته بودم نخوانده‌ام. بالای صفحه‌ی اول نوشته شده بود "برای کلاریس، که می‌توانم روزها و روزها به حرف‌هایش گوش بسپارم."

کتاب را بستم. اتاق خیلی هم خنک نبود ولی سردم شد. دوباره کتاب را باز کردم و جمله را خواندم. انگشت کشیدم روی نوشته. فکر کردم چه خطِ نرمی. یکدست و یک‌اندازه و مورب. خط ارمنیِ خودم صاف بود. حرف‌ها را تک تک می‌نوشتم و o هایم شبیه مستطیل‌های کوچک بودند. خط امیل انحناهای هم‌اندازه داشت و به هم پیوسته بود و ــــ نرم.

بدحالی و بی‌حوصلگی کم‌کم از بین رفت. مثل آب که ریزریز بجوشد و بخار شود. حس کردم سبک شدم، حس کردم حالم خوب شد. با خودم گفتم «یعنی حرف‌هایم برایش جالب بوده؟ یعنی حوصله‌اش سر نرفته؟» یاد دستش افتادم که زیر چانه زده بود و ساعتش که بند چرمی سفید داشت. توی حیاط دو قورباغه به نوبت صدا می‌کردند. به پنجره نگاه کردم و فکر کردم «شاید این دوتا هم دوست دارند باهم گپ بزنند.» گل کاغذی‌های پشت پنجره انگار برایم سر تکان می‌دادند.

کتاب را برگرداندم و پشت جلد را خواندم. خلاصه‌ای بود از موضوع داستان. مردی از جوانی عاشق دختری است و تنها آرزویش رسیدن به دختر. حالا درگیر مسایل سیاسی شده و در انتخاب بین عشق و به قول خودش تعهدات اجتماعی مردد مانده. آمدم به صفحه‌ی اول و یک بار دیگر جمله‌ی امیل را خواندم. ورق زدم، رسیدم به فصل اول و شروع کردم به خواندن. مرد داستان هنوز دچار تردید بود و دختر برای قانع کردنش به هر شگردی متوسل می‌شد که تلفن زنگ زد. به ساعتم نگاه کردم و باورم نشد. آخرین بار که این‌قدر طولانی، یکنفس و بی‌وقفه کتاب خوانده بودم کی بود؟

۲۷

به قول گارنیک، موتور نینا مثل همیشه روشن بود و صدایش زنگدار. «من یکی که هنوز گیجم. حالا راستی راستی قضیه جدی شده یا باز آلیس خیالات برش داشته؟ ویولت تا شنید گفت از همان اول معلوم بود یوپ از آلیس خوشش آمده. پس ماها حواسمان کجا بود؟ مرا باش که می‌خواستم برای ویولت جورش کنم. خُب، بد هم نشد. آلیس واجب‌تر بود.» غش غش خندید. بعد صدایش را پایین آورد و پچ‌پچ کرد. چند بار شنیدم گفت «امیل سیمونیان» و تا گفتم «چی گفتی؟» بلند گفت «هیچی. می‌آیی امروز عصر سری به بازار بزنیم؟ سوفی جِد کرده کلاه بِرِه بخرم.» و بدون این که فرصت بدهد بگویم می‌آیم یا نمی‌آیم گفت «پس تا عصر. ویولت سلام می‌رساند. خداحافظ تا عصر.»

این که آلیس ماجرایی را که هنوز نه به بار بود و نه به دار برای همه تعریف کند عجیب نبود. ولی نینا درباره‌ی امیل چی گفت؟ چرا پچ‌پچ کرد؟ چرا گفت بعداً می‌گویم؟

گوشی را گذاشتم. رفتم حیاط پشتی.

به سبزی‌هایی که کاشته بودم سر زدم و چند تا گوجه‌فرنگی چیدم. سر بلند کردم و به درخت کُنار نگاه کردم. لابه‌لای شاخه‌ها دو لانه‌ی گنجشک بود. گنجشک چاق و چله‌ای پرید رفت توی یکی از لانه‌ها. چیزی به نُک داشت. از توی لانه صدای جیک جیک ضعیفی آمد. فکر کردم «برای

بچه‌ها غذا برد.» هوا داغ بود و همه جا ساکت. برگشتم تو. زیر لب آواز
می‌خواندم.

برای عصرانه‌ی بچه‌ها به قول خودشان ساندویچ "پنیر تو فِر" درست
کردم. روی تکه‌های نان رول پنیر ورقه‌یی چیدم و نان‌ها را گذاشتم توی
فِر. منتظر برشته شدن نان‌ها و آب شدن پنیر، فکر کردم تا حالا چند بار
عصرانه درست کرده‌ام؟ چند بار ناهار؟ چند بار شام؟ قیژ در فلزی آمد و
صدای دویدنشان روی راه‌باریکه.

سوفی گفت «مامانم گفت بیایم خانه‌ی شما. خودش هم الان‌ها
می‌رسد.»

گفتم دست و رو بشویند، عصرانه بخورند و حاضر شوند برای کلاس
پیانو.

آرمینه گفت «چه خوب می‌شد سوفی هم با ما می‌آمد کلاس پیانو.»

آرسینه گفت «خیلی خوب می‌شد سوفی هم با ما می‌آمد کلاس
پیانو.»

دوتایی رو کردند به سوفی. آرمینه گفت «از دست فارسی حرف زدن
میس جودی ـــــ» آرسینه جمله را تمام کرد. «می‌میری از خنده.»

داد زدم «آرمن، عصرانه.» از پشت در اتاق داد زد «گشنه‌ام نیست.»
دخترها یواشکی خندیدند و تا نگاهشان کردم آرمینه گفت «به خدا ما
نمی‌دانیم، ولی ـــــ» آرسینه ادامه داد «ولی شنیدیم با امیلی آشتی کرده.»
سوفی گفت «لابد برای همین گشنه‌اش نیست.» سه‌تایی زدند زیر خنده.
رفتم طرف تلفن که داشت زنگ می‌زد.

خانم سیمونیان گفت امیلی کلاس پیانو دارد و از امیلی شنیده که
دوقلوها هم کلاس پیانو دارند و امیلی با دوقلوها بیاید کلاس چون برای
امیل کار پیش آمده دیر می‌آید منزل و خودش کمردرد دارد نمی‌تواند

امیلی را ببرد. نه "خواهش می‌کنم"، نه "اگر زحمتی نیست"، نه حتی سلام و خداحافظی مؤدبانه‌ای.

هنوز گوشی را درست نگذاشته بودم که آرمن از اتاقش بیرون پرید. «بروم دنبال امیلی؟» ابروهایم که بالا رفت به من و من افتاد. «چیز ــــ امیلی توی اتوبوس گفت کلاس پیانو دارد و چیز ــــ من تصمیم گرفتم دوباره پیانو یاد بگیرم.» حرص خوردنم از بی‌ادبی خانم سیمونیان یادم رفت و از قیافه‌ی آرمن خنده‌ام گرفت. همان وقت نینا در خانه را باز کرد. «واه! واه! پختم از گرما.» آرمن سلام گفته نگفته از وسط ما دوتا گذشت و از در بیرون زد. نرسیده به در حیاط برگشت داد زد «توی ایستگاه منتظریم.» نینا به من نگاه کرد. «این یکی چه‌ش شده؟» نگاهم را به سقف دوختم. «عاشق شده.» منتظر غش‌غش خنده‌اش بودم ولی فقط سر تکان داد. «انگار این روزها چیزی قاطی آب شهر کرده‌اند.» رو به آشپزخانه داد زدم «بچه‌ها راه بیفتید.»

امیلی بلوزِ سفید و شلوارِ سیاه پوشیده بود و کتاب‌های نُت را چسبانده بود به سینه. تکیه داده بود به میله‌ی علامت ایستگاه و سرش پایین بود. با نُک کفش سنگ کوچکی را روی زمین عقب جلو می‌کرد. موهای صاف و بلندش ریخته بود توی صورت. آرمن جلو امیلی می‌رفت و می‌آمد و دست‌ها را تکان می‌داد و حرف می‌زد و تا ما رسیدیم ساکت شد. امیلی تند سر بلند کرد و سلام کرد. موها ریخت دو طرف صورت. نینا گفت «چه بچه‌ی نازنینی.» توی دلم گفتم «بچه؟» امیلی چند لحظه نگاهم کرد. چرا حس کردم فکرم را خوانده؟ نصفی از موها را برد پشت گوش و لبخند زد. لبخندی شبیه لبخند دوقلوها، وقت‌هایی که چیزی می‌خواستند.

اتوبوس رسید. سوار که شدم راننده سلام کرد. از دیدنش تعجب

کردم. «سلام آقا عبدی. شما که خط پالایشگاه کار می‌کردی؟» خندید. «چه کنیم خانم؟ پیشرفت کردیم. شما خوبید؟ سلامتید؟ با زحمت‌های ما؟» گفتم «چه زحمتی؟ بچه بهتر شد؟»

بچه‌ها یک به یک گفتند «پاس» و از جلو راننده گذشتند. آقا عبدی خندید و گفت «پریروز مسافر تهرونی داشتم. شنید مسافرهای شرکت نفتی یه چیزی می‌گن و پول بلیط نمی‌دن، به‌جای "پاس" گفت "ماس".»

خندیدیم و آقا عبدی دگمه‌ی بستن در را زد و رو کرد به من. «شکر خدا بچه خیلی بهتره. آوردیمش خونه. خانم خواهرتون خیلی محبت کردن. تشکر.» نینا از پشت سقلمه زد. «دِ برو دِ.»

اتوبوس چند نفر بیشتر مسافر نداشت. دوقلوها و سوفی رفتند تهِ اتوبوس. آرمن و امیلی نشستند صندلی پشت راننده و نینا تقریباً هولم داد طرف صندلی دیگری دور از بچه‌ها. داشتم می‌گفتم «بچه‌اش مریض بود. به آلیس گفتم توی بیمارستان ـــــ» که نینا پرید وسط حرفم. «خیله خُب، خیله خُب، حالا تو با همه‌ی راننده‌ها و باغبان‌ها و لوله‌کش‌های شرکت دوست نبودی و به همه نمی‌رسیدی، شب ما روز نمی‌شد؟» نگاهی به پشت سر انداخت و سرش را آورد دم گوشم. «از همسایه‌ی جدیدت بگو. مگر اسمش سیمونیان نیست؟ مگر زنش نمرده؟»

چند لحظه نگاهش کردم. چرا زودتر منظورش را نفهمیده بودم؟ حالا که فهمیدم چرا یکهو بی‌حوصله شدم؟ چرا هوا این‌قدر گرم بود؟ چرا نمی‌رسیدیم؟

تا برسیم به ایستگاه خانه‌ی میس جودی که بوارده جنوبی بود، هرچه درباره‌ی ساکنین جی ۴ می‌دانستم به نینا گفته بودم. نرسیده به ایستگاه ایستادم، زنگ پیاده شدن را زدم و به نینا گفتم تا بچه‌ها کلاسشان تمام شود می‌رویم برای سوفی کلاه می‌خریم و برمی‌گردیم. نینا گیج نگاهم

کرد. «کلاه؟» به بچه‌ها اشاره کردم پیاده شوند و به نیناکه هنوز نشسته بود گفتم «پاشو، رسیدیم. خودت گفتی می‌خواهی برای سوفی کلاه بِرِه بخری.»

از جا بلند شد. «فعلاً کارهای مهم‌تر از کلاه خریدن دارم. ببینم، پنجشنبه شب مهمان که نیستی؟» تا گفتم «نه،» گفت «پس مهمان داری.»

با راننده خداحافظی کردم، پشت سر همه پیاده شدم و با خودم گفتم «کلاه بِرِه توی این گرما؟ به قول مادر به من بگو خر.»

۲۸

اتوبوس ایستگاه منزل ما ایستاد و پیاده شدیم. به امیلی نگاه کردم که همراه بچه‌ها داشت می‌آمد طرف خانه‌ی ما. قبل از این که حرفی بزنم گفت «مادربزرگ گفتند چند ساعتی منزل شما باشم.» توی دلم گفتم «مادر بزرگ برای همه تعیین تکلیف می‌کنند.»

وارد آشپزخانه شدم و مادر و آلیس را دیدم که زودتر از ما رسیده بودند. بارها به مادر گفته بودم کلید یدک خانه را برای وقت‌هایی که مسافرت هستیم پیششان گذاشته‌ام که اگر اتفاقی افتاد بتوانند در را باز کنند. فایده نداشت. مادر و آلیس که بی‌خبر سر زدن عادتشان بود، اگر کسی خانه نبود کلید می‌انداختند و می‌آمدند تو.

آلیس نشسته بود پشت میز و ناخن سوهان می‌زد. مادر ایستاده بود روی صندلی و کوزه‌های گِلی بالای قفسه‌ها را گردگیری می‌کرد. تا وارد شدم جواب سلامم را نداده گفت «امان از تو و آشغال‌هایی که همه جای خانه می‌چینی. عین خدا بیامرز.» گفتم «کی به تو گفت بپری بالا؟ آشخِن هفته‌ی پیش قفسه‌ها را گردگیری کرده.» مادر از صندلی پایین آمد. «گردگیری آشخِن به درد خودش می‌خورد.» و با نینا سلام احوالپرسی گرمی کرد. پس دلگیری از نینا تمام شده بود. صدای شورلت آرتوش آمد.

نینا و آلیس روبوسی کردند و نینا خبر مهمانی پنجشنبه شب را داد.

دوقلوها و سوفی دست زدند و بالا پایین پریدند. «آخ جان! مهمانی.» ورجه ورجه کنان رفتند طرف امیلی. آرمینه گفت «تو هم باید بیایی.» آرسینه گفت «باید بیایی.» آرمن به امیلی نگاه کرد. امیلی سر زیر انداخت. «اگر مادر بزرگ اجازه ـــ» نینا گفت «نگران نباش، مادربزرگ و پدرت هم دعوت‌اند.» آلیس بی‌آینه ماتیک می‌مالید. «یوپ عاشق غذاهای ماست.» مادر گفت «کلاریس برایش فسنجان درست می‌کند.» پس دلگیری از مرد هلندی هم تمام شده بود.

آرسینه به آرمینه گفت «حالا ادای میس جودی. زود باش، ادای میس جودی.» آرمینه نُک پا بلند شد و انگشت سبابه را گرفت طرف آرمن. «این دفه تصمیم ژِدی داری پیانو یاد بگیری یا دوباره بازیگوشی می‌کنی؟» آرسینه به‌جای آرمن جواب داد «تصمیم جدی دارم.» آرمینه ابروها را داد بالا و لب‌ها را غنچه کرد. «پس با امیلی اینژا توی **لیوینگ روم** باش تا صدا کنم.» سوفی دست گذاشت روی شکم و وسط خنده گفت «درست همین جوری گفت.» نینا نیشگونی از لپ آرمینه گرفت. «ای بلا گرفته.» مادر گفت «قربان سر و زبانت.» آلیس لوله‌ی ماتیک و سوهان ناخن به‌دست از خنده دولا شد. امیلی زیر چشمی به آرمن نگاه کرد و آرمن گفت «هِه هِه هِه.»

آرتوش وارد شد و دوقلوها پریدند بغلش و گفتند «پنجشنبه شب مهمان داریم. سوفی و امیلی و همه و همه ـــ»

از کلاس پیانو تا خانه خواسته بودم حرف بزنم، خواسته بودم بگویم «نه» و نینا مجال نداده بود. حالا هم تا دهان باز کردم، دست گذاشت روی شانه‌ام. «خودم کمکت می‌کنم. تو لازم نیست دست به سیاه و سفید بزنی.» بعد دستش را سُراند پشتم و تقریباً هُلم داد طرف در آشپزخانه. «تو فقط برو همسایه‌ها را دعوت کن. باقیش با من.»

آرتوش دوقلوها را بوسید و گفت «بد هم نیست. من و امیل شطرنج می‌زنیم.» از آشپزخانه بیرون رفتم و فکر کردم «کاش پیاده‌ی سیاه را انداخته بودم توی سطل آشغال.»

نفهمیدم در خانه را پشت سر بستم یا نه. از راه‌باریکه گذشتم، در فلزی را باز کردم و به‌جای رفتن به آن طرف خیابان، از بغل جوی آب راه افتادم طرف میدان وسط محله.

عصبانی بودم. از دست نینا که به‌زور مجبورم کرده بود مهمانی بدهم، چون می‌خواست به قول خودش ویولت و امیل را باهم جور کند. از دست آلیس که فقط به فکر خودش بود و از دست مادر که به فکر آلیس بود و از دست بچه‌ها که خوشحال بودند و از دست آرتوش که فقط به شطرنج فکر می‌کرد. چرا کسی به فکر من نبود؟ چرا کسی از من نمی‌پرسید تو چی می‌خواهی؟

ورِ مهربان ذهنم پرسید «تو چی می‌خواهی؟» جواب دادم «می‌خواهم چند ساعت در روز تنها باشم، می‌خواهم با کسی از چیزهایی که دوست دارم حرف بزنم.» ورِ ایرادگیر مچ گرفت. «تنها باشی یا با کسی حرف بزنی؟»

از کنار درخت اُکالیپتوسی گذشتم. دست دراز کردم و برگی کندم. مچاله کردم و بو کردم. چند قدم رفتم و برگ له شده را انداختم توی جوی آب. «می‌خواهم بدانم مرد قصه‌ی ساردو بالاخره چه تصمیمی می‌گیرد.» گفتم و عقب پریدم. نزدیک بود پا بگذارم روی قورباغه‌ی مرده‌ای که وسط پیاده‌رو پخش زمین بود، انگار چرخ پهنی از رویش رد شده باشد. زیر لب غُر زدم «لعنت به این شهر با همه‌ی قورباغه‌ها و مارمولک‌ها و مارهای آبی زنده و مرده‌اش.»

عصبانی و بی‌حوصله و غرزنان رفتم تا رسیدم به میدان. آفتاب رفته

بود اما هوا هنوز گرم بود. از نهر پهن بوی لجن می‌آمد. روی یکی از نیمکت‌های دور میدان نشستم. پشت سرم ردیف درخت‌های بیعار بود و بوته‌های خرزهره با گل‌های سفید و صورتی. زیر منبع آب وسط میدان، گربه‌ی لاغری دنبال چیزی کرده بود. قورباغه‌ای شاید یا مارمولک.

باد داغی آمد و از درختی تخم لوبیا شکلی افتاد روی دامنم. یک آن به نظرم آمد کرم است یا ملخ و تند پرتش کردم زمین. چندشم شد. فکر کردم از وقتی که به آبادان آمده‌ام، زندگیم جنگی دایمی بوده با انواع حشره و خزنده که از بچگی متنفر بودم و هنوز هم هستم. حال تهوع مدام بوده از انواع بوها. بوی گاز پالایشگاه، بوی لجن جوی‌ها، بوی ماهی و میگوی نمک‌سود که قاطی با بوی عطرهای عربی بازار کویتی‌ها هربار می‌رفتم بازار حالم را بد می‌کرد و همراه همه‌ی اینها و بیشتر از همه‌ی اینها، گرما و شرجی. چرا به این شهر آمدم؟ چرا تهران نماندم؟

یاد خانه‌مان افتادم در تهران. حیاط کوچک چقدر قشنگ بود. کوچه‌مان یادم آمد با چنارهای بلند. تابستان‌ها وقتی که ما یا یکی از همسایه‌ها درخت‌ها را آب می‌دادیم، بوی خاک خیس بلند می‌شد. صبح‌های زمستان، هنوز از تختخواب بلند نشده می‌دانستم برف آمده. صبح‌های برفی نوری که از پنجره‌ی اتاق تو می‌زد با نور روزهای غیربرفی فرق داشت. یاد مدرسه رفتن‌ها افتادم در زمستان. با کلاه و دستکش و شال‌گردن‌های پشمی که مادر می‌بافت. قرچ قرچ برف زیر چکمه‌ها چه صدای خوبی داشت. چند سال بود برف ندیده بودم؟ چند سال بود پالتو نپوشیده بودم و دستکش دست نکرده بودم؟ دست جلو بخاری گرم نکرده بودم و توی کوچه "ها" نکرده بودم که بخار از دهانم بیرون بیاید؟

پشه‌ای را که داشت می‌رفت توی دماغم تاراندم. اصلاً چرا آمدم؟ چرا تهران نماندم؟ چون آرتوش استخدامِ شرکت نفت شد، چون آلیس

در بیمارستان شرکت نفت کار گرفت و چون مادر هم با آلیس آمد آبادان. مادر برای این که با آلیس باشد آمد آبادان یا برای این که نزدیک من باشد؟ تا حالا چه کسی کاری را فقط برای من کرده؟ خـودم در سی و هشت سالگی چه کاری را فقط برای خودم کرده‌ام؟

هوا داشت تاریک می‌شد. نه کسی می‌آمد، نه کسی مـی‌رفت. از لابه‌لای شمشادهای دور حیاط‌ها چراغ‌های خانه‌ها را مـی‌دیدم کـه تک تک روشـن مـی‌شدند. سر چرخـاندم طرف خیابان خـودمان. بـاید برمی‌گشتم. از تصور کارهایی که باید می‌کردم دلم گرفت. درست کردن شام، برنامه‌ریزی برای مهمانی پنجشنبه، بحث بـا آرمـن کـه حتماً جِد می‌کرد تا پنجشنبه شلواری را که مدت‌ها بود نشان کرده بـود بـخرم و از همه مهم‌تر دعوت از خانم سیمونیان. توی دلم گفتم «زنکه‌ی خودخواهِ متوقع. خیال می‌کند همه کلفت نوکرش‌اند.» کاش می‌شد به‌جای همه‌ی این کارها که دوست نداشتم بکنم و باید می‌کردم، لم می‌دادم توی راحتی سبز و می‌فهمیدم مرد قصه‌ی ساردو بالاخره بین عشـق و تـعهد کـدام را انتخاب می‌کند.

سایه‌ای از پیچ خیابان پیدا شد. از جا پریدم. هوا تاریک‌روشن بود و درست نمی‌دیدم. حتماً یکی از بچه‌ها بود. حتماً نگران شده بودند. راه افتادم، بعد تقریباً دویدم، بعد ایستادم. خانم سیمونیان هم ایستاد. پیراهن یقه بسته‌ی سفید پوشیده بود با شلوار سیاه، عین نوه‌اش همان روز عصر. با کفش‌های پاشنه‌تخت قدش کوتاه‌تر از همیشه بود.

چند لحظه بی‌حرکت ماند. بعد در همان مسیری که می‌رفت دوباره راه افتاد و بدون این که نگاهم کند گفت «پس شما هم پیاده‌روی دوست دارید.» سؤال نمی‌کرد. مانده بودم چه کنم. همراهش بروم یا نروم، که ایستاد و چرخید. «داشتید برمی‌گشتید خانه.» باز سؤال نمی‌کرد. «چند

دقیقه باهم قدم بزنیم؟» این بار داشت سؤال می‌کرد. با ته‌رنگی از خواهش.

کنارش راه افتادم و از این که توی دلم گفته بودم «زنکه‌ی خودخواهِ متوقع» خجالت کشیدم. صدایش جوری بود که دلم سوخت. تا میدان ساکت رفتیم. همسایه‌ام رفت طرف نیمکتی که چند دقیقه پیش رویش نشسته بودم. «چند لحظه اینجا بنشینیم؟ خسته شدم.»

خیلی راحت نشست. نیمکت برایش بلند بود اما جست نزد، نپرید. آرام خودش را بالا کشید و نشست. فکر کردم یک عمر تمرین کرده. فقط برای نشستن یک عمر تمرین کرده.

هوا تاریک شده بود و دَم داشت و باد نمی‌آمد. از نهر صدای قورقور یکبند قورباغه‌ها را می‌شنیدم و شالاپِ آب وقتی که یکی جست می‌زد. دستم را بو کردم. هنوز بوی اُکالیپتوس می‌داد.

دوچرخه‌سواری میدان را دور زد. جعبه‌ی بزرگی وصل بود به دوچرخه. حاجی بود، یا به قول بچه‌ها نونی. پیرمردی که صبح‌ها و عصرها توی محله‌های شرکت نفت نان لواش می‌فروخت. حتماً داشت برمی‌گشت خانه. تا احمدآباد، تا کوچه‌ی تنگ و پُر خاک و خُل خانه‌اش، یک ساعت بیشتر باید پا می‌زد. چند سال پیش که پسرش توی شط غرق شد، رفتم دیدن زنش که حاجی می‌گفت «از غصه داره دِق می‌کنه.» مادر و آلیس که فهمیدند رفته‌ام دیدن زنِ حاجی گفتند «دیوانه‌ای.» آرتوش گفت «کار خوبی کردی.» چهلم پسر نشده زنِ حاجی خودش را آتش زد و مُرد و حاجی دو ماه بعد زن گرفت. مادر و آلیس گفتند «برای حاجی چشم‌روشنی نمی‌بری؟» و خندیدند. آرتوش فقط سر تکان داد و من دیگر از حاجی نان لواش نخریدم.

خانم سیمونیان گفت «چه شهر مرده‌یی.»

فکر کردم همین حالا قال مهمانی پنجشنبه شب را بکنم. گفتم «خانواده‌ای که قبل از شما ساکن جی ۴ بودند ـ دیروز منزل ما دیدید ـ قرار شده ـــــ»

نگذاشت حرفم تمام شود. سر چرخاند طرفم و خیلی شمرده گفت «دیدمشان. حتماً می‌خواهند پسرم را دعوت کنند و چون می‌خواهند پسرم را دعوت کنند، من و امیلی را هم دعوت کرده‌اند و ـــــ شما هم حتماً دعوت دارید، نه؟ یا شاید هم مهمانی را انداختند گردن شما؟» و پوزخند زد.

نفسم را تو دادم. باد گرمی آمد و از خرزهره‌ی پشت سر چند تا گل سفید افتاد زمین. در نور کم چراغ‌های پایه فلزی، چشم دوختم به درخت‌های بیعار که میدان را دور می‌زدند. از کجا فهمید؟

دست گذاشت روی زانویم. «کلاریس، از تو خوشم می‌آید.» اولین بار بود تو خطابم می‌کرد. «با زن‌های دیگر فرق داری. به چیزهایی توجه می‌کنی که دیگران توجه نمی‌کنند. چیزهایی برایت مهم‌ست که برای زن‌های دیگر نیست. درست مثل خودم، مثل جوانی‌هایم شاید.»

این که درست مثل خانم سیمونیان باشم آخرین فکری بود که امکان داشت به ذهنم خطور کند و آخرین آرزویی که ممکن بود داشته باشم. چرا این چند روزه همه فکر می‌کردند شبیه کسی هستم؟ نینا می‌گفت شبیه ویولت و حالا ـــــ

دستش را از روی زانویم برداشت. «از این شهر خوشم نمی‌آید. سال‌هاست از هیچ شهری خوشم نمی‌آید. به خاطر امیل و امیلی تحمل می‌کنم.» ساکت شد. فکر کردم لفظ قلم حرف نمی‌زند.

خیره شده بود به منبع آب. «از وقتی که خودم را شناختم فقط تحمل کردم. اول برای پدرم، بعد شوهرم، حالا پسر و نوه‌ام. هیچ‌وقت کاری را

که دوست داشتم بکنم نکردم.» انگار با خودش حرف می‌زد. خیره شدم به منبع آب که روی ستون‌های فلزی، مثل غولی بزرگ از خیلی بالا به ما دو زن نگاه می‌کرد.

باز پوزخند زد. «تعجب می‌کنی؟ تو هم مثل همه گمان می‌کنی در زندگی هرچه خواسته‌ام کرده‌ام و داشته‌ام؟» خودش را از روی نیمکت پایین کشید و ایستاد. «بیا. می‌خواهم بقیه‌ی عکس‌ها را نشانت بدهم.» و راه افتاد.

نه به شام بچه‌ها فکر کردم، نه به نینا و نه به مادر و آلیس. حوصله‌ی هیچ‌کس را نداشتم. می‌خواستم کاری را بکنم که دوست داشتم بکنم. می‌خواستم عکس‌ها را ببینم.

در فلزی جی۴ باز بود. از حیاط گذشتیم. باغچه‌ی طرف راست پر از علف هرز بود. خاک باغچه‌ی دست چپ تازه زیرورو شده بود. فکر کردم «خودش علف‌ها را کنده؟ خاک را خودش زیرورو کرده؟»

خانه تاریک بود و ساکت. خانم سیمونیان رفت طرف اتاق‌خواب‌ها. کنار مجسمه‌ی فیل خرطوم شکسته ایستاد و دست کشید به سر فیل. «گانِش خدای خوشبختی و ثروت هندوهاست.» دست کشید به خرطوم شکسته. «می‌بینی؟ این بیچاره هم از دست من طاقتش طاق شد.» در اتاق‌خوابش را باز کرد. «امیلی منزل شماست. امیل رفته دنبالش و حتماً ماندگار شده. دخترک موبور هم هست؟ بنشین روی تخت.» نشستم روی تخت و گفتم «نیست.»

آلبوم سنگینی از زیر تخت بیرون کشید. جلد آلبوم از چرم قرمز بود با کنده‌کاری طلایی و نگین‌های فیروزه. شبیهش را تا آن روز ندیده بودم. بازش کرد و زیرلب گفت «پیدایش می‌شود، حتماً پیدایش می‌شود.» و چند دقیقه حرف نزد.

به اتاق کم‌نور و کم‌اثاث نگاه کردم که صاحبش انگار همان روز آمده و هنوز فرصت نکرده اسباب بچیند، یا همه‌چیز را جمع کرده که فردا برود.

خانم سیمونیان عکسی داد دستم. مرد جوانی با کت‌شلوار سفید وسط راه‌پله‌ی عریضی ایستاده بود، یک پایش روی پله‌ی بالاتر. راه‌پله نرده‌ی سنگی داشت و روی نرده جابه‌جا گلدان‌های پُرگل بود. مرد جوان رو به دوربین لبخند می‌زد. رنگ چشم‌هایش انگار روشن بود.

خانم سیمونیان گفت «ورودی خانه‌مان بود در اصفهان. همان خانه‌ای که مادرت گفت حیف شد فروختم.» نیشخند زد. «از همه‌جایش متنفر بودم. از باغ بزرگ، از اتاق‌های سقف‌بلند، از راهروهای کف‌چوبی، از تک‌تک اسباب و اثاث گران‌قیمت. پدرم می‌گفت دیگر چه می‌خواهی؟ تا سال‌ها نمی‌دانستم چه می‌خواهم و وقتی که فهمیدم و خواستم گفت نه.»

عکس دیگری گرفت طرفم. همان مرد جوان پشت میزی پر از کتاب و کاغذ، قلمی در یک دست و دست دیگر زیر چانه به دوربین نگاه می‌کرد. موهایش چسبیده بود به سر و کت و جلیقه‌ی راه‌راه پوشیده بود. داشتم فکر می‌کردم شبیه کت‌شلوار را تن آقای داوتیان دیده‌ام که همسایه‌ام عکس سوم را داد دستم. این‌بار مرد جوان پیراهن سفید یقه باز و گشاد به تن داشت، مثل پیراهن‌های روسی. موها ریخته بود تا شانه و ریش تُنُکی داشت. دست به کمر کنار صندلی پشت بلندی ایستاده بود و باز خیره به دوربین نگاه می‌کرد. روی صندلی دختر جوانی نشسته بود با موهای جمع بالای سر. لباس دختر یقه بسته و تیره بود و چند رج مروارید کوتاه و بلند به گردن داشت. از زانو به پایین دختر توی عکس معلوم نبود و رنگ چشم‌های مرد حتماً روشن بود.

دختر عکس ــ پنجاه، شصت سال بعد ــ چشم‌ها را بست. «پدرم گفت شاعر به درد زندگی نمی‌خورد. گفت به خاطر ثروتم می‌خواهد با من

ازدواج کند. گفت کسی عاشق دختر کوتوله نمی‌شود. ولی شوهرم و پدرم عاشق شدند. عاشق ثروت همدیگر. پدرم گفت اگر زنش نشوم ــــ» چشم‌ها را باز کرد و خم شد عکس را از دستم گرفت. «این عکس را بی‌اجازه‌ی پدرم گرفتیم، در عکاسخانه‌ی تونی هُوانِس در جلفا. تونی قول داد به پدرم نگوید و نگفت. مرد خوبی بود.» به عکس خیره شد و لب‌ها را به هم فشرد. چروک‌های دور لب بیشتر شدند. از حیاط صدای قورباغه‌ها می‌آمد.

خواستم بپرسم «و بعد؟» که نگاهم کرد و لبخند زد. «و بعد؟» آلبوم را باز کرد و ورق زد و صفحه‌ای را نشانم داد. خودش بود و مرد جوان، نشسته روی نیمکتی فلزی پشت به برج ایفل. در عکس بعدی خودش بود و مرد جوان سوار درشکه‌ی دونفره‌ی کوچکی که مردی سیاه‌چرده و لُنگ به کمر بسته می‌کشید. و عکس بعدی خودش بود با مرد جوان پشت میز کافه‌ای در پیاده‌رو خیابانی شلوغ.

حرف‌ها را می‌شنیدم و به عکس‌ها نگاه می‌کردم. «همه جا دنبالم آمد. هندوستان، انگلستان، فرانسه، دوباره هندوستان. شوهرم که مُرد فکر کردم آزاد شدم، فکر کردم باهم ازدواج می‌کنیم، فکر کردم خوشبخت‌ترین زن دنیا هستم.» دست کشید به عکس‌ها، بعد آرام ورق زد. رسید به صفحه‌ی آخر با عکسی خیلی بزرگ. عکس قبری بود در قبرستانی با درخت‌های تنومند. المیرا سیمونیان با لباس و کلاه و تور سیاه کنار قبر ایستاده بود، دست در دست پسرکی با کت شلوار و کراوات سیاه. صدای خانم سیمونیان انگار از خیلی دور آمد. «چند ماه بعد خودش هم رفت. پاریس بودیم. در پِرلاشِز دفنش کردم.»

ساکت شد، تکیه داد به کَلِگی تخت و خیره شد به سقف. حس کردم توی اتاق نیست. نزدیک برج ایفل بود شاید، یا در کوچه پس‌کوچه‌های

بمبئی یا در کافه‌ای در انگلستان. شاید هم در قبرستان پِرلاشِز، با درخت‌های تنومند.

آلبوم را بستم و عکسی را برداشتم که در عکاسخانه گرفته بودند. نگاه دخترِ عکس سرد بود. مرد جوان انگار عصبانی بود و چشم‌هایش سبز بود یا شاید آبی. پرسیدم «چشم‌هایش آبی بود؟» دست کشید به پیشانی، بعد عکس را از دستم گرفت و با بقیه‌ی عکس‌ها گذاشت لای آلبوم و از جا بلند شد.

بی‌حرف تا در حیاط باهم رفتیم. درِ فلزی باز بود. ایستاد و بازویم را گرفت. «ببخش. دلتنگ بودم. شب بخیر.» تا راه افتادم صدایم کرد. برگشتم. همقد در فلزی بود. توی تاریکی صورتش را نمی‌دیدم. صدایش باز انگار از خیلی دور آمد. «سبز بود. همرنگ چشم‌های پسرش.»

توی خیابان تنها ماندم. رنگ شمشادها و درخت‌های بیعار به سیاهی می‌زد. شب‌پره‌ها دور چراغ‌ها می‌چرخیدند و بوی گاز پالایشگاه می‌آمد.

در خانه را باز کردم و رفتم تو. همه جا ساکت بود. خم شدم تِلِ سری را که افتاده بود کنار میز تلفن برداشتم. مال آرمینه بود یا مال آرسینه؟ نفهمیدم. چطور می‌شد تِلِ سرِ یکی از دو نفری را تشخیص داد که حتی مدادهایشان یک اندازه تراشیده می‌شد و جای گازهای تهِ مدادها هم شبیه هم بود؟ زیر میز تلفن سنجاق‌سرِ نگین‌داری برق زد. مال کی بود؟ تشخیص این یکی مشکل نبود. دخترک موبور.

رفتم به آشپزخانه و فکر کردم امیل کی آمده دنبال امیلی؟ کی برگشتند خانه؟ چطور متوجه نشدم؟ نینا و سوفی کی رفتند؟ بچه‌ها شام چی خوردند؟ چه مدت خانه نبودم؟ خیره شدم به گل نخودی‌های روی هره. هنوز گیجِ حرف‌ها بودم و عکس‌ها. روی میز پر بود از ظرف و لیوان نشسته. پیشبند بستم و شروع کردم به شستن ظرف‌ها. از پشت سر

صدای پا آمد. به شستن ادامه دادم. آرتوش گفت «پیش خانم سیمونیان بودی؟»

تهماندهی املت گوجهفرنگی را از بشقاب خالی کردم توی سطل زباله. از کجا فهمیده بود؟ جواب فکرم را داد. «امیل آمد دنبالت.»

نمیدیدم، اما میتوانستم مجسمش کنم. تکیه داده به چارچوب در با ریش بزی ور میرفت و دست دیگرش حتماً توی جیب شلوار بود. وقتهایی که میدانست دلگیرم و میخواست سر و ته قضیه را هم بیاورد همین کار را میکرد. هیچوقت نمیپرسید «چرا ناراحتی؟» شاید دلگیریام اصلاً ربطی به خودش نداشت، مثل همین امشب، ولی هیچوقت نمیپرسید. پودر ظرفشویی را مالیدم به بشقاب و فکر کردم امیل آمده دنبالم و نه شوهرم.

پایهی صندلی کشیده شد روی زمین. «آلیس و مادرت نمیدانم باز سر چی دعوا کردند و زود رفتند. نینا برای بچهها املت درست کرد. بردم رساندمشان. ماشین باز نمیدانم چه مرگش شده. بهزور روشن شد.»

بشقاب را گرفتم زیر شیر آب و روی ظرف استوانهیی خواندم: پودر ظرفشویی نورمن، مناسب برای شستن ظرف، موزاییک، دستشویی و حمام. زیر نوشته عکس خندانی بود از نورمن ویزدم با کلاه کپی. آمدم بگویم «آسمان ریسمان نباف، از دست تو دلگیر نیستم. اصلاً دلگیر نیستم،» که گفت «آرمن غذا نخورد. ایشی پیدا نشد و آرسینه گریه کرد.» پیشبند را باز کردم.

آرتوش چیزی را روی میز عقب جلو میبرد. جاشکری بود یا شاید نمکدان. میدانستم دارد دنبال جملهی بعدی میگردد. احتمالاً میپرسید «فردا چی میپزی؟» وقتی که پرسید «خانم سیمونیان حالش خوب بود؟» زدم زیر خنده. بعد برگشتم نگاهش کردم و شمرده شمرده

گفتم «ایشی تقریباً هـر شب گـم مـی‌شود. آرمـن ایـن چـند روزه غـذا نمی‌خورد چون عاشق شده. من حالم خوب نیست ولی ربطی بـه تو ندارد. خانم سیمونیان حالش خوب بود که حتماً برایت جالب نیست.» چند لحظه به جاشکری نگاه کرد، بعد به من. صندلی را عقب زد، ایستاد و از آشپزخانه بیرون رفت. جاشکری روی میز دمر شـده بـود. بـغضم گرفت. برگشتم طرف ظرفشویی. نورمن ویزدم هنوز می‌خندید.

۲۹

آرمن و آرتوش باهم از خانه بیرون رفتند. هیچ‌کدام خداحافظی نکردند.

توی راهرو روبان دمِ‌موشی‌های دوقلوها را یکی‌یکی محکم کردم و گفتم «خداحافظ.» آرمینه خوراکی زنگ تفریح را گذاشت توی کیف مدرسه و زیپ را کشید. «نمی‌آیی تا دم در؟» گونه‌اش را بوسیدم و سر تکان دادم که «نه.» آرسینه گفت «خسته‌ای؟» گونه‌اش را بوسیدم و سر تکان دادم که «آره.»

آرمینه پشت‌دری را پس زد. «باز مِه شده.» به حیاط نگاه کردم. وقت‌هایی که مِه خیلی غلیظ بود، دوقلوها می‌ترسیدند از حیاط بگذرند. به رویشان نمی‌آوردم که می‌دانم می‌ترسند. دستشان را می‌گرفتم، از حیاط می‌گذشتیم و می‌خواندیم «ما در ابرها پرواز می‌کنیم.»

پشت‌دری را مرتب کردم. «امروز دوتایی توی ابرها پرواز کنید، خُب؟» به هم نگاه کردند، بعد به من. نگاهشان غمگین بود و برق همیشه را نداشت.

از این طرف پشت‌دری نگاهشان کردم که دست در دست تا وسط‌های راه‌باریکه رفتند و بعد توی مِه انگار غیب شدند. در فلزی دیده نمی‌شد و تاب و بید و قسمتی از چمن شبیه نقاشی آبرنگ بود. سبک و محو.

فکر کردم چرا مثل هر روز همراه بچه‌هایم نرفتم تا ایستگاه اتوبوس؟ چرا نگرانشان کردم؟ من کلافه و بدحالم، بچه‌ها چه گناهی کردند؟ وَرِ

دلسوز گفت «تو هم آدمی. تو هم حق داری بی‌حوصله باشی. تو هـم ــــ» تلفن زنگ زد.

خانم نوراللهی گفت «اگر وقت داشته بـاشید، امروز صبح خـدمت برسم.» وسط این همه ماجرا همین یکی کم بود. دنبال بهانه گشتم. «سرِ کار نیستید؟» گفت «از رییسم مرخصی گرفتم. رییس خوش‌اخلاقی دارم. می‌شناسیدش که؟» و از شوخی خودش خندید. فکر کردم «خدا را شکر رییست اقلاً با یکی خوش‌اخلاق‌ست.» از بعد از دمر کردن جاشِکری، رییسش یک کلمه هم حرف نزده بود. دنبال بهانه‌ی دیگری گشتم. «امروز می‌خواستم بروم شهر که ــــ» گفت «چه خوب، مـن هـم خـرید دارم. ساعت ده توی میلک‌بار همدیگر را می‌بینیم.» تـا آمـدم دنبال بهانه‌ی دیگـری بگـردم، بـا سـه جملـه‌ی طـولانی تشکـر کـرد و بـا یک کلمه خداحافظی و گوشی را گذاشت.

تا ساعت ده خیلی وقت داشتم. روز عوض کردن ملافه‌ها بود. رفتم به اتاق آرمن.

سعی کردم ریخت و پاش اتاق را نبینم. کفش و جوراب و کتاب و مجله و صفحه‌های گرام و لیوان‌های خالی شـیر کـه مـحال بـود بـرگردانـد بـه آشپزخانه. پیژامای مچاله شده و چند تا کتاب و کتابچه از روی تخت برداشتم و ملافه را از روی تشک کشیدم. تشک تکان خـورد و کـاغذی افتاد زمین. فکر کردم باز ورقه‌ی امتحان ماهانه است که چون نمره کم آورده قایم کرده. مثل اسباب‌بازی‌های دوقلوها که همیشه جاهای به نظر خودش عجیب پنهان می‌کرد، از این ورقه‌ها هم کم پیدا نمی‌کردم. پشت درپوش کولر و بالای قفسه‌ی داروی توی حمام و زیر فرش اتاق‌ها. باز کردم و اولین خط را که خواندم فهمیدم نامه است. به خودم گفتم نباید بخوانم. به خودم گفتم خواندن نامه‌های دیگران حتی نامه‌ی بچه‌ام کار

زشتی است و نباید بخوانم و نباید بخوانم و خواندم. ازخطخوردگیها و تکرارها و حذف و اضافهها معلوم بود چرکنویس نامهی اصلی است.

امیلی عزیزم که از همه زیباتری ـــــ تا آخرین روز زندگی فراموشت نخواهم کرد. با دستور تو حاضرم تا آن سر دنیا با تو بیایم و از دست مادربزرگ بااستبداد و پدر بدون رحم نجاتت بدهم. من هم از دست خواهرهای احمق و مادرم که فقت بلد است ایراد بگیرد و غذا بپزد و گل بکارد و غور بزند و پدرم که فقت دوست دارد شترنج بازی کند و روزنامه بخواند نجات مییابم. مرگ بر همه پدرها و مادرها و مادربزرگها.

نامه به دست نشستم روی تخت و از پنجره به درخت کُنار نگاه کردم. حس کردم در جایی که هیچ انتظار نداشتم ناگهان آینهای جلویم گذاشتهاند و من توی این آینه دارم به خودم نگاه میکنم و خودِ توی آینه هیچ شبیه خودی که فکر میکردم نیست. نامه را تا کردم گذاشتم زیر تشک، ملافه و روبالشی را عوض کردم، تخت را مرتب کردم و از اتاق بیرون آمدم. از پشت اشک بهزحمت ساعت را دیدم که از نُه گذشته بود. چقدر دلم میخواست بیرون نروم. چقدر دلم میخواست نه تنها خانم نوراللهی که هیچکس را نبینم. چقدر دلم میخواست هنوز بچه بودم و دست میانداختم گردن پدرم و دلِ سیر گریه میکردم.

۳۰

اتوبوس غیر از من مسافری نداشت. راننده زیرلب آهنگی عربی زمزمه می‌کرد. از "یا حبیبی" و "یا عزیزی"ها که از ته دل می‌خواند حدس زدم باید عاشقانه باشد. از جلو سینما تاج گذشتیم. انگار همین دیروز بود. هر جمعه دوقلوها را که هنوز خیلی کوچک بودند می‌گذاشتم پیش مادر و آرمن را می‌آوردم سینما تاج. توی خانه ساندویچ کالباس با جعفری و پیاز خردکرده درست می‌کردم که خیلی دوست داشت. عاشق کانادادرای نارنجی هم بود که حتماً باید خودش می‌رفت از بوفه‌ی سینما می‌خرید. باهم فیلم تماشا می‌کردیم و ساندویچ می‌خوردیم و می‌خندیدیم و وقت برگشتن دستش توی دستم فیلم را از اول تا آخر دوباره و سه‌باره تعریف می‌کرد.

اتوبوس روبه‌روی مغازه‌ی *ستاره‌آبی* ایستاد. فکر کردم چند وقت است دستش را نگرفته‌ام؟ چند وقت است باهم سینما نرفته‌ایم؟ قبل از پیاده شدن به راننده گفتم «چه آهنگ قشنگی بود.» خندید. جوان بود و سه دندان طلا داشت.

پشت شیشه‌ی *ستاره‌آبی* ایستادم و فکر کردم خانم نوراللهی چکار دارد؟ پسرم واقعاً از من متنفر است؟ چرا آرتوش در آشتی کردن پا پیش نگذاشته؟ روی شیشه‌ی مغازه مقوای چارگوشی چسبانده بودند: از دستگاه رختشویی ***ایزی*** ساخت آمریکا در داخل مغازه دیدن کنید.

آرتوش چند بار گفته بود «چرا ماشین رختشویی نمی‌خری؟» مادر گفته بود «لباس را باید با دست شست.» آلیس گفته بود «خیلی گران‌ست.» آرتوش گفته بود «حتماً بخر.»

وارد *میلک‌بار* شدم و از پله‌های مارپیچ بالا رفتم. چندتایی از میزهای بغل دیوار شیشه‌یی پُر بود. دختر و پسرهای جوان، زن و مردهای نه چندان جوان. معذب بودم. آلیس حرف *میلک‌بار* که می‌شد چشم و ابرو می‌آمد و می‌گفت «صبح‌ها جای رانده‌ووهای آن‌چنانی‌ست.»

به پیشخدمت گفتم منتظر خانمی از دوستانم هستم و روی "خانم" تأکید کردم. سر یکی از میزهای دونفره نشستم و چشم دوختم به پله‌ها، منتظر که خانم نوراللهی زودتر بیاید حرفش را بزند و برود. به نامه‌ی آرمن فکر کردم. به آرتوش و جاشکری دمر شده. چرا هیچ‌کس حرفم را نمی‌فهمید؟ هیچ‌وقت این همه اتفاق پشت سر هم نیفتاده بود. فکر کردم قبل از آمدن امیلی و مادربزرگش به جی۴ چه زندگی آرامی داشتم. ورِ ایرادگیر مچ گرفت. «فقط امیلی و مادربزرگش آرامش زندگی را به هم زده‌اند؟» دیدن شینیون بلند و روبان خال‌خال که از پله‌ها بالا می‌آمد بهانه شد از زیر جواب در بروم.

خانم نوراللهی تا نشست پرسید «حالتان خوب نیست؟» هول شدم. یعنی این‌قدر مشخص بود که حالم خوب نیست؟

دستپاچه توضیح دادم که این روزها سرم شلوغ است و مدام مهمان دارم و درگیر بچه‌ها هستم و هوا گرم است و شرجی کلافه‌ام می‌کند و بچه‌ها بزرگ که می‌شوند مسایلشان هم بزرگ می‌شود و سعی در فهمیدن و حل مسایل آدم را خسته می‌کند و گاهی حس می‌کنم مادر خوبی نیستم و اطرافیان هم عوض کمک بار بیشتری می‌گذارند روی دوشم و خسته‌ام و ــــ داشتم گریه می‌کردم.

از خجالت می‌خواستم بروم زیر میز. چرا در جایی غریبه گریه می‌کردم؟ چرا برای زنی که فقط چندبار دیده بودم و هیچ صمیمیتی باهم نداشتیم چیزهایی را گفتم که به هیچ‌کس نگفته بودم؟ خانم نوراللهی از توی کیف دستمال‌کاغذی درآورد داد دستم. دستمال را کشیدم به چشم‌هایم و گفتم «ببخشید. نمی‌دانم چی شد.»

دست گذاشت روی دستم. حرف نزد تا سر بلند کردم و نگاهش کردم. بعد گفت «چه موهای قشنگی دارید. کاش موهای من هم صاف بود.» چندبار آرام زد روی دستم. بعد دستش را پس کشید. «از کافه‌گلاسه‌های اینجا خیلی تعریف می‌کنند.»

تا به پیشخدمت سفارش کافه‌گلاسه بدهد، سر چرخاندم طرف دیوار شیشه‌یی. یکی از نخل‌های آن طرف میدان خشک شده بود. بچه که بودم مادر می‌گفت «کاش موهات مثل موهای آلیس یک کم فر داشت.» پیشخدمت که رفت حرف زدیم.

خانم نوراللهی گفت «شما خانم‌های ارمنی خیلی از ما جلوترید. ما تازه باید برای داشتن چیزهایی بجنگیم که شما مدت‌هاست دارید. ما هنوز اول راهیم.» شاید باید می‌گفتم «این طورها هم که فکر می‌کنید نیست،» ولی فقط سر تکان دادم.

خواست از نحوه‌ی اداره‌ی مدرسه بگویم و از هیأت امنای جامعه‌ی ارامنه. از مدرسه گفتم که ارمنی‌ها خودشان ساخته بودند. یادم نیست از کی شنیده بودم. اولین گروه ارامنه که در شرکت نفت ایران و انگلیس استخدام می‌شوند، هر روز بعد از ساعت کار، به محل مدرسه می‌روند و ساختمان مدرسه را در واقع با دست خودشان می‌سازند. خانم نوراللهی پرسید «چطور شد اسم مدرسه را اَدَب گذاشتند؟» جوابش را نمی‌دانستم. از روش پرداخت شهریه گفتم. شهریه‌ی شاگردان از روی درآمد پدر

مادرها تعیین می‌شد. هرچه درآمد خانواده بیشتر، شهریه‌ی بچه‌ها بالاتر و برعکس خانواده‌های کم‌درآمد گاهی نه فقط شهریه نمی‌دادند که کمک‌هزینه هم می‌گرفتند. نگفتم گاهی خانواده‌هایی که وضع مالی خوبی داشتند، سر کم کردن شهریه چه چانه‌هایی می‌زدند. از مالیات سالانه گفتم که هیأت امنا وضع کرده بود و هرکس نسبت به درآمد سالانه باید می‌پرداخت. نگفتم بودند کسانی که بدشان نمی‌آمد از زیر مالیات دادن در بروند. از بازار خیریه گفتم که سالی دو سه بار تشکیل می‌شد و زن‌ها شیرینی خانگی و بافتنی و کاردستی می‌فروختند و عایدی فروش صرف کمک به خانواده‌های بی‌بضاعت می‌شد. نگفتم این بازارها مرکز غیبت و چشم‌هم‌چشمی و پُز دادن هم بود، بابت ماشین و سفر اروپا و گرید شوهرها.

با دقت به حرف‌هایم گوش می‌داد. از پیشخدمت که کافه‌گلاسه آورده بود تشکر کرد و بعد از من پرسید «خانم اِما خاچاطوریان می‌شناسید؟» گفتم «نه،» و تا گفت «چه کیک‌هایی می‌پخت،» یادم آمد. مادر که شیرینی‌پزی هیچ‌کس را قبول نداشت می‌گفت «کیک، فقط کیک‌های اِما.» خانم نوراللهی گفت «تهران که بودم، در انجمن خیریه‌ی فرح درس شیرینی‌پزی می‌داد. چه ــــ اسم شیرینی یادم رفته. نازُک؟» گفتم «**نازوک**.» گفت «بله، بله. چه **نازوک**‌هایی درست می‌کرد.»

بعد از انجمن خودشان گفت. از سعی زن‌ها برای گرفتن حق رأی. از کلاس‌های سوادآموزی. از این که زن ایرانی هنوز به حق و حقوق خودش آشنا نیست. حالا که راحت حرف می‌زد و کلمه‌های قلمبه سلمبه به کار نمی‌برد حرف‌هایش به دل می‌نشست. گفتم چی فکر می‌کنم و خندید. «وقت سخنرانی اگر ادبی حرف نزنم، مردم فکر می‌کنند یا بلد نیستم یا حرف مهمی نمی‌زنم.» کافه‌گلاسه خوردیم. خوشمزه بود.

دختر و پسر جوانی رفتند طرف دستگاه پخش‌آهنگ که شنیده بودم میلک‌*بار* تازه از اروپا وارد کرده. می‌دانستم اسمش **جوک‌باکس** است ولی تا آن روز ندیده بودم. دختر و پسر جوان، سرِ انتخاب صفحه شروع کردند به جر و بحثی که خیلی هم جدی نبود. پسر لاغر و بلندقد بود و دختر لباس کیسه‌یی نارنجی پوشیده بود. لباس راسته بود و دور آستین و پایین دامنش مغزی سبز داشت.

خانم نوراللهی هم داشت نگاه می‌کرد. «جوان‌ها را که خوش و خندان می‌بینم حظ می‌کنم. برای همین‌هاست که ما داریم خودمان را تکه پاره می‌کنیم. یاد جوانی‌های خودم که می‌افتم ـــــ»

دختر و پسر بالاخره صفحه‌ای انتخاب کردند. از آهنگ‌هایی بود که آرمن مدام می‌گذاشت توی گِرام **تپاز** و تویست می‌رقصید. هیچ‌وقت معنی عبارتی را که خواننده چندین و چند بار تکرار می‌کرد نفهمیده بودم. کافه‌گلاسه خوردم و ناگهان فهمیدم: Hit the road Jack. چرا تا حالا از این آهنگ خوشم نیامده بود؟ قشنگ بود.

خانم نوراللهی کافه‌گلاسه را هم می‌زد. «برای ارمنی‌ها این چیزها تازگی ندارد. برای ما دارد. پدر و مادر خود من که تازه مثلاً متجدد بودند و تحصیل‌کرده، پا توی یک کفش کرده بودند که باید با پسر عمویم ازدواج کنم. می‌دانم توی ارمنی‌ها رسم نیست، ولی بین ما ازدواج فامیلی بد که نیست هیچ، به قول قدیمی‌ها ثواب هم دارد. حتماً عقد دختر عمو پسرعمو توی آسمان را شنیدید؟» شنیده بودم. باز آمدم بگویم این طورها هم که فکر می‌کند نیست و زن‌های ارمنی هم گرفتاری‌های خودشان را دارند که خانم نوراللهی مجال نداد.

دست زد به پاپیون روی شینیون. شاید برای این که از سفت بودنش مطمئن شود. «من هم پا توی یک کفش کردم که نه.» از ته دل خندید و

روی گونه‌های گوشتالو دوتا چال افتاد. «راستش عاشق دوست پسرعمو شده بودم که چندبار آمده بود منزل ما. خلاصه با پسرعمو دست به یکی کردیم و آن‌قدر توی گوش پدر مادرها خواندیم تا بالاخره رضایت دادند.»

دست زیر چانه نگاهش کردم و پرسیدم «با دوست پسرعمو ازدواج کردید؟»

انگشت‌ها را دور لیوان حلقه کرد، بیرون را نگاه کرد و آرام سر تکان داد. لبخند محوی روی لب‌ها و توی نگاهش بود. «تقریباً بیست سال پیش.» می‌خواستم بپرسم و رویم نمی‌شد. بالاخره پرسیدم «هنوز هم ـــ»

ته کافه‌گلاسه را با نی بالا کشید. صدای هورت که در آمد، لیوان را پس زد. با دستمال‌کاغذی لب‌ها را پاک کرد و خندید. «سر بچه‌ها غر می‌زنم این کار را نکنید و خودم می‌کنم. هنوز هم چی؟ از ازدواجم راضی هستم یا نه؟»

سر تکان دادم و خانم نوراللهی نفس بلندی کشید. «این لباس را می‌بینید؟» یقه‌ی لباس را گرفت لای دو انگشت. «مدلش را توی مجله دیدم.» لباس یقه‌ی انگلیسی داشت و تا کمر شش تا دگمه می‌خورد. «تهران را زیر پا گذاشتم تا پارچه‌اش را پیدا کردم.» پارچه‌ی لباس کتان سفید بود با خال‌های درشت زرد. «ده بار رفتم پرُوْ و آمدم و کلی پول خیاط دادم تا حاضر شد.» تکیه داد به پشتی صندلی و نگاهم کرد. منتظر نگاهش کردم.

صبر کرد تا پیشخدمت لیوان‌های خالی را برداشت و رفت. بعد آمد جلو، آرنج‌ها را تکیه داد به میز و گفت «چند بار که پوشیدم عادی شد. البته که هنوز دوستش دارم. مواظبم لک نشود، بعداز هربار پوشیدن

می‌تکانم و آویزان می‌کنم توی گنجه چروک نشود ولی ــــ» کیفش را باز کرد و جعبه سیگاری درآورد. «سیگار می‌کشید؟»

سیگاری برداشتم و گفتم «گاهی.»

برایم کبریت کشید و گفت «من هم گاهی.»

به جعبه‌ی سیگار نگاه کردم. نقره بود و رویش گل ساقه‌بلندی کنده‌کاری شده بود. گفتم «چه جعبه‌ی قشنگی.» ادای تکاندن سیگار توی دست درآورد و به پیشخدمت فهماند زیرسیگاری بیاورد. بعد به جعبه‌ی سیگار نگاه کرد و لبخند زد. «هدیه‌ست.» گفتم «داشتید از لباس می‌گفتید.»

دست کشید به جعبه‌ی نقره‌یی، انگار نوازش کند. پُکی به سیگار زد. «عید که تهران بودم، خیلی اتفاقی این کمربند را توی جنرال مد پیدا کردم.» صندلی را کمی عقب زد و کمربند را نشان داد. «درست هم‌رنگ خال‌هاست، نه؟» کمربند درست همرنگ خال‌ها بود، با سگک طلایی خیلی بزرگ.

صندلی را جلو کشید، به ساعتش نگاه کرد و گفت «خلاصه آدم باید مواظب چیزهایی که دارد باشد. ساعت یازده شد. یازده و نیم قرار دکتر دارم. یک عالم چیز می‌خواستم بپرسم.»

دست کرد توی کیف زرد بزرگش و کاغذی درآورد. «همه را یادداشت کرده‌ام.» و شروع کرد به خواندن: قوانین ازدواج و طلاق ارامنه، حق نگهداری فرزند بعد از طلاق، حقوق زن در تاریخ ارمنستان، درصد باسوادی میان زنان. حرفش را قطع کردم و گفتم نمی‌توانم جواب‌های دقیق بدهم و بهتر است با اعضای انجمن کلیسا و مدرسه صحبت کند. سر تکان داد و اسم چند نفر را یادداشت کرد. گفت می‌خواهد از زنان ارمنی دعوت کند در جلسه‌های انجمنشان شرکت کنند. گفت «مشکلات زن‌ها

به همه‌ی زن‌ها مربوط می‌شود، مسلمان و ارمنی ندارد.» گفت «زن‌ها باید دست به دست بدهند و مشکلاتشان را حل کنند. باید به هم یاد بدهند، باید از هم یاد بگیرند.» مثل سخنرانی‌اش حرف می‌زد.

هرچه اصرار کردم نگذاشت حساب میز را بدهم. «مهمان انجمن ما هستید.» توی خیابان داشتیم خداحافظی می‌کردیم که یادم آمد بپرسم «آمده بودید مراسم ۲۴ آوریل؟» گفت آمده بود و با تعجب که پرسیدم «چرا؟» با تعجب گفت «چرا که نه؟ فاجعه فاجعه‌ست، مسلمان و ارمنی ندارد.» هیچ مثل سخنرانی‌اش حرف نمی‌زد.

۳۱

بعد از خنکی و تاریکی *میلک‌بار*، گرما و نور خیابان دلچسب بود. حس کردم حالم بهتر شده. حس کردم سبک‌ترم. از جلو سینما رکس گذشتم. دم گیشه صف درازی بود. همه مرد، بیشتر عرب. این وقت صبح چرا سر کار نبودند؟ برنامه آینده‌ی سینما فیلم *تام بندانگشتی* بود. به عکس‌های فیلم نگاه کردم. تام بندانگشتی نشسته بود روی قرقره‌ای که صندلی‌اش بود، پشت فنجان دمرویی که میزش بود و با انگشتانه‌ای که لیوانش بود آب می‌خورد. جلو سینما مرد عربی روی گاری میگوی خشک می‌فروخت. دماغم را گرفتم و تند رد شدم. با خودم گفتم تا دوقلوها هم مثل آرمن آستین‌سرخود نشده‌اند، بیاییم فیلم را ببینیم.

شلواری را که آرمن مدت‌ها بود نشان کرده بود خریدم با این شرط که اگر اندازه نشد عوض کنم. از مغازه بیرون آمدم. دلم نمی‌خواست برگردم خانه. دلم می‌خواست راه بروم و فکر کنم یا شاید راه بروم و فکر نکنم. راه رفتم و فکر کردم مدام در خانه ماندن و معاشرت با آدم‌های محدود و کلنجار رفتن با مسایل تکراری کلافه‌ام کرده. باید کاری بکنم برای دل خودم. مثل خانم نوراللهی. از جلو قنادی نگرو گذشتم و یاد مهمانی پنجشنبه شب افتادم. برگشتم رفتم تو. شیرینی خشک خریدم و آجیل. جعبه‌های آجیل و شیرینی و بسته‌ی شلوار به دست از قنادی بیرون آمدم و سینه به سینه‌ی امیل سیمونیان شدم که از روبه‌رو می‌آمد. حس بی‌مورد

خودم بود یا واقعاً هول شد؟ تا فکر کنم این وقت روز چرا سر کار نیست گفت «راستش، حالم خوب نبود، یعنی حوصله‌ی کار کردن نداشتم، مرخصی استعلاجی رد کردم. آمدم بازار دستکش باغبانی و بیلچه بخرم.»

باز تا فکر کنم بازار که آن طرف است گفت «اگر عجله نداری، همراهم می‌آیی؟ نمی‌دانم کجا دنبالش بگردم.» چرا این‌قدر هول بود؟ انگار یکی گفت «شاید چون به تو برخورد.» نفهمیدم کدام وَرِ ذهنم بود.

گفتم «برای این جور چیزها باید به مغازه‌ی *انجمن باغبانی* سر بزنیم. بسته‌ها را از دستم گرفت و پرسید «کجاست؟»

تاکسی گرفتیم و به راننده گفتم «فلکه‌ی اَلفی.»

روبه‌روی مغازه‌ی *انجمن باغبانی*، دست‌فروشی کنار پیاده‌رو زیتون و خیارشور می‌فروخت با برگ مو. فکر کردم برای پنجشنبه شب زیتون و خیارشور بخرم. خریدم. امیل با بیلچه و دستکش و چند بسته تخم گل از مغازه بیرون آمد. «تخم گل‌نخودی خریدم.» بعد به بساط دست‌فروش نگاه کرد. «عاشق دلمه‌ام. خدا می‌داند چند وقت‌ست نخورده‌ام.» برگ مو خریدم.

سوار اتوبوس خط بوارده شدیم. تمام راه حرف زدیم و نمی‌دانم چند بار گفتیم «چه جالب، من هم همین‌طور.»

دم در خانه بسته‌ها را داد دستم و گفت «باور کن تعارف نمی‌کنم. با هیچ‌کس این همه حرف برای گفتن ندارم.»

درست کردن مایه‌ی دلمه که تمام شد شب شده بود. به آرتوش گفتم «بچه‌ها را می‌بری **فیش اَند چیپس** بخورند؟» دوقلوها از خوشی جستند هوا و آرتوش لابد فکر کرد برای آشتی پا پیش گذاشته‌ام. مایه‌ی دلمه را

گذاشتم توی یخچال و گفتم برای پنجشنبه شب کلی کار دارم. بستن در یخچال را طول دادم که نگاهم به نگاه هیچ‌کدام نیفتد.

دوقلوها دست روی دهان که رنگ قرمز *کول‌اِید* را روی لب‌هایشان نبینم از در زدند بیرون. پشت سرشان گفتم «چه ماتیک خوش‌رنگی.» دست از روی دهان برداشتند و خندیدند. در خانه را که می‌بستم گفتم «دیر هم برگشتید، برگشتید.» از وسط راه‌باریکه چهارنفری با تعجب نگاهم کردند.

روبه‌روی پنجره‌ی اتاق نشیمن ایستادم. چراغ نشیمن جی ۴ روشن بود. فکر کردم «چکار می‌کند؟ شاید با مادرش حرف می‌زند یا کتاب می‌خواند. شاید هم ——»

پرده را تند کشیدم و رفتم آشپزخانه. سبد برگ مو را گذاشتم روی میز و مایه‌ی دلمه را از یخچال بیرون آوردم.

تا اولین دلمه را پیچیدم و گذاشتم توی دیگ، دو وَرِ ذهنم کشمکش را شروع کردند.

«خیلی احمقی.»

«چرا؟ کجای این که دو نفر علاقه‌های مشترک داشته باشند اشکال دارد؟»

«هیچ اشکالی ندارد، ولی ——»

«حالا چون یکی زن‌ست و یکی مرد نباید باهم حرف بزنند؟»

«فقط حرف بزنند؟»

«البته که فقط حرف بزنند.»

——

«تنها کسی‌ست که حرفم را می‌فهمد.»

——

«بس که تنهایی با خودم حرف زدم دیوانه شدم.»

———

«بس که هر کاری را به خاطر دیگران کردم خسته شدم.»

———

«این هم جوابم. بچه‌ام فکر می‌کند غرغرو و ایرادگیرم. شوهرم حاضر نیست یک کلمه باهم حرف بزنیم. مادر و خواهرم فقط مسخره‌ام می‌کنند و نینا که مثلاً باهم دوستیم فقط بلدست کار بکشد. مثل همین الان. مثل همین الان که باید برای آدم‌هایی که هیچ حوصله‌شان را ندارم غذا درست کنم.»

«حوصله‌ی هیچ‌کدام را نداری؟»

———

«چرا داری دلمه درست می‌کنی؟»

———

«برای کی داری درست می‌کنی؟»

———

«خیلی احمقی.»
آخرین دلمه را گذاشتم توی دیگ و خیره شدم به گل‌نخودی‌های روی هره.

۳۲

پنجشنبه شب مهمان‌ها در زود آمدن باهم مسابقه گذاشتند.

دوقلوها و سوفی روی تاب حیاط نشسته بودند. هربار تاب بالا می‌رفت، سه نفری با جیغ و خنده دست دراز می‌کردند طرف درخت بید و سعی می‌کردند شاخه‌های نازک و سبز را بگیرند. بید کنار تاب و هر بید دیگری همیشه شعر *پاروانای* هوانِس تومانیان را یادم می‌آورد که بچگی بس که خوانده بودم کمابیش حفظ بودم. رو به پنجره و بید، خیار و گوجه‌فرنگی خرد کردم و بلندبلند قسمتی را که خیلی دوست داشتم خواندم:

سنج‌ها نواختند.

شاهزاده خانم زیبا و پادشاه سپیدمو نمایان شدند.

دختر چون هلال ظریف ماه، پدر چون ابری سنگین.

ابر و ماه سر بر شانه‌ی یکدیگر ——

با صدای نفس و خش‌خش لباس سر برگرداندم. دوقلوها و سوفی دم در آشپزخانه ایستاده بودند.

سوفی گفت «چه شعر قشنگی، خاله.»

آرمینه گفت «از اول بخوان.»

آرسینه گفت «بخوان.»

خندیدم. «از اول که حفظ نیستم.»

آرمینه گفت «خُب، پس قصه‌اش را تعریف کن.»

آرسینه گفت «تعریف کن.»

پوست‌های خیار را ریختم توی سطل زباله. «صد دفعه از روی کتاب برایتان خوانده‌ام.»

آرسینه گفت «خُب، برای سوفی تعریف کن.» آرمینه گفت «حتماً قصه‌اش را بلد نیست.» دوتایی از سوفی پرسیدند «بلدی؟» سوفی سر تکان داد که بلد نیست.

روغن زیتون و آب‌لیمو را گذاشتم روی میز، شروع کردم به درست کردن سُس سالاد و قصه را تعریف کردم: «بالای کوهی بلند پادشاهی زندگی می‌کرد که دختر زیبایی داشت. دختر که بزرگ شد و قرار شد عروسی کند، از چهار طرف دنیا شاهزاده‌های زیادی آمدند خواستگاری دختر. پادشاه سیبی طلایی داد به دختر و گفت هر کدام از شاهزاده‌ها را که به شوهری انتخاب کردی سیب را به طرفش بینداز.»

دخترها دور میز نشستند و دست زیر چانه منتظر بقیه‌ی قصه نگاهم کردند. برای اولین بار فکر کردم چه بامزه که دختر شوهر انتخاب می‌کند و نه برعکس. دستم را که از روغن زیتون چرب شده بود کشیدم به پیش‌بند. «شاهزاده‌ها گفتند هرچه دختر پادشاه بخواهد برایش می‌آورند. طلا و جواهر و حتی ستاره‌ها و ماهِ آسمان.»

سوفی گفت «خوش به حال دختر پادشاه. من اگر بودم ماه را می‌خواستم و همه‌ی جواهرها و همه‌ی شکلات‌های دنیا.» دوقلوها باهم گفتند «هیس.»

سُس سالاد را هم زدم. «دختر پادشاه گفت طلا و جواهر و ماه و ستاره‌ی آسمان به چه دردم می‌خورد؟ من از شریک زندگی‌ام فقط یک چیز می‌خواهم: آتش عشق حقیقی.»

دوقلوها به سوفی نگاه کردند که با دهان باز به من نگاه می‌کرد.

نمک و فلفل زدم به سُس. «خواستگارها تا کلمه‌ی آتش را شنیدند با این خیال که شاهزاده خانم آتش راست‌راستکی می‌خواهد منتظر شنیدن بقیه‌ی حرفش نشدند و تاخت‌زنان رفتند دنبال آتش و شاهزاده خانم منتظر ماند.»

زدم روی دست آرمینه که داشت از ظرف سالاد کاهو برمی‌داشت. «و شاهزاده خانم سال‌ها و سال‌ها منتظر ماند و منتظر ماند تا سرآخر از غم و غصه سرش را زیر انداخت و آن‌قدر گریه کرد که از اشک‌هایش برکه‌ای درست شد و قصر پادشاه رفت زیر آب.»

هر سه با سرهای کج نگاهم می‌کردند. ظرف سالاد را گذاشتم روی پیشخوان. «هر درخت بیدی که می‌بینید همان دختر پادشاه‌ست که هنوز که هنوز سر به زیر گریه می‌کند و شاهزاده‌ها همان شب‌پره‌ها که هنوز که هنوز شب‌ها دور چراغ‌ها می‌چرخند تا برای شاهزاده‌خانم آتش ببرند.»

گنجشکی به توری پنجره خورد، جیکی کرد و پرید.

آرمینه گفت «طفلک درخت بید.»

آرسینه گفت «طفلک شب‌پره‌ها.»

سوفی هنوز با دهان باز نگاهم می‌کرد.

۳۳

آلیس کنار یوپ نشسته بود. ریزریز می‌خندید و پلک‌ها را با مژه‌های ریمل زده تندتند باز می‌کرد و می‌بست. عین راپونزل وقت‌هایی که بچه‌ها کج و راستش می‌کردند. مادر از صندلی روبه‌رو، انگار مسابقه‌ی پینگ‌پنگ تماشا کند، نگاهش بین آلیس و یوپ در رفت و آمد بود. آرتوش و امیل شطرنج بازی می‌کردند. امیلی کنار پدرش نشسته بود. زانوها جفت هم و دست‌ها زیرچانه به فرش نگاه می‌کرد. آرمن با شلوار جدید بالای سر آرتوش ایستاده بود. آن طرف اتاق ویولت آلبوم عکس‌های عروسی من و آرتوش را ورق می‌زد. خودش با اصرار خواسته بود آلبوم را ببیند. گارنیک و نینا گاهی با آلیس و یوپ و گاهی با مادر و بیشتر دوتایی باهم حرف می‌زدند و هرچند دقیقه یک بار بهانه‌ای برای خندیدن پیدا می‌کردند.

ویولت پرسید «چرا یکی از عکس‌های عروسی را قاب نمی‌کنی بزنی به دیوار؟» داشتم دنبال جواب می‌گشتم که امیلی دو دستش را گذاشت روی گونه‌ها. «وای! گل کفشم نیست.»

همه به کفش‌های امیلی نگاه کردیم. یک لنگه از کفش‌های یشمی گل سفیدی داشت و لنگه‌ی دیگر نداشت.

آرمن جلو آمد. «حتماً افتاده همین‌جاها. بگردیم پیدا کنیم.»

امیلی به پدرش نگاه کرد و سر کج کرد.

امیل لبخند زد. «برو بگرد، شاید پیدا شد.»

امیلی یواش از جا بلند شد، دست کشید به دامنش که سیاه بود و تنگ و همراه آرمن از اتاق بیرون رفت. ویولت آلبوم به دست آمد نشست جای امیلی. آرتوش به امیل گفت «کیش! امشب اصلاً حواست نیست.» ویولت آلبوم را بست.

به بهانه‌ی آوردن نوشیدنی رفتم آشپزخانه. مطمئن بودم وقتی که امیلی آمد جفت کفش‌ها گل داشت. مطمئن بودم چون تا کفش‌ها را دیدم فکر کردم «عین کفش‌هایی که چند هفته پیش خریدم.» من کفش بچگانه خریده بودم یا دخترک کفش زنانه؟

بین آشپزخانه و اتاق‌نشیمن می‌رفتم و می‌آمدم. این مهمانی اجباری کی تمام می‌شد؟ با خودم گفتم همه که رفتند و ظرف‌ها را که شستم و جمع و جور که کردم توی راحتی سبز لم می‌دهم و قصه‌ی ساردو را می‌خوانم تا بفهمم بالاخره مرد قصه چه می‌کند؟ یاد صبح افتادم که رفته بودم دوباره از خانم سیمونیان دعوت کنم شب بیاید. این بار کسی مجبورم نکرده بود. خودم خواسته بودم.

در را که باز کرد فکر کردم مریض است. رنگش پریده بود و زیر چشم‌ها گود افتاده بود. لباس بلند و گشادِ سفید پوشیده بود. رفتیم به اتاق‌نشیمن و در جوابم که حالش را پرسیدم گفت «دیشب بد خوابیدم.» تا حرف مهمانی را پیش کشیدم چنان «نه»ی محکمی گفت که جرأت نکردم اصرار کنم. مهمانی زیاد مسأله‌ام نبود. می‌خواستم حرف بزند. از مرد چشم سبز، از امیل، از زن امیل. مثل فیلمی که برنامه آینده‌اش را دیده باشی و بخواهی همه‌اش را ببینی. اما همسایه‌ام انگار اصلاً حوصله‌ی حرف زدن نداشت. آن‌قدر ساکت به قالیچه‌ی کف اتاق خیره شد که ایستادم و خداحافظی کردم. اصرار نکرد بمانم. رفتارش سرد بود. انگار

نه انگار همان زنی است که چند شب پیش خصوصی‌ترین اتفاق‌های زندگی‌اش را برایم تعریف کرده.

غذاهایی را که برای شام پخته بودم گذاشتم روی اجاق گرم شوند. پلوخورش فسنجان، دلمه‌ی برگ مو و ایکرا، پیش‌غذایی که خودم خیلی دوست داشتم و با این فکر که شاید خانم سیمونیان بیاید، بیشتر از همیشه تندش کرده بودم. داشتم سبزی خوردن و ترشی از یخچال بیرون می‌آوردم که امیل گفت «به‌زحمت افتادی.»

برگشتم. کنار میز آشپزخانه ایستاده بود. گفتم «چه زحمتی؟» بعد از دهانم پرید «به تو که خوش می‌گذرد.» ورِ ایرادگیر سرم داد زد «افتضاح کردی.» فوری گفتم «یعنی به همه خوش می‌گذرد.»

ظرف ترشی و سبد سبزی را از دستم گرفت گذاشت توی سینی، کنار کاسه‌ی سالاد. «کلاریس. باید حرف بزنیم. کی فرصت داری؟» زنجیر گردنش افتاده بود روی پیراهن. قلبم تند می‌زد.

نینا سر رسید. «من چکار کنم؟ اینها را ببرم بچینم روی میز؟» با سر اشاره کردم که «آره.» صدایم در نمی‌آمد. نینا سینی به دست از آشپزخانه بیرون رفت.

امیل گفت «دوشنبه عصر؟» شروع کردم به کشیدن پلو و مثل برق از ذهنم گذشت که دوشنبه بچه‌ها دیر از مدرسه برمی‌گردند چون تمرین جشن آخر سال است و آرتوش از صبح می‌رود خرمشهر و شب برمی‌گردد و آلیس نوبت عصر و شب کار می‌کند و مادر مهمان است. سر تکان دادم که «آره.»

نینا از اتاق نشیمن امیل را صدا زد و امیل وقت بیرون رفتن سینه به سینه‌ی مادر شد و گفت «ببخشید.»

مادر جواب نداد. خودش را رساند کنار میز و بغل گوشم گفت «حالا

به هر جفتمان بگو خر. بیخودی نگران شده بودیم. نمی‌دانی چقدر از آلیس پذیرایی می‌کند. حتماً قسمت بوده. حالا ارمنی نیست که نیست. چرا نصف پلو را ریختی روی میز؟»

امیلی و آرمن تا سه بار صدا نکردم «بچه‌ها، شام» نیامدند سر میز. دوقلوها و سوفی خواستند روی تاب شام بخورند. تا آمدم بگویم نه سوفی دست انداخت دور کمرم. «خاله، اجازه بده پیش شاهزاده خانم شام بخوریم.» نینا گفت «چی؟ چه شاهزاده خانمی؟» سوفی گفت «درخت بید همان دختر پادشاه‌ست که ـــــ» نینا پرید وسط حرف سوفی و به من گفت «من برای بچه‌ها غذا می‌کشم. تو لطفاً بنشین.» گارنیک بَه‌بَه کنان پلو کشید و ویولت به امیل گفت «دلمه دوست داری؟»

به میز شام نگاه کردم که کم و کسری نداشته باشد و فکر کردم از کی به هم می‌گویند تو؟ رفتم درجه‌ی کولر را زیاد کردم. مادر به آلیس که داشت برای یوپ غذا می‌کشید گفت «گوشت خورش کم گذاشتی. پلو بیشتر بکش.»

برای من بشقاب نبود. وقت میز چیدن برای مهمان‌ها همیشه یادم می‌رفت خودم را بشمرم. راه افتادم طرف آشپزخانه و گفتم «شما شروع کنید، من آمدم.» کسی منتظر تعارفم نبود. همه مشغول خوردن بودند. غیر از امیل و ویولت که کنار هم نشسته بودند و حرف می‌زدند. چشمم افتاد به نینا که به آن دو اشاره کرد و چشمک زد. داشتم از اتاق بیرون می‌رفتم که دیدم امیلی با لب‌های به هم چسبیده زُل زده به ویولت. چشمک نینا را دیده بود؟

وسط آشپزخانه ایستادم. چرا قلبم تند می‌زد؟ چرا گرسنه نبودم؟ چرا نمی‌خواستم برگردم سرِ میز؟ چرا شب تمام نمی‌شد؟ شروع کردم به شستن بشقاب‌های آجیل و لیوان‌های نوشیدنی. امیل چه حرفی با من

داشت؟ الان با ویولت از چی حرف می‌زد؟ چراکلافه بودم؟ کولرها چرا
خنک نمی‌کردند؟ صدای فریاد را که شنیدم، از آشپزخانه بیرون دویدم.

ویولت ایستاده بود و به لباس سفیدش نگاه می‌کرد. روی دامن لک
بزرگ سبز رنگی بود. امیلی با دو دست دهانش را پوشانده بود و پشت
هم می‌گفت «ببخشید، از دستم افتاد، ببخشید.» کاسه‌ی ترشی دمر شده
بود روی زمین.

مادر گفت «زود روی لک نمک بپاشید.» و نمکدان را داد دست
آرتوش که بدهد به نینا که کلینکس می‌کشید به لباس ویولت. گارنیک
گفت «مهم نیست، بابا. لک ترشی آب بزنی رفته.» آلیس گفت «قضابلا
بود.» یوپ گفت «گازا چی؟» و آلیس شروع کرد به توضیح دادن. امیل به
امیلی گفت «تو که ترشی دوست نداری، چرا کاسه را برداشتی؟» سرزنش
نمی‌کرد، فقط داشت می‌پرسید. امیلی بغض کرده بود. نینا گفت «دستش
خورد. از قصد که نکرد.» به امیلی نگاه کردم. دستش خورد و از قصد
نکرد؟

با ویولت رفتم دستشویی و دستمال تمیزی آوردم لک را پاک کند.
دستمال را از دستم قاپید، تند و تند کشید به لباس و زیر لب غرید «بچه‌ی
احمق. گند زد به لباس نازنینم. از لندن سوغات آورده بودند. چقدر
دوستش داشتم.» بعد دستمال را پرت کرد زمین، توی آینه‌ی دستشویی
موهایش را مرتب کرد و انگار نه انگار من آنجا باشم، با غیظ گفت
«دختره‌ی بدجنس. صبر کن. درسی بگیری که حظ کنی.»

برگشتیم سر میز. امیل از جا بلند شد و تا ویولت ننشست، ننشست.
بعد به امیلی که کنارش ایستاده بود گفت «معذرت بخواه.» امیلی با صدای
بلند گفت «خیلی ببخشید که لباس قشنگتان را لک کردم.»

ویولت لبخند زد و دست گذاشت روی گونه‌ی امیلی. «اصلاً مهم

نیست، عزیزم. راستش، خیلی هم از این لباس خوشم نمی‌آمد.» امیلی خودش را عقب کشید و از اتاق بیرون رفت. ویولت به من نگاه کرد و لبخند زد. «چه دستپخت محشری.» به بشقاب امیل نگاه کردم. سالاد کشیده بود و کمی ایکرا. خم شدم دیس دلمه را بردارم تعارفش کنم که سوفی و دوقلوها جیغ و دادکنان دویدند تو.

آرمینه داد زد «یک قورباغه قد لاک‌پشت پرید روی تاب.»

آرسینه گفت «یک قورباغه قد لاک‌پشت.»

سوفی رو به من گفت «به شب‌پره‌ها حسودیش شد، خاله.» و از خنده ریسه رفت.

نینا گفت «چی؟» سوفی شروع کرد به تعریف کردن قصه‌ی *پاروانا*. نینا بشقاب غذا را از دست سوفی گرفت و گفت «خُب، خُب. بدو برو. حالا وقت قصه نیست.» سوفی گفت «تو که هیچ‌وقت قصه تعریف نمی‌کنی. خاله کلاریس تعریف کرد. خیلی هم قصه‌ی قشنگی بود.» موهای سوفی را از پیشانی پس زدم و با دوقلوها فرستادمش بیرون. «ببینید قورباغه و شاهزاده خانم چکار می‌کنند.»

گارنیک گفت «ماجرای پِگوف و شَمخال را شنیدید؟»

نینا گفت «کی؟ چمخال؟»

گارنیک گفت «چمخال نه، شمخال. رییس روابط عمومی شرکت.»

نینا گفت «آهان، پس چمخال.» غش‌غش خندید و رو کرد به من. «ایکرا عالی شده.»

مادر گفت « زیادی تُند شده. بادمجانش هم بیشتر کبابی می‌شد بهتر بود.»

گارنیک به آرتوش گفت «تو خبر داشتی شمخال ولیعهد داغستان بوده؟»

آرتوش دلمه برداشت. «چیزهایی شنیده بودم.» به بشقاب امیل نگاه کردم. هنوز دلمه برنداشته بود.

گارنیک بشقابش را گرفت طرف نینا. «خورش می‌کشی؟ از فسنجان کلاریس هر چی بخوری کم خوردی. فکرش را بکنید. پسر شاه سابق داغستان حالا شده مهماندار سفیر شوروی.»

نینا گفت «داغستان اصلاً کجا هست؟ خانم وسکانیان، برایتان پپسی بریزم یا کانادا؟»

یوپ سرفه‌ای کرد و گفت «اجازه هست بنده تعریف کنم؟» و شرح مفصلی داد درباره‌ی داغستان یا به قول خودش داگستان که در همسایگی دریای خزر و گرجستان است و کشوری است کوهستانی و اسمش به همین دلیل داغستان است چون داغ به ترکی یعنی کوه و تا قبل از انقلابِ روسیه پادشاه داشته و بعد از سر کار آمدن کمونیست‌ها جزو جمهوری‌های شوروی شده و پادشاه به اروپا فرار کرده و حالا پسر همان پادشاه رییس روابط عمومی شرکت نفت شده در آبادان.

چند لحظه همه بی‌حرکت و ساکت به یوپ خیره شدیم تا آلیس شروع کرد به دست زدن و گفت «براوو! چه اطلاعات کاملی.» یوپ سرخ شد. «به تاریخ و جغرافی بسیار علاقه‌مند هستم.» گارنیک چرخید طرف من و نینا و یواش گفت «غلط نکنم باید جاسوسی چیزی باشد.» و پقی خندید. نینا تشر زد. «باز شوخیِ لوس کردی؟»

گارنیک بلند گفت «خلاصه ــــ از قرار وقت بازدید پِگوف از پالایشگاه، شمخال با عده‌ای از رییس رؤسا می‌روند استقبال. ولیعهد سابق و سفیر شوروی اول خوب همدیگر را برانداز می‌کنند.» پاشد ایستاد و قاشق چنگال به دست ادای چپ‌چپ نگاه کردن در آورد. «دوروبری‌ها می‌ترسند مبادا دعوا راه بیفتد.» با قاشق چنگال ادای

شمشیربازی در آورد. «بعد که کمونیست دو آتشه و رویالیست دماغ سوخته دست می‌دهند و به روسی لابد چاق‌سلامتی می‌کنند، همه نفس راحت می‌کشند.» نینا گفت «آهای بِپا! قاشق رفت توی چشمم آقای برت لنکستر.» و بشقاب پلوخورش را گرفت طرف گارنیک. گارنیک نشست و خنده‌اش که تمام شد گفت «چند بار شمخال را دیدم. چه مرد شوخ و خوش‌اخلاقی. خیلی هم باسواد. پنج شش زبان حرف می‌زند. بَه‌بَه از این فسنجان.» سالاد کشید و گفت «عجب دنیایی شده. پاک‌کن برداشته‌اند و کشورها را از روی نقشه پاک می‌کنند.»

آرتوش گفت «وقتش نشده فلانستان و بهمانستان را پاک کنیم و بنویسیم برابری؟»

گارنیک دست دراز کرد طرف سبد سبزی خوردن. «و همه روسی حرف بزنیم و ماکسیم گورکی بخوانیم.»

نینا و من باهم گفتیم «شروع نکنید.» و چند لحظه همه ساکت شدند. فقط آلیس و مادر بودند که برای یوپ طرز درست کردن فسنجان را توضیح می‌دادند. امیل چیزی دم گوش ویولت گفت و دوتایی ریزریز خندیدند. نینا به گارنیک گفت «پس که چمخال، ها؟» گارنیک نیشگونی از لپ نینا گرفت و گفت «بامزه.»

یوپ برای آلیس چیزی تعریف می‌کرد و امیل و ویولت باز پچ‌پچ می‌کردند. تا فکر کنم از چی حرف می‌زنند، آلیس گفت «گوش کنید.» بعد به یوپ گفت «بگو، بگو.» یوپ سرخ شد و سر تکان داد. آلیس رو کرد به ما. «گوش کنید. کی می‌داند بِریم و بوارده یعنی چی؟» بعد چرخید طرف یوپ. «تو اینها را از کجا بلد شدی؟» یوپ باز سرخ شد و آلیس رو به ما گفت «ها؟ کسی نمی‌داند؟ بِرِیم اسم یک جور خرماست. قبل از این که انگلیسی‌ها زمین‌های آبادان را بخرند، تمام محله‌ی بِرِیم نخلستان این

جور خرما بوده.» گارنیک گفت «بَه‌بَه از این دلمه. خرما هم البته خیلی خوشمزه‌ست.» جزو معدود دفعاتی بود که آرتوش بادقت به حرف‌های خواهرم گوش می‌کرد. آلیس قاشق چنگال را گذاشت توی بشقاب و بالاتنه را جلو داد. «حالا بقیه‌اش را گوش کنید. اگر گفتید اسم بوارده از کجا آمده؟ نمی‌دانید؟ تمام این زمین‌ها مال مرد عربی بوده که دختر خیلی خیلی خوشگلی داشته به اسم وَرْده. وَرْده به عربی یعنی گل.» چرخید طرف یوپ. «درست گفتم؟» یوپ سر تکان داد و آلیس ادامه داد «مرد عرب را صدا می‌کردند "بو ورده" یعنی "پدر ورده". انگلیسی‌ها که زمین‌ها را می‌خرند، اسم صاحب زمین را می‌گذارند روی محله. کم‌کم بوورده می‌شود بوارده.» سرش را به راست کج کرد، «بوارده‌ی شمالی.» سرش را به چپ کج کرد، «بوارده‌ی جنوبی.»

آرتوش گفت «چه جالب.» گارنیک زیر لب گفت «گفتم جاسوسی چیزی ـــ» و با سقلمه‌ی نینا ساکت شد. آلیس به یوپ نگاه کرد. «چه اطلاعاتی. زنده باد!» و یوپ باز سرخ شد و خندید. مادر سبد سبزی را به همه تعارف کرد. فکر کردم اگر قصه‌ی یوپ واقعیت داشته باشد، پدر "ورده" جزو معدود مردهای عرب است که به‌جای پسر به اسم دخترش معروف شده. یوپ و آرتوش باهم حرف می‌زدند. یوپ گفت «افسانه شاید هست، البته.» آرتوش گفت «واقعیت یا افسانه، جالب بود.»

میز شام را جمع می‌کردم و فکر می‌کردم هیچ‌کس متوجه شام نخوردنم نشد که امیل گفت «دلمه فوق‌العاده بود. هرچند که خودت لب به غذا نزدی.» و شروع کرد به کمک کردن. مادر سر رسید. «شما بفرمایید، جمع کردن میز کار مردها نیست.» امیل رفت طرف نینا که داشت صدایش می‌کرد و مادر زیر لب غُر زد «آی از مردهای خاله خانباجی متنفرم. شنیدی سر شام یوپ به آلیس چی گفت؟ گفت ـــ»

بشقاب‌های کثیف را دسته کردم و برداشتم. راه افتادم طرف آشپزخانه و توی دلم گفتم «نشنیدم و نمی‌خواهم هم بشنوم. ولم کنید.»

وقت رفتن نینا دم گوشم گفت «گمانم جور شد.» ویولت فقط گفت «مرسی.» و مادر گفت «یادت باشد فسنجان را خالی کنی توی ظرف چینی.» خداحافظی و تشکر یوپ پنج دقیقه طول کشید. در خانه را پشت سر همه بستم.

ظرف‌ها را می‌شستم که آرتوش به آشپزخانه آمد، تکیه داد به ظرفشویی و گفت «دخترها قصه می‌خواهند.» و خندید. از اول شب مدام می‌خندید. گفتم «حوصله‌ی قصه گفتن ندارم.» نگاهم کرد. «چرا؟» نگاهش نکردم. «خسته‌ام.» شروع کرد به ور رفتن با ریش بزی. سر چرخاندم و چند لحظه نگاهش کردم. بعدگفتم «چرا ریشت را نمی‌زنی؟»

۳۴

در خانه‌ی خیلی بزرگی بودم، با راهروها و اتاق‌های تودرتو. آدم‌های زیادی می‌آمدند و می‌رفتند که هیچ‌کدام را نمی‌شناختم. دست دوقلوها راگرفته بودم و می‌خواستم از خانه بیرون بروم و راه خروج را پیدا نمی‌کردم. کشیش قدبلندی جلو آمد و گفت تا جواب معما را پیدا نکنم اجازه‌ی خروج ندارم. بعد دست دوقلوها راگرفت وکشید و با خودش برد. دنبال کشیش و دوقلوها دویدم.
در حیاط خیلی بزرگی بودم، دورتادور اتاق. وسط حیاط حوض گرد بی‌آبی بود. گریه می‌کردم و دوقلوها را صدا می‌کردم که زن جوانی بچه به بغل از در حیاط تو آمد. دامن بلند قرمزی پوشیده بود که به زمین می‌کشید. دوقلوها را صدا می‌کردم وگریه می‌کردم و زن دامن قرمز می‌خندید و دور حوض می‌رقصید و بچه را بالا پایین می‌انداخت.

از خواب پریدم. قلبم تند می‌زد و خیس عرق بودم. آرتوش خواب بود. ملافه را پس زدم. ژاکت نازکی روی لباس خواب پوشیدم، دمپایی پا کردم و رفتم حیاط. هواگرگ و میش بود. بوی گل شبدر می‌آمد و بوته‌ی گل سرخ غنچه‌های تازه داده بود.

راه‌باریکه را تا در فلزی چند بار رفتم و آمدم و به خوابی که دیده بودم فکر کردم.

نشستم روی تاب که از شرجی و رطوبت خیس بود. شاخه‌های بید به

پشتی تاب نمی‌رسید. خانه‌ی توی خواب آشنا نبود. کشیش را نمی‌شناختم و معما یادم نمانده بود. فقط حیاط و حوض گِرد را در بیداری دیده بودم. خیسی تاب اذیتم می‌کرد.

بلند شدم راه افتادم طرف حیاط پشتی. نزدیک شیر آب دوقلوها چاله کنده بودند. یکی از بازی‌هایشان این بود که چاله را پر از آب بکنند، توی چاله سنگ و علف و خاک بریزند، با تکه چوبی هم بزنند و بگویند «آش درست می‌کنیم.»

مادر گفته بود «از اصفهان تا نَماگَرد دو ساعت بیشتر راه نیست.» ولی در ده یازده سالگی راه به نظرم طولانی‌تر آمده بود.

آلیس تمام راه غر زده بود. «پس کی می‌رسیم؟»

مادر گفته بود «می‌رویم نَماگَرد روغن بخریم.» پدر عاشق غذاهایی بود که مادر با روغن حیوانی می‌پخت.

دست در دست پدر از کوچه‌های باریک ده می‌گذشتم و به بچه‌های لاغر و کثیف نگاه می‌کردم که چسبیده به دیوارهای کاهگلی یا از پشت پنجره‌های کج و کوله زُل زده بودند به مسافرهای شهری.

آلیس یکبند غر می‌زد. «خفه شدم از گرد و خاک.» ولی حواس من به گرما و گرد و خاک نبود. به زن‌های ده نگاه می‌کردم که لباس‌های محلی به تن داشتند و جوان‌ترها با دنباله‌ی روسری‌های رنگارنگ دهان‌ها را پوشانده بودند. از مادر که پرسیدم چرا، بی‌حوصله از گرما و خاکی که بادگرم مدام به سر و صورتمان می‌زد گفت دخترهای جوان نباید جلو پدر و مادر یا پدرشوهر و مادرشوهر حرف بزنند. روسری‌های زرد و قرمز و سبز تنها رنگ‌هایی بود که توی ده می‌دیدم. بقیه هرچه بود رنگ خاک بود.

وارد حیاطی شدیم. آلیس دست مادر را می‌کشید که «برگردیم.» وسط

حیاط حوض گرد بی‌آبی بود و دورتادور اتاق‌هایی با درهای چوبی و کتیبه‌های شیشه‌یی خاک‌گرفته. گوشه‌ی حیاط چند زن جوان دور تنوری نشسته بودند و نان می‌پختند. زن پیری مدام از کارشان ایراد می‌گرفت و غُر می‌زد. پدر با مرد صاحبخانه حرف می‌زد که چشم‌های وغ‌زده داشت و خیلی چاق‌تر از پدر بود. آلیس یکبند نق می‌زد. ساکت به دوروبر نگاه می‌کردم و حس می‌کردم الان است بزنم زیر گریه.

از در باز خانه زن جوانی تو آمد. قدبلند و خیلی لاغر. پابرهنه بود و موهای بلند و آشفته‌اش پُر بود از علف خشک. سگی لاغر و گَر همراهش بود. زن تا ما را دید زد زیر خنده. آلیس ساکت شد و دوتایی خیره شدیم به زن که حالا آواز می‌خواند و دور حوض بی‌آب می‌رقصید. سگ نشسته بود دم در حیاط و زوزه می‌کشید. چند دقیقه فقط صدای آواز زن بود و هوی باد و زوزه‌های سگ. بعد مرد صاحبخانه خم شد تکه چوبی از زمین برداشت، رو به زن تکان داد و فریاد زد «برو. برو بیرون. حیا کن.» زن‌های جوان زیر دهان‌بندها خندیدند و زن پیر به ما گفت «نترسید. دیوانه‌ست، اما بی‌آزار.» بعد سنگ‌ریزه‌ای از بغل تنور برداشت، پرت کرد طرف زن دیوانه و فریاد زد «حیا کن.» زن صورت را با دو دست پوشاند و زد زیر گریه، بعد دوباره زد زیر آواز و رقص‌کنان همراه سگ از در حیاط بیرون رفت.

وقت برگشتن به اصفهان، مادر تعریف کرد که اهالی جلفا دیوانه‌ها را می‌برند نَماگَرد. خانواده‌هایی هستند که ماهانه پولی می‌گیرند و از دیوانه نگهداری می‌کنند. تا اصفهان یکبند گریه کردم و آلیس چند بار پرسید «گرد و خاک که تمام شد، هوا هم که خنک شده، پس چرا گریه می‌کنی؟»

چند بار درخت کُنار و کَرت سبزی‌خوردن را دور زدم. خم شدم

علف‌های هرز را از لای سبزی‌ها کندم. زیر درخت کُنار سه چهار تا کُنار
خشکیده افتاده بود. رنگشان به سیاهی می‌زد. کُنارهای خشک و سیاه را
برداشتم. بعد نشستم روی زمین، تکیه دادم به درخت و کُنارها را دست
به دست کردم.

سر بلند کردم و به شاخه‌های کُنار نگاه کردم. یوما گفته بود یا جایی
خوانده بودم که درخت کُنار همان درخت سِدر است که از برگش سِدرِ
سرشوی درست می‌کنند؟ فکر کردم چند تا درخت داریم که اسم
میوه‌اش با اسم درخت یکی نیست؟ سدر، میوه‌اش کُنار و نخل، میوه‌اش
خرماست. درخت دیگری که هم‌اسم میوه‌اش نباشد یادم نیامد. فکر
کردم چه جالب که هردو درخت را در آبادان داریم. از جا بلند شدم.
کُنارهای خشک و سیاه را انداختم لای سبزی‌ها و برگشتم به اتاق خواب.
بی سر و صدا لباس پوشیدم. روی میز تلفن یادداشتی گذاشتم و از خانه
بیرون آمدم.

۳۵

کلیسا تاریک بود و بوی کُندر می‌داد.

پولی دادم به زن سرایدار که در را باز کرده بود و حالا داشت از مریضی بچه‌اش می‌گفت. گفتم لازم نیست چراغ‌ها را روشن کند و کُندر هم لازم ندارم و در کلیسا را پشت سرش بستم.

از روی میز نزدیک در روسری برداشتم و سر کردم. صلیب کشیدم. از روی قالی عنابی گذشتم و رفتم تا محراب. روی یکی از دو نیمکت ردیف جلو نشستم و نمی‌دانم چه مدت خیره شدم به تصویر کودکی مسیح در آغوش مادر، تا از پنجره‌ی کنار محراب و از پشت شیشه‌های رنگی، نور صبح تابید و کلیسا کمی روشن شد.

به شمعدان‌های محراب نگاه کردم و به گلدان‌های بزرگ نقره با گل‌های پلاستیکی. به جام شراب مقدس و به حمایل زردوزی کشیش کنار جام. همه‌ی اینها را بارها دیده بودم و با این حال انگار بار اول بود می‌دیدم.

نقاشی مسیح شبیه بچگی‌های آرمن بود. یاد حرف نینا افتادم. «هربار این نقاشی را می‌بینم یاد بچگی‌های تیگران می‌افتم.» فکر کردم مسیح شبیه بچگی دوقلوها هم هست. فکر کردم شاید مسیح شبیه بچگی همه‌ی بچه‌هاست.

نفس بلندی کشیدم. زانو زدم. صلیب کشیدم، چشم‌ها را بستم وخواندم: *«ای پدر ما که در آسمانی. نام تو مقدس باد.»* اولین بار کی این دعا

را خوانده بودم؟ «*ملکوت تو بیاید. اراده‌ی تو چنان که در آسمان است بر زمین نیز کرده شود.*» آخرین بار کی؟ «*نان کفاف ما را امروز به ما بده. و قرض‌های ما را ببخش چنان که ما نیز قرض‌داران خود را می‌بخشیم.*» انگار بار اول بود می‌خواندم. «*و ما را در آزمایش میاور بلکه از شریر ما را رهایی ده.*» دعا را تمام کردم. «*زیرا ملکوت و قوت و جلال تا ابدالاباد از آن توست.*» چشم باز کردم. «*آمین.*» صلیب کشیدم و دوباره خیره شدم به تصویر مسیح و مریم. مریم شالی آبی به دوش داشت و مسیح پیچیده در پارچه‌ای زرد در آغوش مادر بود.

پاهایم خواب رفته بود. از جا بلند شدم و رفتم طرف میز شمع‌ها. پول ریختم توی صندوق کوچک چوبی و مثل همیشه هفت شمع برداشتم. شش تا برای بچه‌ها و آرتوش و آلیس و مادر و شمع هفتم برای پدر. شمع هفتم را روشن کردم و زیر لب گفتم «کمکم کن.»

کلیسا را دور زدم. نزدیک جای گروه کُر، بغل اُرگ قدیمی، روی دیوار لوح‌های کوچکی بود که مردم به خاطر بازیافتن سلامتی یا برآورده شدن نیت به کلیسا هدیه کرده بودند. این همه سال، این همه بار به این کلیسا آمده بودم و هیچ‌وقت این لوح‌ها را بادقت نخوانده بودم. بیشتر به ارمنی بود، چندتایی انگلیسی و سنگ کوچک مرمری که رویش به فارسی نوشته شده بود:

مریم عذرا، مادر داغدار
به زخم‌های فرزندت سوگندت دادم و
فرزندم را بازگرداندی

دست کشیدم به سنگ کوچک و فکر کردم «طفلک زن.» به در کلیسا که رسیدم از خودم پرسیدم «از کجا معلوم مادر بچه‌ی مریض لوح را هدیه کرده و نه پدر؟» برگشتم طرف محراب، صلیب کشیدم و آمدم بیرون.

رفتم طرف خانه. گرمای هوا دلچسب بود. چند وقت بود از گرما لذت نبرده بودم؟ نرسیده به سینما تاج، سر گرداندم به راست. تهِ کوچه‌ی بن بست، درِ بزرگِ آبی مثل همیشه بسته بود و دم در مثل همیشه پاسبانی ایستاده بود. شنیده بودم پشت در آبی محله‌ای است شبیه بازار کویتی‌ها با قهوه‌خانه و مغازه و دکان و خانه. زن‌های پشتِ درِ آبی شاید سال به سال پا از این محله بیرون نمی‌گذاشتند. همیشه دلم می‌خواست پشتِ درِ آبی را ببینم و می‌دانستم محال است.

مرد عربی پنج شش بز انداخته بود جلو و توی پیاده‌رو می‌رفت. مرد عرب دیگری سوار دوچرخه همراهش می‌آمد و باهم حرف می‌زدند. دوچرخه‌سوار سعی می‌کرد پا به پای هم‌صحبتش آرام براند و چرخ جلو مدام چپ و راست می‌شد. بوی گاز پالایشگاه می‌آمد و توی آسمان یک تکه ابر هم نبود.

خیابان را با نخل‌های تک و توک و علف‌های هرز که گُله به گُله روییده بودند رفتم تا رسیدم به سینما تاج. این همه سال آبادان بودم و هربار از تفاوت قسمت شرکت نفت با باقی شهر تعجب می‌کردم. انگار از بیابانی بی آب و علف ناگهان پا می‌گذاشتیم توی باغی سبز.

دو طرف خیابان‌های پهن، خانه‌های یک‌شکل با شمشادهای یکدست، شبیه بچه‌هایی بودند که تازه از سلمانی برگشته‌اند. سر صف منتظر ناظم ایستاده‌اند که بیاید بگوید «بَه‌بَه، چه بچه‌های مرتب و تمیزی.»

پیچیدم توی خیابانمان. فقط صدای جیرجیرک‌ها و قور گاه‌به‌گاه قورباغه‌ها می‌آمد. دوروبر را نگاه کردم و فکر کردم این شهر گرم و ساکت و سبز را دوست دارم. در فلزی حیاط را باز کردم و رفتم تو.

آرتوش با بچه‌ها توی آشپزخانه بودند. دوقلوها نگران و مضطرب

نگاهم کردند و لبخندم را که دیدند پریدند بغلم. آرمن جلو آمد و گونه‌اش را که بوسیدم، خودش را عقب نکشید. آرتوش گفت «قهوه درست کنم؟»

تصمیم بچه‌ها بود که برای ناهار باشگاه نرویم. آرمینه گفت «باید درس بخوانیم.» آرسینه گفت «چیزی به امتحان‌ها نمانده.» غذاهای شب قبل را گرم کردم.

آرتوش دلمه با چلو سفید خورد و گفت «به گوش مادرت نرسد، دلمه با چلو سفید خوشمزه‌ست.» بارها به مادرم که می‌گفت ارمنی‌های جلفا دلمه را با چلو سفید می‌خورند خندیده بود. از سر میز که بلند می‌شد گفت «غذاهای دیشبت محشر بود. بخصوص دلمه حرف نداشت.»

۳۶

آشخِن گنجه‌های اتاق‌خواب را گردگیری می‌کرد و یکبند حرف می‌زد.

«کلاریس خانم جان، قربانِ قدت، بدت نیاد ولی نمی‌خوام خانه‌ی خانم سیمونیان کار کنم. اولاً که جدکرده حتماً جمعه بیا. جمعه مهمان دارم، حمام کردن شوهر دارم، هزار بدبختی دارم. بعدش از هر کارم عیب می‌گیره. "چرا این‌جوری شستی؟ چرا اون‌جوری اتو کردی؟" بعدش مدام با پسر و نوه‌اش دعوا داره. پسرش یه پارچه آقاس. لام تا کام حرف نمی‌زنه. اما نوه‌اش ـــــ ووی، ووی، ووی که چه مارمولکی. زبون قدِ خیار چنبر. فحش می‌ده و چیز پرت می‌کنه و با قیچی می‌افته به جون هرچی دم دستش باشه و ـــــ» کهنه‌ی گردگیری را گذاشت زمین. «شنیدم پای تلفن به یکی می‌گفت "دوستم داری باید بزنی توی گوش آقای وازگن." می‌شناسی که کلاریس خانم جان؟ مدیرِ ـــــ»

به آشخِن که گردگیری فراموشش شده بود گفتم آقای وازگن را می‌شناسم و بعد از گردگیری گنجه‌ها برود تشکچه‌های راحتی‌های نشیمن را بتکاند.

از اتاق‌خواب بیرون آمدم و با خودم گفتم «دخترک پای تلفن با کی بوده؟ آرمن؟ مبادا آرمن بزند توی گوش ـــــ» رفتم طرف تلفن که زنگ می‌زد. باید با آرمن حرف می‌زدم. گوشی را برداشتم.

صدایش مثل همیشه آرام بود. «می‌خواستم تشکر کنم بابت مهمانی پنجشنبه شب. خیلی زحمت دادیم. در ضمن دیشب کتابی پیدا کردم، فکر کردم شاید دوست داشته باشی. گذاشتم دوشنبه بیاورم. قرار دوشنبه که یادت نرفته؟»

یک ورِ ذهن فریاد زد «بگو دوشنبه کار دارم. بگو وقت ندارم. بگو گرفتارم. بگو ـــ» با عجله جواب دادم که هیچ زحمتی نبود و ممنون از کتاب و قرار یادم نرفته. گوشی را گذاشتم. دو ورِ ذهنم افتادند به جان هم.

تکیه دادم به میز تلفن و سعی کردم به چیز دیگری فکر کنم. به چه بهانه‌ای با آرمن حرف بزنم؟ آشخِن باز برای چی دارد صدا می‌کند؟ ساعت چهار و ربع شد، بچه‌ها کجا ماندند؟

تا سر بلند کردم، از این طرف پشت‌دری هرسه را دیدم که رسیده بودند وسط راه‌باریکه. دوقلوها لی‌لی می‌کردند و آرمن پشت سر دخترها دست‌ها توی جیب می‌آمد. آشخِن باز صدا زد «کلاریس خانم جان.» در را باز کردم.

آرمینه گفت «**هلو!** یک بیست و دو نوزده.»

آرسینه گفت «**هلو!** دو نوزده و یک بیست.»

بارها شک کرده بودم نکند دوقلوها مخصوصاً اشتباه‌های مشابه می‌کنند که نمره‌هایشان مثل هم بشود. ولی چطور؟ با معلم‌ها قرار گذاشته بودم سر کلاس روی نیمکت‌های جدا و دور از هم بنشینند.

آرمن در خانه را بست و منتظر شد تا بالا پایین پریدن دوقلوها تمام شود. منتظر چی بود؟ چطور طبق معمول این روزها فوری نرفت توی اتاقش در را ببندد؟ نگاهش که کردم گفت «تلفن می‌کنی به میس جودی؟ یکی دو هفته کلاس پیانو را تعطیل کنیم تا تمام شدن امتحان‌ها.» دوقلوها در تأیید حرف برادرشان سرتکان دادند. هنوز از تعجب علاقه‌ی ناگهانی

به درس و امتحان بیرون نیامده بودم که تعجبم را بیشتر کرد. «تاریخ می‌پرسی؟ فردا امتحان قوه دارم.»

آشخِن به راهرو آمد. «کلاریس خانم جان.» به دوقلوها سقلمه زدم سلام کنند. آشخِن صدایش را زیر کرد و قربان صدقه رفت. «سلام به گل، سلام به سنبل. قند و عسل، شیر و شکر. نه! حتماً کار شما نیست.» آرمینه و آرسینه باهم گفتند «چی کار ما نیست؟» آشخِن گره روسری سفید را پشت گردن محکم کرد و به اتاق نشیمن اشاره کرد. «راحتی توی نشیمن.»

دسته جمعی رفتیم به اتاق نشیمن. تشکچه‌های راحتی‌ها روی زمین دسته شده بود. آشخِن یکی از راحتی‌های تک‌نفره را نشان داد. رفتیم جلو. وسط قسمتی که تشکچه می‌آمد رویش و دیده نمی‌شد سوراخی بود. انگار کسی با کارد یا چیز نُک تیزی پاره‌اش کرده باشد. به آرمن نگاه کردم که هاج و واج نگاهم کرد و گفت «به خداـــ» و از اتاق بیرون دوید. دوقلوها از من به آشخِن و از آشخِن به من نگاه کردند.

«آرمن نکرده.»

«به خدا آرمن نکرده.»

هنوز نپرسیده بودم پس کی کرده که گفتند «نمی‌دانیم کی کرده ولی ـــ» «ـــ ولی آرمن نکرده.»

آشخِن دست‌ها روی شکم چاقش سر تکان داد. «ووی، ووی، ووی ـــ»

به دوقلوها گفتم عصرانه روی میز آشپزخانه است و به آشخِن گفتم فعلاً پارگی را با تشکچه بپوشاند.

پول آشخِن را دادم و آشخِن گره روسری را زیر چانه محکم کرد. گره

روسری وقتی پشت گردن بود یعنی می‌خواهد شروع کند به کار یا دارد کار می‌کند و زیر چانه که می‌بست یعنی کارش تمام شده. زیپ کیف پول را کشید و بسته‌های لباس و غذا را که داده بودم ببرد زد زیر بغل و تشکرکرد. در را پشت سرش بستم و از این طرف پشت‌دری چند لحظه نگاهش کردم. کیسه و بسته به دست هن‌وهن کنان راه‌باریکه را رفت تا در فلزی. با خودم گفتم «زن بیچاره. از زندگی چی دیده غیر از زحمت کشیدن.» پیشبندم را باز کردم انداختم توی سبد رخت چرک. تمام روز پا به پای آشخِن کار کرده بودم و پیشبند کثیف شده بود.

رفتم اتاق آرمن، با این تصمیم که درباره‌ی پارگی راحتی یک کلمه هم حرف نمی‌زنم. حرف‌های مهم‌تری داشتم بزنم. کتاب تاریخ را که داد دستم پرسیدم «راستی، از آقای وازگن چه خبر؟» نشست روی تخت. «بد نیست. چطور؟» کتاب را باز کردم. «همین جوری.» پاشد کیف مدرسه را باز کرد و دنبال چیزی گشت. «اتفاقاً امروز که رفتم دفتر، آقای وازگن هم بود.» کتاب تاریخ را بستم. «برای چی رفته بودی دفتر؟» معمولاً آرمن را دفتر مدرسه نمی‌خواستند مگر برای توبیخ بابت شیطنت و خرابکاری. فکر کردم نکند واقعاً زده توی گوش مدیر. کاغذ چارگوشی داد دستم. «برای این.» دلم هُری ریخت پایین. حتماً خواسته‌اند بروم مدرسه. حتماً باز تنبیه شده. حتماً ـــ کاغذ را خواندم: «تقدیر از آرمن آیوازیان بابت کوشش و جدیت در درس ریاضی.» از جا پریدم و بغلش کردم و بوسیدم. زد زیر خنده و گفت «خفه‌ام کردی.»

هیجانم که تمام شد گفتم «راستش این روزها خیلی نگرانت بودم.» داشتم فکر می‌کردم چطور حرف امیلی را پیش بکشم که گفت «می‌دانم چرا نگران بودی. ولی نباش. هیچ‌وقت نگرانم نباش. پسرت احمق نیست. حالا تاریخ بپرس.» و خم شد کتاب تاریخ را از زمین

برداشت داد دستم. چرا یادم رفته بود پسرم استاد غافلگیر کردن است؟

تا دوشنبه خواندن دست‌نویس وازگن را تمام کردم. برای آرتوش ماش‌پلو پختم و خورش بادمجان که دوست داشت. برای بچه‌ها کیک بادامی درست کردم. به آرمن غُر نزدم چرا اتاقش مرتب نیست و دوقلوها را بردم فیلم *تام بندانگشتی*. آرمن گفت «مال بچه‌هاست.» و با ما نیامد. شب بعد تا گفت «سینمای باشگاه نفت فیلم تارزان آورده،» گفتم «به شرطی که فردا صبح سرِ بیدار شدن غُر نزنید می‌برمتان.» دوقلوها از این که حاضر شده‌ام دو شب پشت سر هم ببرمشان سینما هم متعجب شدند هم خوشحال و تا آرتوش نِق زد که «حوصله‌ی رانندگی ندارم،» دوقلوها گفتند «تاکسی می‌گیریم.» قیافه‌ی هر چهار نفرشان دیدنی بود وقتی که گفتم «تا باشگاه نفت راهی نیست، خیابان‌ها هم این موقع عصر خلوت‌اند پس ـــ آرمن رانندگی می‌کند.»

در سینمای روباز باشگاه نفت، همراه بچه‌ها از قهرمان‌بازی‌های تارزان ذوق کردم و به شیرین‌کاری‌های چیتا خندیدم. در هوای هنوز گرم شب، از یک طرف بوی شط می‌آمد و از یک طرف بوی کباب کوبیده‌ی رستوران باشگاه نفت. از خوشحالی بچه‌هایم خوشحال بودم.

۳۷

صبح دوشنبه آسمان ابری بود و باد تندی می آمد.

بچه‌ها را روانه‌ی مدرسه می‌کردم که آرمینه گفت «اگر توفان شد چی؟» آرسینه گفت «حتماً خانم مانیا تمرین را تعطیل می‌کند.» آرمن کیفش را برداشت و راه افتاد و گفت «بهتر.»

به دوقلوها گفتم «فراموش نکنید کتاب قصه و دفترچه‌ی ترجمه را بدهید به خانم مانیا یا آقای وازگن.» آرمینه گفت «قول داده بودی برای ما بخوانی.» گفتم «آقای وازگن عجله داشت. چاپ که شد باهم می خوانیم.» گفتند «خُب.» و صورت‌های گردشان را جلو آوردند. همدیگر را بوسیدیم و باهم رفتیم تا در فلزی.

اگر تمرین تعطیل می‌شد بچه‌ها زود برمی‌گشتند خانه. می‌خواستم زود برگردند یا نمی‌خواستم زود برگردند؟ باید دعا می‌کردم توفان بشود یا دعا می‌کردم توفان نشود؟ امیلی دم در خانه‌شان ایستاده بود، با روپوش سرمه‌یی و یقه‌ی تور و جوراب‌های ساقه کوتاه سفید. اتوبوس رسید. آرمن کنار درِ اتوبوس ایستاد تا امیلی سوار شد. آرتوش نشسته بود پشت فرمان شورلت. نفسم را حبس کردم. ماشین با دومین استارت که روشن شد، نفسم را بیرون دادم. آرتوش لبخند زد و راه افتاد. بعد ترمز کرد و سرش را از پنجره بیرون آورد. «امروز دیر برمی‌گردم. یادت که هست؟» لبخند زدم و سر تکان دادم که یادم هست. شورلت و اتوبوس مدرسه که

دور شدند در فلزی را بستم و از حیاط گذشتم. باد چندتا گل‌کاغذی توی هوا می‌رقصاند.

هنوز در خانه را نبسته بودم که قیژ باز شدن در فلزی را شنیدم. از این طرف پشت‌دری تور دیدم که می‌آمد. با بلوز دامن سیاه، کفش‌های پاشنه‌تخت و شال سفیدی روی شانه‌ها. برای اولین بار از دیدنش خوشحال شدم.

پشت میز آشپزخانه نشست و به‌جای چای و شیر، قهوه خواست. تا قهوه درست کنم چیزی نگفت جز این که «هوا توفانی‌ست. هند که بودیم بعد از چنین هوایی باران می‌بارید.» موها پشت سر جمع بود و جز یک جفت گوشواره‌ی مروارید جواهر دیگری نداشت. قهوه و بشقاب بیسکویت ***نایس*** را گذاشتم روی میز و روبه‌رویش نشستم. چند لحظه ساکت به فنجانش نگاه کرد. بیرون باد می‌آمد و انگار هرچه خاک در بیابان‌های خوزستان بود می‌آورد. گل‌نخودی‌ها روی هره می‌لرزیدند.

پرسیدم «حالتان بهتر شده؟» نمی‌خواستم فقط حرفی زده باشم، واقعاً نگران بودم. هرچند امروز رنگ‌پریده نبود و ماتیک گل‌بهی زده بود.

جرعه‌ای قهوه خورد و سر بلند کرد. چشم‌هایش شبیه دو تیله‌ی سیاه بود. تک سرفه‌ای کرد. «نمی‌دانم آن شب چرا حرف زدم. عادت به دردِدل ندارم. هیچ‌وقت با هیچ‌کس از خودم حرف نزده بودم. شاید چون فکر می‌کردم کسی نمی‌فهمد. چرا فکر کردم تو می‌فهمی، نمی‌دانم.»

ساکت شد. باد هویی کشید و گلدان روی هره دمر شد.

یکی از گوشواره‌ها را در آورد. نرمه‌ی گوش را مالید و دوباره گوشواره را به گوش زد. آهَسته حرف می‌زد. انگار نخواهد صدایش را بشنوند. «امیل فقط رنگ چشم‌ها و علاقه به کتاب را از پدرش به ارث برده. برخلاف پدرش که شعر را از زندگی واقعی جدا می‌کرد، امیل در

قصه و شعر زندگی می‌کند. از بچگی مدام عاشق می‌شد. فکر کرد عاشق مادر امیلی شده. دخترک از خانواده‌ی فقیری بود. پدرش دایم‌الخمر بود و مدام کتکش می‌زد. امیل در نقش نجات‌دهنده ظاهر شد و خُب — دخترک زیبا بود. اول با ازدواج مخالفت کردم ولی بعد که کار از کار گذشت تسلیم شدم. دو ماه نگذشته فهمید اشتباه کرده. خواست خدا بود که دخترک چند سال بعد مُرد.»

باد هوی دیگری کشید وگلدان گل‌نخودی افتاد توی حیاط. صدای شکستن را شنیدم. یک آن غصه‌ام شد. از این که گلدان شکسته بود یا از این که کسی به این راحتی از مرگ حرف می‌زد؟

گفت «انتخاب‌هایش همیشه اشتباه بود. همیشه از سر بی‌فکری. چندین و چند بار این شهر به آن شهر و این مملکت به آن مملکت شدم برای این که کار دست خودش و من و امیلی ندهد. برای من دیگر مهم نیست ولی امیلی طاقتش را ندارد، می‌ترسم کار نابه‌جایی ازش سر بزند. مادرش از نظر روحی —»

جمله را تمام نکرد. سر تکان داد و آخرین جرعه‌ی قهوه را خورد و فنجان را گذاشت توی نعلبکی. برای این که حرفی زده باشم به فنجان اشاره کردم. «برایتان فال بگیرم؟» داشتم مزخرف می‌گفتم. نه به فال قهوه معتقد بودم، نه اصلاً بلد بودم فال بگیرم. گفتم برای این که چیزی گفته باشم.

انگار از خواب بیدار شود، یکهو صندلی را عقب زد و ایستاد. دست کشید به موها، شال را روی شانه مرتب کرد و گفت «وقتت را گرفتم. فال؟» به فنجان‌های قهوه نگاه کرد و پوزخند زد. «فالم را سال‌هاست گرفته‌اند.» بعد چشم‌ها را بست، باز کرد و خیره شد به سیاه‌قلم سایات نوا. «شعرهایش را دوست داشت. می‌گفت از دل گفته. خودش هم همیشه از

دل گفت. هیچکس نفهمید.» تا در خانه همراهش رفتم. دم در بـرگشت دست گذاشت روی بازویم و لبخند بیرمقی زد. «امیل زود دل میبندد.» شال را کشید تا زیر چانه. «کمکش کن. تصمیم درستی نیست. نصیحتش کن.»

در امتداد راهباریکه راه افتاد. باد شال را روی شانههایش تاب میداد. راهباریکه پر بود از گلکاغذیهای سرخابی. درخت بید مثل زنی کـه از غصه گیس بکند آشفته بود و کلافه. قطرههای باران به زمین نرسیده بخار میشدند و آسمان سرخِ سرخ بود.

۳۸

همه‌ی اتاق‌ها را گشتم و چیزهایی را جابه‌جا کردم که احتیاج به جابه‌جا شدن نداشتند. جلو تک‌تک پنجره‌ها ایستادم و بیرون را تماشا کردم. برگ‌های گوجه‌فرنگی یکبند می‌لرزیدند و گل‌ها خم و راست می‌شدند. درخت‌های آرمینه و آرسینه همه‌ی گل‌هایشان را داده بودند به باد. درخت امیلی هنوز چند گل داشت. بید گیس می‌کند و فقط درخت سِدر بود که انگار از توفان و باد نمی‌ترسید.

همه‌ی پرده‌ها را کشیدم. فکر کردم بروم گلدان شکسته را از زیر پنجره‌ی آشپزخانه بردارم. نرفتم. گلدان محبوبم شکسته بود و انگار هیچ اهمیت نداشت. سوت تعطیل که بلند شد رفتم به اتاق‌خواب. یاد آقا مرتضی افتادم که تا سوت تعطیل را می‌زدند، انگار اسم رمزِ مقدسی به زبان بیاورد می‌گفت «فِیدوس!» و زود بساطش را جمع می‌کرد و می‌رفت. خیلی طول کشید تا رویم شد بپرسم "فِیدوس" یعنی چی؟ آقا مرتضی خندید. «یعنی سوتِ تعطیل.»

وَرِ ایرادگیر پوزخند زد. «برای این به آقا مرتضی فکر می‌کنی که نپرسم چرا داری ماتیک می‌زنی؟ چرا مو شانه می‌کنی؟ چرا با این همه وسواس به دست‌هایت کرم می‌مالی؟» شانه را گذاشتم روی میز آرایش. چه می‌خواهد بگوید؟ اگر گفت چه بگویم؟ چه باید بگویم؟ مادرش گفته بود «تصمیم درستی نیست.» دامنم را صاف کردم. وَرِ مهربان

راهنمایی کرد. «بگو دوست هستیم. دوست‌های خوب.» عرق زیر بغلم
را خشک کردم و صدای زنگ در را که شنیدم پررنگی ماتیکم را با
کلینکس گرفتم. توی راهرو فکر کردم چرا هوا تاریک شده؟

تا دستگیره را چرخاندم، در با هجوم باد باز شد. امیل آمد تو و
همراهش مقداری خاک و خاشاک و برگ و علف ریخت کف راهرو. وسط
اینها چیزهای خاکی رنگی هم بود شبیه ملخ. باهم به‌زور در را بستیم و
تکیه دادیم به در. امیل نفس‌نفس می‌زد و موها و صورتش خاکی بود.
گفتم «چه خبر شده؟»

دست کشید به سر. پیراهنش را تکاند. «ملخ‌ها.»

گفتم «چی؟» و به کف راهرو نگاه کردم. چیزهایی که فکر کرده بودم
شبیه ملخ‌اند، ملخ بودند. ده بیست ملخ مرده و نیمه‌جان. حتماً رنگم
پریده بود و حتماً می‌لرزیدم، چون بازویم را گرفت و پرسید «چرا
می‌لرزی؟ نشنیده بودی؟» گیج نگاهش کردم. «چی نشنیده بودم؟»
شلوارش را تکاند. «گاهی ملخ‌ها وقت مهاجرت ــــ تو حالت خوب
نیست. بیا بنشین.» بازگیج نگاهش کردم و گذاشتم ببردم به آشپزخانه که
تاریکِ تاریک بود. نشاندم روی صندلی. چراغ روشن کرد. یخچال را باز
کرد و برایم آب ریخت. لیوان را که داد دستم گفتم «بچه‌ها.»

صندلی دیگری جلو کشید، نشست روبه‌رویم و خم شد طرفم.
«نگران نباش. قبل از آمدن تلفن کردم به مدرسه. نگهشان می‌دارند تا
ماجرا تمام شود. پنجره‌ای باز نیست؟ کولرها خاموش‌اند؟» فقط
نگاهش کردم. نمی‌دانم چطور نگاه کردم که منتظر جواب نشد. بلند شد
و دوید.

جرعه‌ای آب خوردم یا نخوردم؟ بلند شدم رفتم طرف پنجره. روی
هره پر از ملخ بود. مرده و نیمه‌جان. فکر کردم کاش گلدان را از زیر پنجره

برداشته بودم. آسمان تاریک بود و صدایی می‌آمد که تا آن وقت شبیهش را نشنیده بودم. امیل از پشت سر گفت «صدای بال ملخ‌هاست.»

کنار هم ایستادیم و حیاط را نگاه کردیم. از آسمان ملخ می‌بارید. صدای افتادنشان روی زمین شبیه خش‌خش مچاله شدن خروارها کاغذ بود. حتماً هنوز می‌لرزیدم یا رنگم هنوز پریده بود چون گفت «بهتر نیست بنشینی؟»

روی دو صندلی روبه‌روی هم نشستیم. گفت «تا حالا چیزی درباره‌اش نشنیده بودی؟» سر که تکان دادم گفت «ملخ‌ها مهاجرت می‌کنند.» صورتش درست جلو صورتم بود. «گاهی کیلومترها پرواز می‌کنند.» روی چانه‌اش جای بریدگی کوچکی بود. «خسته که شدند، دو لایه می‌شوند. یک لایه می‌رود زیر و لایه‌ی بالایی می‌نشیند رو و خستگی در می‌کند.» جای بریدگی محو بود. «زیری‌ها از شدت خستگی می‌میرند و می‌افتند پایین.» از پنجره به بیرون نگاه کرد که هنوز تاریک بود. «لایه به لایه شدن معمولاً وقت گذشتن از روی دریا و اقیانوس اتفاق می‌افتد و گاهی هم وقتی که از روی شهرها می‌گذرند.»

صدای بیرون تمام نمی‌شد. حالا شبیه صدای چندین و چند هواپیما بود که درست از بالای سر آدم بگذرند. شاید هنوز می‌لرزیدم چون گفت «آرام باش، الان تمام می‌شود.» یکهو یادم آمد که «مادرت؟» به پنجره‌ی تاریک نگاه کرد. «قرص خواب خورده بود. خوابیده. حالش خوش نیست. چند وقت یک بار حالش خیلی بد می‌شود.»

ساکت نشستیم تا صدای هواپیما و خش‌خش کاغذ کم و کمتر شد. هوا روشن و روشن‌تر می‌شد. انگار داشتم خواب می‌دیدم.

تلفن که زنگ زد از جا پریدم. دست گذاشتم روی گونه‌ام و فشار دادم. شاید برای این که مطمئن شوم خواب نمی‌بینم. تلفن زنگ سوم را زد.

به مادر گفتم حالم خوب است و چه خوب که آلیس از بیمارستان تلفن کرده و چه عالی که یوپ به آلیس تلفن کرده و نه، آرتوش از خرمشهر تلفن نکرده و بچه‌ها مدرسه‌اند و آره، اتفاق وحشتناکی بود و ـــــ» تا پرسید «پس تو تنهایی؟» گفتم «بعد تلفن می‌کنم.» و گوشی را گذاشتم.

هنوز دو قدم دور نشده بودم که تلفن دوباره زنگ زد. به نینا گفتم «آره، آره، وحشتناک بود. چه خوب که گارنیک خانه بود و چه خوب که ویولت فقط خندیده. آرتوش رفته خرمشهر و آره، خودم هم می‌خواستم به مدرسه تلفن کنم.» وقتی که پرسید «پس توی این بَلبَشو تنها بودی؟» گفتم «بعد تلفن می‌کنم.» گوشی را گذاشتم و برگشتم آشپزخانه.

هنوز همان‌طور روی صندلی نشسته بود. پاها کمی از هم باز، بالاتنه خم رو به صندلی روبه‌رو. به پنجره نگاه می‌کرد.

تکیه دادم به چارچوب در. دست کشیدم به موهایم و حس کردم دستم خاکی شد. مثل وقت‌هایی که خاک گلدان عوض می‌کردم یا چیزی توی باغچه می‌کاشتم. دو عطسه پشت سر هم کردم.

پرسید «بهتر شدی؟» سر تکان دادم که «آره.» زیرلب گفتم «به خاک حساسیت دارم.» صندلی‌ام را کمی عقب کشیدم و نشستم. داُشتم عرق می‌کردم. چند لحظه فقط سکوت بود و بوی خاک.

نگاهم کرد. «ببین کلاریس، می‌دانم تجربه‌اش را نداشتی، ولی ـــــ»

توی دلم گفتم «زودتر بگو.»

توی دلم گفتم «نگو.»

نفس بلندی کشید. «منظره‌ی توی حیاط جالب نیست. می‌دانم از ملخ خوشت نمی‌آید، ولی ـــــ»

این بار مجبور شدم با هردو دست گونه‌ها را فشار بدهم که مطمئن شوم خواب نیستم. منظره‌ی توی حیاط؟ از ملخ خوشم نمی‌آید؟

از جا بلند شد. از جا بلند شدم و رفتیم به راهرو. در خانه را بازکرد. به حیاط نگاه کردم. حتماً داشتم خواب می‌دیدم. این یکی حتماً واقعیت نداشت.

چمن و درخت و شمشاد و راه‌باریکه، همه چیز و همه جا یک‌دست خاکی بود. رنگ خاکی ملخ. چند لحظه گـذشت تا بفهمم فقط رنگ نیست، که خود ملخ است، که همه جا پر از ملخ است. سرم داشت گیج می‌رفت. دست گذاشت روی شانه‌ام. «مهم نیست، تمیزشان می‌کنیم.» نفهمیدم کی برگشتم به آشپزخانه وکی نشستم روی صندلی.

امیل قهوه درست می‌کرد و من منگ خیره شده بودم به گـلدان روی میز. دو گل سرخ توی گلدان را همان روز صبح بعد از رفتن مـادرش از باغچه چیده بودم. فکر کردم «چطور روی اینها ملخ نیست؟»

قهوه خوردیم و امیل از انواع ملخ گفت. ملخ بیابانی، ملخ سرخ، ملخ مراکشی. گفت نوعی از ملخ فقط جنس نر آن بال دارد که تازه برای پریدن نیست. بال‌ها را به هم می‌مالد و صدایی درمی‌آورد برای جلب توجه ماده. تعداد ملخ‌های هر گروه که زیاد شد، ظاهر و رفتارشان تغییر می‌کند. رنگشان از قهوه‌یی به صورتی یا زرد تبدیل مـی‌شود و خـودشان را بـه زندگی اجتماعی عادت می‌دهند. در کتاب مـقدس، یـوئیل کـه یکی از پیغمبران قوم یهود است، به مردم هشدار می‌دهد از گناهانشان توبه کنند تا از بلای حمله‌ی ملخ در امان بمانند.

صدای اتوبوس که آمد از جا پریدم.

وسط راه‌باریکه به دوقلوها رسیدم کـه مـعلوم بـود گریه‌ی مـفصلی کرده‌اند و تا مرا دیدند باز زدند زیر گریه. آرمن از پشت سر می‌آمد. ادای خونسرد بودن را رنگ پریده و پیشانی عرق‌کرده لو مـی‌داد. دوقلوها را بغل کردم و بوسیدم و چندبار گفتم «تـمام شـد، تمام شـد. آره، خیلی

وحشتناک بود.» بعد چرخیدم طرف آرمن. دست گذاشت روی شانه‌ام و تا پرسید «تنهایی نترسیدی؟» بغضم گرفت. بوسیدمش و زیرلب گفتم «تنها نبودم.»

دوقلوها چسبیده به دو طرف دامنم از روی ملخ‌ها گذشتیم و وارد خانه شدیم. امیل و آرمن ملخ‌هایی را که افتاده بودند توی راهرو با پا انداختند توی حیاط. دوقلوها را بردم دستشویی و دست و صورتشان را شستم. بیرون که آمدم، امیل دمِ در با آرمن حرف می‌زد. آرمن نگاهم کرد. «اگر کاری داشتی، صدام کن.» و رفت توی اتاقش. دست کشیدم به صورتم. حال تهوع داشتم و دلپیچه و سرم گیج می‌رفت. تکیه دادم به میز تلفن.

امیل به در بسته‌ی اتاق آرمن نگاه کرد، بعد به من. «می‌خواستم حرف بزنم. نشد.» سر زیر انداخت. «بعداً شاید.» رفت طرف در. «امیلی حتماً برگشته. شاید ترسیده.» سر برگرداند و نگاهم کرد و لبخند زد. «هرچند بـدتر از مـادربزرگش از هـیچ چیز نـمی‌ترسد.» دست گذاشت روی دستگیره‌ی در. چند ثانیه بی‌حرکت ماند. بعد دستش را از روی دستگیره برداشت و برگشت. «ولی باید بگویم. تو تـنها دوست مـنی. تـو حتماً می‌فهمی. تصمیم گرفته‌ام با ویولت ازدواج کنم.»

۳۹

زیرسیگاری را خالی می‌کردم توی سطل زباله که آرتوش بـه آشـپزخـانه آمد. «دیشب نخوابیدی؟» به همه‌جا نگـاه کـردم جـز بـه چشـم‌هایش. «خوابم نمی‌برد. کتاب خواندم.» دست گـذاشت روی شـانه‌ام. «حـتماً ماجرای دیروز ناراحتت کرده. رنگت پریده. سعی کن امروز استراحت کنی. تلفن‌کنم به خدمات شرکت.» رفت به راهرو. ماجرای دیروز؟ حتماً منظورش حمله‌ی ملخ‌ها بود. جای دستش روی شانه‌ام داغ شد.

پرده‌ی آشپزخانه را کشیدم حیاط دیده نشود و شروع کردم به چیدن میز صبحانه. دو ور ذهنم کلنجار می‌رفتند.

«در این هفده سال چندبار نگران شده؟ چندبار نشان داده یا به زبان آورده؟»

«خیلی به‌ندرت.»

«حالا درست همین امروز باید وقت یکی از آن "خیلی بـه‌ندرت"هـا باشد؟»

« چرا نباشد؟»

«برای این که ـــــ»

آرمن به آشپزخانه آمد و چیزی گفت. نگاهش کردم. «برای این کـه ـــــ»

آرمن نگاهم کرد. «چیزی گفتی؟»

گفتم «چی گفتی؟»

«گفتم بند کفشم را الان می‌بندم. چرا رنگت پریده؟»

به کفش‌ها نگاه کردم. «برای این که ــــ»

دوقلوها دویدند تو. «صبح بخیر.» «صبح بخیر.»

آرمینه گفت «دیشب خواب دیدم با امیلی رفتیم استخر.»

آرسینه با انگشت شمرد. «با امیلی و سوفی و خاله ویولت و عمو امیل رفتیم استخر.»

آرمینه نشست پشت میز. «این همه آدم نبود.»

آرسینه دست روی پشتی صندلی گفت «بود.»

«نبود.»

آرسینه پا کوبید زمین. «بود.»

یاد نداشتم دوقلوها باهم مخالفت کرده باشند. حالا همین امروز باید باهم جر و بحث می‌کردند؟ داد زدم «بس کنید.»

چند لحظه ساکت شدند. بعد آرمینه یواش به خواهرش گفت «من خواب دیدم یا تو؟» آرسینه لب ورچید. «من هم توی خواب بودم، نبودم؟» آرمینه فکری کرد و گفت «بودی.» آرسینه گفت «پس سوفی و خاله ویولت و عمو امیل هم بودند.» آرمینه گفت «خُب، بودند. ماما، شیر لطفاً.»

لب و لوچه‌ی آویزان آرسینه بالا آمد و همه‌ی صورتش شد لبخند. نشست پشت میز. «دیروز باران ملخ که شروع شد بابای مدرسه گفت آخر زمان نزدیک شده. آخر زمان یعنی چی؟» آرمن توضیح داد. اگر وقت دیگری بود حتماً از اطلاعات کم و بیش درستش تعجب می‌کردم. وقت دیگری نبود.

آرمینه غر زد. «حیاط پُرِ ملخ شده. تا اتوبوس چطوری ــــ» آرسینه

لیوان شیر را گذاشت روی میز. «چطوری تا اتوبوس ـــــ» آرمن گفت «یکی‌یکی بغلتان می‌کنم می‌برم تا دم اتوبوس. خوب شد؟» قهقهه‌ی دوقلوها بلند شد. «آخ جان، کولی می‌گیریم.»

به آرمن نگاه کردم که با دوقلوها می‌خندید. فکر کردم «چقدر عوض شده.» برای آرسینه که شیر ریخت فکر کردم «بزرگ شده.» دلم می‌خواست گریه کنم. چرایش را نمی‌دانستم و می‌دانستم و نمی‌دانستم.

آرتوش دست به ریش به آشپزخانه آمد. «کارمند خدمات انگار شوخیش گرفته. گفتم آدم بفرستند حیاط را تمیز کنند، زد زیر خنده که "تا ظهر تمیز شده" و گوشی را گذاشت. رسیدم شرکت می‌روم پیش رییس خدمات ببینم ـــــ» زنگ زدند.

صبح به این زودی کی بود؟

صبح به این زودی یوما بود. چهار پسربچه با صورت‌های گردِ آفتاب سوخته و کله‌های از ته تراشیده ردیف پشت سرش ایستاده بودند. هر پنج‌تا گونی و کیسه و کارتُن مقوایی دستشان بود و گوش تا گوش لبخند می‌زدند. پسربچه‌ها را تا آن روز ندیده بودم و لبخند یوما را اولین بار بود می‌دیدم. چهارتا از دندان‌هایش طلا بود و روسری قرمز بزرگش که تا کمر می‌رسید گل‌های درشت سبز داشت.

گفتم «چه خبرشده یوما؟ صبح سحر عروسی دعوتی؟»

پسربچه‌ها ریزریز خندیدند و یوما با صدای بلند خندید. «خانم مهندس، امرو کم از عروسی نی. به پسرا گفتم اول می‌ریم طرف خانم مهندس. انصاف داره. راضی نمی‌شه از ما بدبخت بیچاره‌ها زیاد بگیره. مگه نه بچه‌ها؟» چرخید طرف پسرها که سر تکان دادند و باز ریز خندیدند. دندان‌هایشان توی صورت‌های قهوه‌یی سفیدِ سفید بود.

گیج زُل زده بودم به یوما که آرتوش از پشت سر گفت «چه خبر شده؟»

آرسینه و آرمینه دو طرف دامنم را چسبیدند. آرمن گفت «چی شده؟» گروه پنج‌تایی ما چند ثانیه خیره شد به گروه پنج‌تایی روبه‌رو.

یوما زودتر از همه قضیه را فهمید. برگشت به عربی چیزهایی به پسربچه‌ها گفت و هر پنج نفر از خنده ریسه رفتند. بعد یوما توضیح داد که آمده ملخ‌ها را بخرد، چون عرب‌ها ملخ‌ها را بو می‌دهند و می‌خورند. «مثِ تخمه، خانم مهندس، ها؟ مثِ تخمه. ای جوری.» شست و سبابه‌ی حنا بسته را گرفت جلو دهان و ادای تخمه شکستن در آورد.

آرسینه و آرمینه باهم گفتند «یِقک!» که یوما نشنید و باز توضیح داد «یه وخ هم جوش می‌دیم. تو دیگ.» آرمن زد زیر خنده. یوما هم خندید و پسربچه‌ها به هم نگاه کردند و انگار چون همه می‌خندیدند خندیدند.

به یوما گفتم اول ملخ‌های راه‌باریکه را جمع کند و بعد بقیه‌ی جاها. وقتی هم گفتم پول نمی‌خواهم، دو دست استخوانی را با ده بیست النگو به هر مچ به آسمان بلند کرد و گفت «خدا از خانومی کَمِت نکنه، خدا هرچی بخوای بِهِت بده، خدا ـــــ» هنوز داشت دعا می‌کرد که در را بستم.

آرمن دوقلوها را صدا کرد اتاق خودش. «سه‌تا عکس تازه دارم از تارزان و چیتا.»

آرتوش پوشه‌ای گذاشته بود روی میز تلفن و نامه‌ها و کاغذهایی را پس و پیش می‌کرد. «بدبختی مردم به کجا رسیده ملخ می‌خورند.»

فرش کف راهرو کج شده بود. خم شدم راستش کردم. «خیلی جاها ملخ می‌خورند. از قدیم هم می‌خوردند.»

آرتوش نگاهم کرد و چیزی نگفت. دوقلوها به راهرو آمدند. پشت‌دری را پس زدند، سرک کشیدند توی حیاط و باهم داد زدند «تا در

فلزی تمیز شد.» بعد اخم‌هایشان رفت توی هم و به آرمن نگاه کردند که جلو آینه‌ی راهرو مو شانه می‌کرد.

آرسینه گفت «یعنی کولی نمی‌گیریم؟» آرمینه گفت «کولی نمی‌گیریم.» و غرغرکنان از در بیرون رفتند. آرتوش وقت رفتن گفت «پس کارمند خدمات بیخود نمی‌گفت.» همراهشان رفتم. یوما و پسرها مشغول بودند. ده دقیقه نشده سه گونی پر از ملخ دم در فلزی بود.

تا آن روز خیابان را این‌قدر شلوغ ندیده بودم. زن و مرد و بچه، عرق‌ریزان و باعجله درخت‌ها و شمشادها را می‌تکاندند و ملخ‌های چسبیده به شاخه‌ها را می‌ریختند توی گونی و کیسه و هرچه با خودشان آورده بودند و سر این که کدام درخت مال این یکی و تا کجای شمشادها مال آن یکی داد و قال می‌کردند. فکر کردم یعنی همه‌ی شهر همین وضع را دارد؟

اتوبوس مدرسه هنوز نرسیده بود. به آرمن نگاه می‌کردم که داشت می‌رفت آن طرف خیابان. امیلی دم در جی‌۴ ایستاده بود. آرسینه آستینم را کشید، «شمشادها.» آرمینه داد زد «درخت‌ها.» آرتوش گفت «نگاه کن.»

دو مرد عرب شمشادهای طرف چپ خانه را تکاندند. ملخ‌ها که ریختند، غیر از شاخه‌های لخت چیزی نماند. هاج و واج به بقیه‌ی شمشادها نگاه کردیم و به درخت‌ها. حتی یک برگ سبز روی هیچ کدام نبود. آبادان را بی رنگ سبز هیچ‌وقت ندیده بودم. آرمینه گفت «انگار رفته‌اند سلمانی و ــــ» آرسینه گفت «و سرشان را از تهِ ته زده‌اند.»

بیشتر از هر صبح ماندم و دنبال اتوبوس بچه‌ها و شورلت آرتوش دست تکان دادم.

به حیاط که برگشتم یوما داشت درخت بید را می‌تکاند. از شاهزاده

خانم هوانس تومانیان فقط شاخه‌های بلند و لخت مانده بود، شبیه انگشت‌های اسکلت. نگاهم را کشاندم روی چمن. تکه‌ای هنوز پر از ملخ بود و آنجا که پسرهای یوما ملخ‌هایش را جمع کرده بودند، فقط خاکِ خالی. انگار نه انگار تا دیروز حیاط چمن سبز و یکدستی داشت و پُر بود از گل و گیاه. همه جا رنگ خاک بود و این بار واقعاً خاک بود.

۴۰

دور میز آشپزخانه صندلی برای همه نبود.

چندبار گفتم «توی نشیمن راحت‌تر نیستیم؟» ولی وسط آن همه آدم که همزمان حرف می‌زدند کسی صدایم را نشنید. آرمن را فرستادم صندلی‌های اتاق خودش و دوقلوها را آورد تا بالاخره همه نشستند.

آرتوش داشت ماجرای تلفن به خدمات شرکت را تعریف می‌کرد و گارنیک قاه‌قاه می‌خندید. آرمن پشت سر آرتوش تکیه داده بود به پیشخوان آشپزخانه. دوقلوها و سوفی از تمرین جشن آخر سال می‌گفتند و مادر برایشان کره پنیر لقمه می‌گرفت. آلیس توی آینه‌ی جاپودری ماتیک می‌زد و نینا می‌گفت «حالا ملخ‌های مرده شور برده کم نیستند که دارند بالای سرمان صدای جِت در می‌آورند که گارنیک هم دور اتاق می‌دود و یکبند داد می‌زند "نترسید. تکان نخورید. حرف نزنید." بالاخره آب ریختم توی لیوان و داد زدم "آرام بگیر مرد. خودت بیشتر از همه ترسیدی." و آب را به‌زور خالی کردم توی حلقش.» غش‌غش خندید و دست انداخت دور گردن گارنیک که سر خاراند و گفت «آره به مسیح. منِ خرسِ گنده داشتم زهره‌ترک می‌شدم و زنم و این انگار نه انگار.» ویولت را نشان داد که غیر از من تنها کسی بود که نمی‌خندید و حرف نمی‌زد و فنجان قهوه‌اش را توی نعلبکی می‌چرخاند.

مادر سیبی چارقاچ کرد و یکی یک قاچ داد به دوقلوها و سوفی و قاچ

چهارم را گرفت طرف آرمن و آرمن که گفت «نمی‌خورم» خودش گاز زد. «من هم اصلاً نترسیدم. فقط نگران آلیس و کلاریس و بچه‌ها بودم. بیشتر از همه دلواپس کلاریس که تنها بود.»

از پشت میز بلند شدم و تندتند شروع کردم به جمع کردن پیشدستی‌ها. سوفی گفت «اینها که کثیف نیست، خاله. چرا جمع می‌کنی؟» آرمینه گفت «نانی، باز سیب.» آرسینه گفت «نانی، سیب.» مادر گفت «صبر کنید. مجال نَبُرید.» و از ظرف میوه سیب دیگری برداشت.

آلیس می‌گفت «هرچه به یوپ گفتم باور کن نمی‌ترسم، گفت اِلا و لِلا همین الان خودم را می‌رسانم بیمارستان. به‌زحمت راضیش کردم نیاید. می‌آمد چکار؟ بچه که نیستم.» گارنیک دست کرد توی بشقاب نینا، چند حبه انگور برداشت و یکی‌یکی انداخت توی دهان. «ببخش، آلیس جانم. لطفاً بگو اِلا و لِلا را به انگلیسی چی گفت؟» و خودش زد زیر خنده. دوقلوها و سوفی از خنده ریسه رفتند و مادر تشر زد. «با دهن پر نخندید، می‌پرد حلقتان.» آلیس جاپودری و ماتیک را گذاشت توی کیف و به گارنیک چشم‌غره رفت.

نینا زد روی دست گارنیک. «باز دست کردی توی بشقاب من؟» بعد رو کرد به آلیس. «ولش کن. می‌شناسیش که، منتظر بهانه‌ست برای دری‌وری گفتن. امشب قرار ندارید؟»

آلیس به ناخن‌هایش نگاه کرد، انگشتر دور انگشت چرخاند و لب غنچه کرد. «یوپ امشب گرفتارست. باید برای مادر و خاله‌اش نامه بنویسد.» گارنیک این بار اول زد زیر خنده و خوب که خندید گفت «گرفتاری از این بیشتر؟» و به دوقلوها و سوفی که از خنده‌اش به خنده افتاده بودند چشمک زد.

آلیس گفت «همین روزها باید مرخصی بگیرم.» نینا به گارنیک سقلمه زد و به بچهها که هنوز میخندیدند گفت «شماها اینجا ایستادید چکار؟ زود بزنید به چاک.»

مادر داشت خودش را باد میزد و آرتوش کارد میوهخوری را روی میز میچرخاند.

به آرمن که از روی سرم خم شده بود طرف ظرف شیرینی دوتا بیسکویت دادم و به ویولت نگاه کردم که از وقتی که آمده بود یک کلمه حرف نزده بود. فکر کردم «چهش شده؟»

سوفی گفت «ما رفتیم پیش عروسکها مهمانبازی کنیم.»

آرمینه گفت «ما رفتیم پیش عروسکها ــــ»

آرسینه گفت «مهمانبازی کنیم.»

آرمن گفت «من رفتم دوچرخهسواری.»

آلیس گفت «مجبورم مرخصی بگیرم.»

ویولت از جا بلند شد رفت طرف پنجره. «گلها را ملخها خوردند؟» نگاهش کردم. موها را دماسبی کرده بود و کفش پاشنهتخت سفید پوشیده بود. انگشت کشید به شیشهی پنجره. جای انگشتش روی شیشه ماند. گفت «طفلکیها.» به نظرم آمد یا واقعاً لبخند محوی به لب داشت؟

آلیس این بار با صدای بلند گفت «باید بروم تهران که ــــ»

نینا گفت «تهران؟ تهران برای چی؟»

ویولت پشت به ما گفت «وقت مهاجرت کیلومترها میپرند. هر ملخی هر روز درست اندازهی وزن خودش خوراکی میخورد. توی کامبوج با ملخ غذای خوشمزهای درست میکنند.» چرا فکر نکردم این چیزها را از کجا میداند؟

آلیس گفت «برای تمدید گذرنامه. یوپ گفته سپتامبر باهم میرویم

هلند که مادر و خاله‌اش را ببینم. همان‌جا عروسی می‌کنیم. البته شاید قبلش جشن کوچولویی هم اینجا بگیریم.»

من، مادر، آرتوش، نینا و گارنیک چرخیدیم طرف آلیس.

ویولت چرخید طرف ما «طفلکی‌ها.»

همه به ویولت نگاه کردیم که به ما نگاه می‌کرد. «منظورم ملخ‌ها بودند.» بعد روکرد به آلیس و خندید. «چه عالی. تبریک.»

آلیس لبخند کجی زد. «مرسی ویولت. بالاخره یکی شعورش رسید تبریک بگوید.» صندلی را پس زد و ایستاد و سرِگِرد و بزرگش را چرخاند طرف مادر که با دهان باز نگاهش می‌کرد. «من رفتم. تو می‌آیی یا می‌مانی؟»

مادر از جا پرید و دسته‌ی کیف را از پشتی صندلی محکم کشید. دسته‌ی کیف پاره شد. مادر کیف را با دسته‌ی پاره زد زیر بغل و دنبال آلیس از آشپزخانه بیرون دوید. صندلی چند بار لق زد و دمر شد روی زمین. همه خیره شدیم به صندلی.

نمی‌دانم چقدر طول کشید تا ویولت ادای بازی بچه‌ها را در آورد و خواند «یک دو، یک دو، ترمز. در حالت زل زدن ـــــ» بعد جلو آمد، صندلی را برداشت، گذاشت کنار میز و نشست رویش.

حالا همه داشتیم به ویولت نگاه می‌کردیم که از ظرف میوه گیلاس دوقلویی برداشت. نگاهشان کرد و گفت «چه خوشگل‌اند.» گیلاس‌ها را انداخت پشت لاله‌ی گوش و نگاهش را سُراند روی تک‌تک ما. ابروهای پرپشت را بالا داد و گفت «خُب، حالا چرا ماتتان برده؟ عروسی کردن که خبر بدی نیست، هست؟ خُب، من هم دارم عروسی می‌کنم.»

همان وقت دوقلوها و سوفی نفس‌زنان سر رسیدند. انگشت بالا گرفتند و ادای مدرسه در آوردند. «اجازه برای دوچرخه‌سواری.»

ویــولت نــیم‌رخش را گــرفت طــرف بــچه‌ها و ســرش را تکــان داد. «گوشواره‌ام خوشگل نیست؟» گیلاس‌ها تکان‌تکان خوردند و بــچه‌ها خندیدند. ویولت هم خندید. «بچه‌ها، عروسی من دوست دارید ینگه‌ی عروس باشید؟»

آرمینه و آرسینه و سوفی بالا پایین پریدند و دست زدند. «چه عالی. چه عالی. لباس چه رنگی بپوشیم؟»

آرمینه گفت «من صورتی.» سوفی گفت «من آبی.» آرسینه گفت «من صورتی.» آرتوش به من نگاه کرد، گارنیک به نینا و نینا به ویولت. دخترها دست در دست دور می‌چرخیدند و داد می‌زدند «عروسی، عروسی.»

ویولت گیلاس‌ها را از پشت گوش برداشت و یکی‌یکی از ساقه کند و خورد.

گارنیک به نینا گفت «چی گفت؟» نینا به ویولت گفت «چی گفتی؟»

ویولت از جا بلند شد، هسته‌ها را انداخت تــوی پیش‌دستی و گفت «بچه‌ها، بیایید تصمیم بگیریم کی لباس چه رنگی بپوشد. من که حتماً سفید چون عروسم، شماها هم ‐‐‐» و با بچه‌ها از آشپزخانه بیرون رفت.

نینا ایستاد. «زده به سرش.» به گارنیک گفت «پاشو. پاشو، ببینم این دخترخاله‌ی بدتر از من دیوانه‌ات چه مرگش شده.»

توی آشپزخانه من ماندم و آرتوش که داشت شکردان را روی میز عقب جلو می‌کرد. خِش، خِش، خِش. صبر کردم. صبر کردم. صبر کردم. بالاخره داد زدم «بس کن.»

۴۱

راحتی چرم سبز راحت نبود. پاها را جمع کردم، دراز کردم. صاف نشستم، کج نشستم. دست‌ها را گذاشتم روی دسته‌ها، برداشتم. سر تکیه دادم به پشتی. چشم‌ها را بستم، باز کردم. کتاب ساردو را از قفسه درآوردم. از جایی که علامت گذاشته بودم دو خطی خواندم و کتاب را بستم. مهم نبود مرد قصه بالاخره بین عشق و تعهد کدام را انتخاب می‌کند. از مرد قصه متنفر بودم که این‌قدر احمق است. از زن قصه هم متنفر بودم که نمی‌فهمد مرد قصه چقدر احمق است. بلند شدم رفتم به آشپزخانه و به خودم گفتم «از همه احمق‌تر خودتی.»

به ساعت دیواری نگاه کردم. چیزی به آمدن بچه‌ها نمانده بود. در یخچال را باز کردم. شیر نداشتیم، پنیر کم داشتیم و کره را هرچه گشتم پیدا نکردم. مطمئن بودم صبح کره داشتیم. نگاهم را دور آشپزخانه گرداندم. جاکره‌یی از صبح روی پیشخوان جا مانده بود و کره‌ی تویش تقریباً آب شده بود. ظرف‌های نشُسته‌ی صبحانه توی ظرفشویی تلنبار بود.

در این هفده سال چند بار ظرف‌های صبحانه تا عصر نشُسته مانده بود؟ شاید فقط یکی دو بار در ماه‌های آخری که دوقلوها را حامله بودم. چشمم افتاد به سیاه‌قلم سایات‌نُوا. دوتا از پونزها کنده شده بود و نیمرخ شاعر روی دیوار لق می‌زد. رفتم نزدیکش. چقدر زشت بود. چرا تا حالا

فکر می‌کردم قشنگ است؟ شاید چون دخترخاله‌ی آرتوش از ارمنستان فرستاده بود. مهم نبود از کجا آمده. زشت بود و من احمق تا حالا فکر می‌کردم قشنگ است.

سیاه‌قلم را از دیوار کندم و مچاله کردم. مچاله‌تر کردم تا شد گلوله‌ای که توی دستم جا گرفت. چند بار گلوله را بالا پایین انداختم، چرخیدم طرف سطل زباله و پرتش کردم. سایات‌نُوای مچاله خورد به لبه‌ی سطل و افتاد زمین. کیفم را برداشتم و از خانه بیرون رفتم.

در فلزی جی۴ نیمه‌باز بود. رفتم تا رسیدم به منبع آب. از بغل نیمکت‌ها و درخت‌های بی‌برگ و خرزهره‌های بی‌گل گذشتم. می‌رفتم و سعی می‌کردم به دوروبر نگاه نکنم. آبادان را هیچ‌وقت خاکی رنگ ندیده بودم. شهر انگار خسته بود و بی‌حوصله. مثل خودم که خیلی خسته بودم و خیلی بی‌حوصله.

رسیدم به فروشگاه ادیب. پشت در مقوای چارگوشی آویزان بود: "تعطیل". چرا هیچ‌وقت این نوشته را ندیده بودم؟ چون هیچ‌وقت این وقت روز نیامده بودم چیزی بخرم، چون می‌دانستم فروشگاه از یک تا سه تعطیل است.

به ساعتم نگاه کردم. پنج دقیقه به سه بود. تا یک ساعت دیگر بچه‌ها از مدرسه می‌آمدند و کره نداشتم و پنیر کم داشتم و بچه‌ها بی‌عصرانه می‌ماندند. چرا یادم رفته بود کره و پنیر ندارم؟ چرا یادم رفته بود فروشگاه ظهرها تعطیل است؟ از صبح به‌جای رسیدن به خانه و زندگی توی راحتی سبز وول خورده بودم و فکر کرده بودم به زن قصه و حماقتش و مرد قصه و حماقتش و ــــ

نفس بلندی کشیدم و با حلقه‌ی ازدواج زدم به در شیشه‌یی. درست وسط "ل"ِ تعطیل.

آقای ادیب که در را باز کرد نفسم را دادم بیرون. «شما هستین خانم مهندس؟ هیچ‌وقت این موقع‌ها تشریف نمی‌آوردین؟»

فروشگاه گرم و تاریک بود. آقای ادیب کره و پنیر وزن می‌کرد و حرف می‌زد. «همچین گرمایی دیده بودین؟ می‌گن مال ملخاس. بعد از حمله‌ی ملخ هوا گرم‌تر می‌شه. لابد باز بچه‌ها می‌زنن به شط. خدا می‌دونه تا شب چند تاشونو کوسه بزنه. چه کنن بیچاره‌ها، گرما امان می‌بُره. مـن یکی که تا حالا همچین گرمایی ندیده بودم.»

به ترازوی آقای ادیب نگاه می‌کردم که چند جایش زنگ‌زده بـود و کفه‌هایش کج و معوج بودند. حوصله نداشتم به آقای ادیب بگویم «تو بدتر از این گرما را هم دیده‌ای. مـن هـم دیـده‌ام. امشب و فـرداشب و پس‌فرداشب بچه‌های محله‌ی عرب‌ها و احمدآباد و مـحله‌هایی کـه نـه اسمشان را می‌دانم و نه هیچ‌وقت رفته‌ام، برای خدا می‌داند چندمین بار می‌زنند به شط و اگر جان به کوسه‌ها ندهند، دستی یا پایی می‌دهند و ما از آلیس می‌شنویم که "دیروز هفت تا کوسه‌زده آوردند بیمارستان، امـروز هشت تا، دیشب ده تا." و من و آرتوش و مادر نُچ‌نُچ مـی‌کنیم و بـعد از سکوت کوتاهی که فکر می‌کنیم برای مرگ یا از دست دادن عضوی از بدن مناسب و کافی‌ست، حواسمان را می‌دهیم به بچه‌های خودمان کـه می‌گویند "عصرانه چی داریم؟ شام چی داریـم؟ مُردیم از گـرما. چـرا درجه‌ی کولر را زیاد نمی‌کنید؟"»

آقای ادیب گفت «حلوا شکری اعلا آوردیم. بدم خدمتتون؟»

توی خانه غیر از خودم کسی حلوا شکری دوست نداشت. گفتم «دو سیر لطفاً.»

پاکت به دست برگشتم خانه. خیابان خلوت بـود و هـوا داغ. حـتی قورباغه‌ها هم ساکت بودند. در خانه‌ی جی ۴ بسته بود.

وارد حیاط که شدم، دم در خانه ایستاده بود. از کنار باغچه‌های خاکی و درخت‌ها و بوته‌های لخت گذشتم.

گفت «*بارِو*، کلاریس.» رنگ سبز چشم‌هایش تنها رنگ سبز دوروبر بود. گفتم «*بارِو*.» و در خانه را باز کردم. «کره خریدم. تا آب نشده برسانم به یخچال.» پشت سرم آمد به آشپزخانه. کره و پنیر و حلوا را گذاشتم توی یخچال و شروع کردم به شستن ظرف‌ها. از پشت سر نه صدای راه رفتن آمد، نه کشیده شدن صندلی روی موزاییک. پس ننشسته بود. پس هنوز دم در آشپزخانه ایستاده بود.

ورِ مبادی‌آداب ذهنم گفت «خوب نیست. تعارف کن.» سربرگرداندم. داشت به‌جای خالی سیاه قلم سایات‌نُوا نگاه می‌کرد.

گفتم «نمی‌نشینی؟»

نشست و شروع کرد. از همان روز اول که ویولت را خانه‌ی ما می‌بیند انگار کسی می‌گوید همان زنی است که این همه سال دنبالش می‌گشتی. فردای آن روز وقت بیرون آمدن از شرکت دوباره ویولت را می‌بیند که اتفاقی از آنجا می‌گذشته. باهم می‌روند *میلک‌بار* قهوه می‌خورند و حرف می‌زنند. چند بار دیگر کنار شط قرار می‌گذارند.

ظرف‌های شسته توی جاظرفی بود. روبه‌رویش نشسته بودم و گوش می‌کردم و یادم می‌آمد. حرف‌های آرتوش. «ویولت کلی از من و امیل سؤال کرد که کدام قسمت شرکت کار می‌کنیم و چکار می‌کنیم. هیچ فکر نمی‌کردم این چیزها برایش جالب باشد.» و حرف‌های نینا. «طفلک ویولت هنوز غصه‌دار طلاق است. غروب‌ها تنها کنار شط قدم می‌زند.» و خود ویولت که به بچه‌ها گفته بود «همین روزها می‌برمتان *میلک‌بار* بستنی بخوریم.» و در جواب گارنیک که «*میلک‌بار* را از کجا بلدشدی، بلا گرفته؟» فقط لبخند زده بود.

امیل کلافه بود. دست‌ها را می‌برد توی موها، می‌کرد توی جیب. صندلی را عقب می‌زد، جلو می‌کشید و حرف می‌زد. «مادرم با هیچ کارم موافق نیست. همیشه فکر می‌کند اشتباه می‌کنم. فکر می‌کند عقلم نمی‌رسد. خودش همه‌ی عمر هر کاری را از روی حساب کتاب کرده. به عشق معتقد نیست. ولی زندگی یعنی عشق، نه؟ تو حتماً با من موافقی، نه؟»

چند لحظه آرام گرفت و منتظر نگاهم کرد.

سیگار را توی زیرسیگاری خاموش کردم و ساکت ماندم. فکر کردم نمی‌خواهم بدانم مرد داستان ساردو چه تصمیمی می‌گیرد. فکر کردم از داستان‌های ساردو خوشم نمی‌آید. سیگار دیگری روشن کردم.

امیل گفت «نمی‌دانستم سیگار می‌کشی.» و دوباره شروع کرد از ویولت گفتن که چه دختر ساده‌ای است. چقدر مهربان، چقدر بی‌توقع، چقدر علاقه‌مند به شعر و موسیقی. درست مثل نوشته‌های ساردو حرف می‌زد.

سر و صدای بچه‌ها که از حیاط آمد امیل از جا بلند شد. «با مادرم صحبت می‌کنی؟ نمی‌خواهم برنجد ولی اگر موافقت نکند مجبورم ___» خداحافظی کرد، بعد مردد نگاهم کرد، بعد بازویم را گرفت و گفت «خواهش می‌کنم.» و رفت.

عصرانه‌ی بچه‌ها را می‌دادم و سعی می‌کردم به حرف‌ها گوش کنم. «امتحان ریاضی خیلی آسان بود.» «دو هفته داریم تا جشن آخر سال.» «امروز شعر چهار فصل را تمرین کردیم.» «توی نمایش، امیلی سیندرلاست.» «شاهزاده‌ی نمایش همکلاسیِ ___»

آرمن ساندویچ و لیوان شیر را برداشت و صندلی را عقب زد. «فردا امتحان جغرافی دارم.»

نگاه دوقلوها آرمن را دنبال کرد تا رفت توی اتاقش و در را بست. بعد صدایشان را پایین آوردند. آرمینه گفت «بعد از تمرین نمایش آرمـن زد توی گوش همکلاسیش که شاهزاده‌ست.» آرسینه گفت «ولی قبل از این که دعوا کنند آقای مدیر سر رسید.» پرسیدم «امیلی چکار کرد؟» دوتایی باهم گفتند «خندید.»

۴۲

دم غروب بود و آفتاب شدید نبود. با این حال شورلت قدیمی توی خیابان پارک بود و درِ گاراژ برای پذیرایی از کادیلاک سبز چارتاق باز بود. دوقلوها خم شده بودند روی میز آشپزخانه و ماهنامه‌ی *لوسابِر* را ورق می‌زدند. مجله را برداشتم. «فردا امتحان دارید.»

آرمینه لب ورچید. «همین امروز گرفتیم.» آرسینه لب ورچید. «اقلاً تا آخرش ورق بزنیم.» مجله را انداختم روی پیشخوان. «قبل از خواب. حالا تاریخ دوره کنید که بپرسم.» به هم نگاه کردند و بی‌حرف از آشپزخانه بیرون رفتند. یکی دو هفته بود سر هیچ چیز زیاد جِد نمی‌کردند. فکر کردم چرا؟ یعنی بچه‌ها هم حس کرده‌اند حوصله ندارم؟

آرتوش گفت «اینها با قهوه خیلی میانه ندارند، چای می‌خورند.» کتری را آب کردم گذاشتم سر اجاق و نیم ساعت بعد سینی چای را بردم به اتاق نشیمن. مهمان‌ها زیرلب تشکر کردند و آرتوش لبخند زد و در اتاق را پشت سرم بست.

رفتم به اتاق‌خواب، روی تخت درازکشیدم و خیره به پنکه‌ی سقف با خودم حرف زدم. چرا فقط حماقت بقیه را می‌بینی؟ چرا به حرف‌هایی که آدم‌ها می‌زنند درست گوش نمی‌کنی؟ چرا به آلیس ایراد می‌گیری؟ خودت که بدتری.

پاشدم رفتم طرف پنجره. غروب بود و رنگ شاخه‌های لخت سِدر به

خاکستری می‌زد. باید کاری می‌کردم. باید سرم را به چیزی گرم می‌کردم که فکر نکنم. کشوها را مرتب کنم؟ هفته‌ی پیش مرتبشان کرده بودم. کتاب بخوانم؟ کتاب‌ها توی اتاق نشیمن بود و نمی‌خواستم مزاحم آرتوش و مهمان‌ها بشوم. تازه این بهانه بود. حوصله‌ی کتاب خواندن نداشتم. شام هم که آماده بود. بروم گاراژ. مدت‌ها بود می‌خواستم چیزهای به درد نخور را که تلنبار کرده بودیم توی گاراژ دور بریزم.

از در خانه که بیرون رفتم، صدایی شنیدم و از لای شمشادها به‌نظرم رسید کسی رفت توی گاراژ. کی بود؟ مهمان‌های آرتوش که هنوز توی اتاق‌نشیمن بودند و بچه‌ها داشتند درس می‌خواندند. درِ گاراژ ما و درِ گاراژ آقای رحیمی هردو بسته بود. فکر کردم نکند بازیگوشی آرمن گل کرده؟ نکند بلایی سر کادیلاک بیاورد؟ مرا باش که فکر کردم پسرم بزرگ شده. در گاراژ خودمان را باز کردم.

نمی‌دانم من بیشتر ترسیدم یا مرد جوانی که خم شده بود توی صندوق عقب کادیلاک. جیغ زدم. مرد با دسته‌ای کاغذ توی بغل برگشت و تا آمدم جیغ دوم را بزنم، پایش گرفت به گلگیر ماشین و خورد زمین و داد زد «آخ!» و کاغذهای دستش پخش شد کف گاراژ.

آرتوش پشت میز آشپزخانه نشسته بود. «چندبار می‌پرسی؟ گفتم خبر نداشتم. نمی‌دانستم. سرخود کردند.» جاشکری را روی میز پس و پیش می‌کرد.

می‌لرزیدم و فریاد می‌زدم و هیچ هم مهم نبود که دارم فریاد می‌زنم. «نمی‌دانستی؟ دوست عزیزت کادیلاکش را مخصوصاً توی گاراژ ما پارک می‌کند که ـــــ»

«دوست من نیست.»

«حالا هرچی. دشمن عزیزت. البته که دوستت نیست. دوست که با دوست این رفتار را نمی‌کند. خودش اینجا چای و قهوه می‌خورد و مزخرف می‌بافد و به نوچه‌اش سفارش می‌کند بیاید از گاراژ ما اعلامیه بردارد. اگر دنبالش بودند؟ اگر می‌ریختند توی منزل؟ تو که این‌قدر سنگ سیاست به سینه می‌زدی و می‌زنی بیخود ازدواج کردی. بیخود بچه‌دار شدی. اگر می‌ریختند اینجا تکلیف من و بچه‌ها چی می‌شد؟ غیر از خودت به فکر هیچ‌کس نیستی.»

گفتم و گفتم و گفتم. آرتوش شنید و شنید و شنید. بعد جاشکری را از روی میز برداشت. هنوز داشتم فریاد می‌زدم «بی‌فکری، خودخواهی.» آرتوش داشت با در جاشکری ور می‌رفت.

«از صبح تا شب جان می‌کنم برای تو و بچه‌ها که چی؟ که تو هر کار دوست داری بکنی. شطرنج بازی کنی. به خیال خودت کارهای مهم بکنی. قهرمان‌بازی در بیاوری و بچه‌ها جان به سرم بکنند و وقت نداشته باشم برای خودم و کسی یک بار هم نگوید "خسته شدی." و ــــ»
دستمال‌کاغذی را گذاشتم روی چشم‌ها و به هق هق افتادم. آرتوش داشت در جاشکری را باز می‌کرد و می‌بست.

اولین بار بود وسط حرف‌هایم نگذاشته بود برود بیرون و من هرچه توی دلم داشتم می‌ریختم بیرون.

«به هر سازت رقصیدم. محله‌ی بِریم زندگی کردن کار بورژواهاست، خُب. ماشین مدل بالا می‌خواهیم چکار، خُب. مهمان دارم، خُب. شطرنج دوست دارم، خُب. رفتم سراغ شاهنده، خُب. و حالا ــــ حالا کار به جایی رسیده از خانه‌ی من اعلامیه پخش می‌کنند و آقای صاحبخانه می‌گوید "خبر نداشتم. سرخود کردند." اگر تو این‌قدر احمقی که نمی‌دانی توی خانه‌ات چه خبرست پس ــــ»

جمله‌ام را تمام نکردم و با دهان باز خیره شدم به آرتوش که در جاشکری را باز کرد و بی‌حرف، انگار باغچه آب بدهد، شکرها را پاشید روی میز و صندلی‌ها و کف آشپزخانه. بعد در جاشکری را بست، گذاشت روی میز و از آشپزخانه رفت بیرون.

۴۳

پشت میز آشپزخانه جیب روپوش دوقلوها را می‌دوختم که لبه‌اش باز شکافته بود.

بعد از دعوا با آرتوش، خودم و آشخِن چند بار آشپزخانه را جارو کرده بودیم، ولی از صف دراز مورچه که هر صبح گوشه و کنار می‌دیدم معلوم بود جاهایی هنوز شکر هست. از آن روز یک کلمه با آرتوش حرف نزده بودم و در عوض مدام با خودم جدل کرده بودم که حق با من است یا حق با من نیست. دوقلوها توی حیاط تاب می‌خوردند و بلندبلند شعر می‌خواندند:

سگ قشنگی داشتیم
خیلی دوستش می‌داشتیم

قیژ در فلزی حیاط آمد. بعد صدای خنده و داد و فریاد دوقلوها.

«مرسی سوفی.»

«مرسی عمو گارنیک.»

«هر دوتا سبز. چه خوشگل.»

«عین مال سوفی.»

«مرسی. مرسی.»

زیر خوراک لوبیا را خاموش کردم و رفتم در را باز کردم. دوقلوها یکی یک هولاهوپ سبز توی دست بالا پایین می‌پریدند. از دم در گفتم

«بالاخره کار خودت را کردی؟» گارنیک نگاهم کرد و دست تکان داد و آمد طرفم. «مردست و قولش. گفته بودم می‌خرم، خریدم.»

توی آشپزخانه روپوش‌ها و جعبه‌ی سوزن نخ را از روی میز برداشتم گذاشتم روی یکی از صندلی‌ها. «هر ماه اسباب‌بازی تازه‌ای مُد می‌کنند. بخواهیم همه را بخریم، هم ما ورشکست شدیم هم بچه‌ها لوس شدند. نیست که اصلاً لوس نیستند. قهوه می‌خوری یا شربت؟»

گارنیک نشست. از جیب شلوار دستمال بزرگی در آورد کشید به سر و گردنش. «اول آب خنک، بعد قهوه، بعد شربت. بچه‌ها همین چند سال بچه‌اند و اسباب‌بازی دوست دارند. چشم هم بزنی بزرگ شدند مثل ما افتادند توی بدبختی. با این خرج‌ها هم تا حالا کسی ورشکست نشده. آرتوش کجاست؟»

از یخچال شیشه‌ی آب درآوردم و از قفسه لیوان. آب ریختم تـوی لیوان، گذاشتم روی میز و قهوه‌جوش را برداشتم. قهوه پیمانه کردم. «قهوه‌ی پُر شکر یا کم شکر؟ نینا کجاست؟»

گارنیک آب را یکنفس خورد و لیوان خالی را گذاشت روی میز. «با ویولت رفتند بازار ملافه‌ی آمریکایی بخرند. باز بگو بـچه‌ها آدم را ورشکست می‌کنند. پُر شکر. آرتوش هنوز برنگشته؟»

چشم به قهوه که سر نرود گفتم «من هم باید ملافه بخرم.» قهوه ریختم توی فنجان‌ها و نشستم پشت میز. «گاتا بِبُرم؟»

فنجان قهوه را کشید جلو. «دعواتان شده؟»

صدای بچه‌ها از حیاط می‌آمد. «چهل و پنج، چهل و شـش، چهل و هفت ـــ»

گارنیک جرعه‌ای قهوه هورت کشید و گفت «از کـجا فهمیدم، هـا؟» نگاهم کرد و خندید. «اول این که صد بار برایـم قـهوه درست کـردی و

می‌دانی قهوه‌ی پُر شکر دوست دارم. دوم این که دوبار پرسیدم آرتوش کجاست حرف توی حرف آوردی. چی شده؟»

فکر کردم ماجرا را تعریف بکنم؟ نکنم؟ گفتم «از دست سیاست بازی‌های آرتوش کلافه‌ام.» صدای سوفی از حیاط آمد. «هرکی صد دفعه چرخاند برنده.»

گارنیک چند لحظه نگاهم کرد. بعد چندبار فنجان قهوه را روی میز جلو عقب سُراند. بعد از پنجره به بیرون نگاه کرد. «خُب، هرکس اعتقادی دارد.» آرتوش بارها گفته بود «داشناک‌ها جلوتر از نُک دماغشان را نمی‌بینند.» گارنیک هربار گفته بود «نُک دماغ خودمان واجب‌تر از دورترها نیست؟»

از جا بلند شدم خوراک لوبیا را هم زدم. «مسأله‌ی اعتقاد نیست. مسأله‌ی خودخواهی‌ست. ما زن‌ها از صبح تا شب باید جان بکنیم که همه چیز برای شما مردها آماده باشد که به خیال خودتان دنیای بهتری بسازید. نه به فکر ما هستید، نه به فکر بچه‌ها.»

گمانم پنج دقیقه‌ای "ما زن‌ها" و "شما مردها" کردم و گارنیک ساکت گوش کرد. اشکال قضیه اینجا بود که حرف‌هایم حتی به گوش خودم غیر منصفانه می‌آمد. چیزی جا انداخته بودم. مطمئن بودم یک جایی حق با من است و با این حال نمی‌دانستم چطور بگویم که به نظر نیاید نِک و ناله‌ی زنی غرغروست که با شوهرش دعوا کرده.

گارنیک از جا بلند شد و رفت طرف اجاق. درِ دیگ لوبیا را برداشت، بو کرد و گفت «بَه‌بَه عجب لوبیایی. توی این فکرم که اگر ما مردهای به قول تو خودخواه سعی نکنیم به قول تو دنیای بهتری بسازیم، شما زن‌ها توی این دیگ چی می‌پزید؟ تازه اگر دیگی باقی مانده باشد.» درِ دیگ به دست نگاهم کرد. بعد سر کج کرد و لبخند زد.

توی حیاط دخترها داد زدند «نود و هشت، نود و نه، صد، هـوراااا.»

مطمئن بودم حرف گارنیک باید جوابی داشته باشد. مطمئن بودم و چیزی به فکرم نمیرسید. گفتم «خوراک لوبیا میخوری؟»

۴۴

یوپ گفت «امیدوار هستم جنابعالی هم مثل آلیس و من از ایـن تصمیم خوشحال و راضی باشید. به مادر و خاله در هلند مراسـلـهای فرسـتادم. ایشان هم راضی و خوشحال هستند. اگر جنابعالی هم راضی و خوشحال باشید، من و آلیس هم راضی و خوشحال هستیم.» آرتوش گره کراواتش را شل کرد و توی راحتی جابهجا شد.

روز قبل آلیس گفته بود «به آرتوش بگو کراوات بـزند. خـودت هـم لباس درست حسابی بپوش. ماتیک هم بزن. بچهها را بفرست پیش نینا یا چه میدانم ـــ خلاصه شلوغ نکنند.» حتی از فکرم هم نگذشت که چرا مراسم مثلاً خواستگاری را خانهی خودش برگزار نمیکند؟

برای این که کاری کرده باشم، پاشدم شیرینی تعارف کردم. یـوپ از نانخامهییهایی که آلیس خریده بود برداشت و به شیرینیهایی که مـن درست کرده بودم دست نزد. گفت «نان خامه خیلی دوست دارم. **شـات شات مرسی.**» و به آلیس نگاه کرد و لبخند زد. آلیس خندید و رو کرد به من. «دارم ارمنی یادش میدهم.» بعد ظرف شیرینی خانگی را پس زد. «فقط نان خامهیی دوست دارد.» و سر کج کرد و به یوپ نگاه کرد.

مادر گفت «**شات شات لاو.**» و با لبخندی که انگار چسـبیده بـود بـه صورتش به فضای خیلی باریک بین یوپ و آلیس نگاه کرد و سر تکان داد.

آرمن توی اتاقش بود و دوقلوها رفته بودند دوچرخهسواری. پول که

دادم از دِیری نان بخرند و از استور «هرچه دلتان خواست» چشم‌هایشان برق زد.

یوپ برای آرتوش بادقت جزییات سیستم آب گرم خانه‌شان را در هلند توضیح می‌داد و آرتوش بادقت گوش می‌کرد. نفهمیدم می‌خواست وقت بگذراند یا موضوع واقعاً برایش جالب بود.

آلیس رو به سقف گفت «شنیدم امیل و ویولت دارند عروسی می‌کنند.» از وقتی که ازدواجش با یوپ قطعی شده بود وقت حرف زدن به صورتم نگاه نمی‌کرد یا ـ هرچند قدش از من کوتاه‌تر بود ـ جوری حرف می‌زد انگار دارد از بالا نگاهم می‌کند. «طفلک ویولت، با آن مادر شوهر عوضی. حتماً خیال کرده تا عروسی کنند کوتوله خانم فی‌الفور جواهراتش را دو دستی تقدیم می‌کند.»

مادر کمک کرد میز شام بچینم و در رفت و آمد بین ناهارخوری و آشپزخانه یکبند حرف زد.

«آرزو داشتم آلیس توی کلیسای آبادان ازدواج کند. قربان صلیب محرابش. تا حالا هرچه نذر و نیاز داشتم داده. به سلامت فارغ شدن‌های تو، زود جوش خوردن دست شکسته‌ی آرمن، عمل لوزه‌ی دوقلوها. این هم آخری. باز تو سه خروار سالاد درست کردی؟ ما که سالادخور نداریم. هرچند خوب کاری کردی. آلیس این روزها غذاش شده سالاد و بس.»

دوقلوها و آرمن روی میز آشپزخانه مار و پله بازی می‌کردند.

«چهار آمد.»

«نخیر، سه بود.»

«چهار بود. نه آرسینه؟»

«چهار بود. جِر نزن آرمن.»

«یک ـ دو ـ سه ـ چهار. ویژژژ رفتم بالا. نوبت توست آرسینه.»

مادر سُس ریخت روی سالاد. «هیچ خوش ندارم یوپ فکر کند از آن مادرزن‌هایی هستم که توی هر کاری فضولی می‌کنند. اگر هم رفتند هلند و خواستند آنجا ازدواج کنند، خُب، بکنند. کلیسا با کلیسا فرقی ندارد.»

آرمینه گفت «نانی گفت کلیسا یادم افتاد. امروز یکی از کلاس ششمی‌ها شوخی بامزه‌ای تعریف کرد. تعریف کنیم آرسینه؟»

آرسینه گفت «تعریف کنیم.» بعد به آرمن هشدار داد که «جای مهره‌ات توی این خانه‌ست. بالای همین مارِ گُنده. باز جر نزنی. بگو آرمینه. ماما، نانی، گوش کنید.» و یکی در میان شروع کردند به تعریف.

«بچه‌ی تُخسی هی می‌رفت در کلیسا را می‌زد.»

«تا کشیش در را باز می‌کرد فرار می‌کرد.»

«یک بار کشیش پشت در قایم شد.»

«تا بچه در زد،»

«کشیش پرید و در را باز کرد.»

«بچه‌ی تُخس هول شد و گفت ــــ»

«خیلی ببخشید، عیسی خانه‌ست؟»

دوقلوها خودشان از خنده ریسه رفتند. آرمن گفت «تکراری بود.» و مادر سعی کرد نخندد. «آدم با حضرت عیسی و کلیسا شوخی نمی‌کند. گناه دارد.»

به بچه‌ها گفتم بساط بازی را جمع کنند و دیگ پلو را گذاشتم روی میز. مادر شروع کرد به وارسی سبد سبزی خوردن. «خودم به یوپ گفتم حتماً باید اینجا جشن بگیرند.» امیدوار بودم تا سبد برسد سر میز شام، مادر به بهانه‌ی پلاسیده بودن نصف سبزی‌ها را نریزد توی سطل آشغال. «دختر

سر راه پیدا نکردم که بی جشن راهی خانه‌ی شوهر کنم. بده دیس را ببرم سر میز. حیف که ته‌دیگ نرم شده.»

خورش قرمه‌سبزی را کشیدم توی دوتا کاسه و زیر لب گفتم «آلیس فقط عروسی کند. توی کلیسا، بیرون کلیسا، با جشن، بی‌جشن. فقط عروسی کند.»

مادر خنده‌کنان برگشت. «فهمیدی یوپ چی گفت؟ گفت ـــ» پریدم وسط حرفش. «خورش‌ها را ببر تا من پارینج بکشم.»

مادر دم‌کنی روی پارینج را برداشت. «جشن هم نگرفتند، نگرفتند. کلی خرج کنیم بدهیم مردم بخورند که چی؟ ممم ـــ عجب پارینجی شده. دیس را بده خودم می‌کشم، تو خسته شدی.»

دیس را دادم دستش. تکیه دادم به پیشخوان و شربت **ویمتو** را که برای خودم درست کرده بودم خوردم. خسته بودن من بهانه بود. پارینج را که مادر معتقد بود فقط ارمنی‌های جلفا بلدند بپزند و هر سال سفارش می‌کرد از اصفهان بفرستند، خودش درست کرده بود و می‌خواست خودش بکشد که مبادا من خراب‌کاری کنم.

یخ شربت آب شده بود و شربت ولرم بود و حوصله نداشتم یخ در بیاورم. بعد یادم آمد برای سر شام یخ لازم داریم و چرخیدم طرف یخچال.

مادر تکه‌های گوشت را با دقت چید روی پارینج. «خودشان می‌دانند. خواستند جشن بگیرند، نخواستند نگیرند. به ما چه که دخالت کنیم.»

یخ‌ها را ریختم توی کاسه‌ی بلور. مادر سرش را چپ و راست کرد و به دیس پارینج نگاه کرد. «ببینیم داماد عزیزمان از پارینج خوشش می‌آید یا نه؟» و دیس را برداشت و رفت طرف در. «ولی کاش جشن بگیرند.»

دوقلوها دویدند تو.

«ماما.»

«ماما.»

«ببین چی آورده.»

«ببین چی آورده.»

یوپ برای دوقلوها دوتا عروسک آورده بود. یک عروسک پسر و یک عروسک دختر. کاسه‌ی یخ را برداشتم و با دوقلوها و عروسک‌ها رفتیم اتاق نشیمن. بلند گفتم «بفرمایید سر میز.» از یوپ بابت عروسک‌ها تشکر کردم و به دوقلوها اشاره کردم تشکر کنند.

آرمینه رفت طرف یوپ. گونه‌اش را برد جلو و گفت «مرسی.»

آلیس گفت «بگو مرسی عمو یوپ.»

آرسینه گونه‌اش را برد جلو و گفت «مرسی عمو یوپ.»

یوپ هردو را بوسید و آرتوش پرسید «اسم عروسک‌ها را چی گذاشتید؟»

دوقلوها به هم نگاه کردند. بعد دوتایی باهم گفتند «باید فکر کنیم.»

آرمن با ضبط صوت دستی نو و براق که وارد اتاق شد همه تقریباً باهم گفتیم «چه خوشگل!» یوپ سرخ شد و آرمن رفت جلو دست داد و تشکر کرد و یوپ چندبار گفت «خواهش دارم، خواهش دارم.»

سر شام یوپ از پارینج تعریف کرد و مادر چند بار گفت «آنوش، آنوش.» و آلیس ترجمه کرد که یعنی «نوش جان، نوش جان.» بعد مادر به کمک آلیس توضیح داد که پارینج چیزی مثل بلغور گندم یا جو است که اول سرخ می‌کنند و بعد با گوشت و پیاز داغ فراوان و زردچوبه مثل پلو دم می‌کنند و وقت دم کردن باید مدام هم بزنند که ته نگیرد. و آلیس که از ترجمه‌ی حرف‌های مادر خسته شده بود گفت «خیلی خُب، بس! حالا قرار نیست فردا مسابقه‌ی آشپزی بدهد.»

وقت خـداحـافظی یـوپ دوقلوهـا را بـوسید. آرمینه گفت «بـرای عروسک‌ها اسم انتخاب کردیم.» آرسینه دم گوشم پرسید «فامیل عـمو یوپ چی بود؟ یواش بگو.» گفتم و دوید طرف آرمینه و تـوی گـوشش پچ‌پچ کرد.

آرمینه عروسک پسر را گرفت جلو ما. «آقای یوپ هانسن.»

آرسینه عروسک دختر را گرفت جلو ما. «و خـانم آلیس هـانسن.» قهقهه‌ی آلیس از خنده‌ی همه‌ی ما بلندتر بود.

یوپ که دست جلو آورد، به‌جای دست دادن جلـوتر رفتم و بـغلش کردم و هر دو گونه‌اش را بوسیدم و تبریک گفتم. آرتوش و مادرم حتماً تعجب کردند و آلیس؟ خدا می‌داند چه فکر کرد و اصلاً برایم مهم نبود چه فکر کرد. فقط خودم می‌دانستم چقدر مدیون یوپ هانسن هستم.

آن شب برای دوقلوها قصه‌ی دختری را تعریف کردم که چـون کـار بدی کرده خواب می‌بیند قورباغه شده و خیلی می‌ترسد و صبح که بیدار می‌شود و می‌بیند قورباغه نیست خوشحال می‌شود و تصمیم مـی‌گیرد دیگر کار بد نکند.

آرمینه خمیازه کشید. «قصه‌ی عجیبی بود.»

آرسینه گفت «ولی یک کمی لوس بود. نه آرمینه؟»

آرمینه خوابش برده بود.

با آرسینه «از آسمان سـه تا سیب افتاد» خوانـدیم. چـراغ اتـاق را خـاموش کـردم. بیرون آمـدم و تـوی راهـرو با خـودم گـفتم «حق با آرسینه‌ست. قصه‌ی لوسی بود.» و رفتم اتاق نشیمن.

بعد از رفتن مهمان‌ها، آرتوش دست مالیده بود به شکم و خندیده بود. «بس که پارینج خوردم دارم مـی‌ترکم. رفتم بـخوابم.» و رفته بـود به اتاق‌خواب.

روبه‌روی تلویزیون خاموش نشستم و پاها را دراز کردم روی میز جلو راحتی. دستم رفت طرف سرم و شروع کردم به مو لوله کردن. حالم خوب بود و خوابم نمی‌آمد. چرا؟ چون که همه‌ی ظرف‌ها را شسته بودم و اتاق‌نشیمن را گردگیری کرده بودم و خانه به قول مادر عین دسته‌ی گل بود؟ یا چون آلیس بالاخره داشت ازدواج می‌کرد و یوپ بر خلاف تصور اولیه‌ی من و مادر، به نظر مرد خوب و مهربانی می‌آمد؟ شاید هم به خاطر دیروز که آرتوش زودتر از معمول آمد خانه، با دو گلدان گل نخودی صورتی و سفید. چند لحظه هاج و واج به گلدان‌ها نگاه کردم، بعد رفتم جلو و بغلم که کرد زدم زیر گریه.

چراغ اتاق نشیمن را خاموش کردم و با خودم گفتم شاید هم چون امروز صبح بیدار شدم و دیدم قورباغه نیستم.

۴۵

ده صبح بود.

نینا پای تلفن گفت «می‌بینی زبل خانم چطور خودش همه‌ی کارها را راست و ریس کرد؟ مرا باش فکر می‌کردم حالیش نیست و باید کمک کنم. حالا فقط مانده رسماً مادرشوهر آینده را ببینیم. پس‌فردا که جشن آخر سال بچه‌هاست. فکر کردم پنجشنبه‌ی بعد مهمانشان کنم. تو و آرتوش هم باید باشید. آلیس و مادرت تا پنجشنبه از تهران برمی‌گردند، نه؟» گفتم برمی‌گردند.

«پس شماره‌ی سیمونیان را بده که دعوتشان کنم.»

«شماره‌ی قبلی خودت یادت نیست؟»

«چی؟»

«شماره تلفن جی ۴. یادت رفته؟»

چنان بلند خندید که مجبور شدم گوشی را از گوشم دور کنم. «به قول مادرت به من بگو خر. خیلی حواس داشتم که حالا هم ــــ» بالاخره خداحافظی کرد.

گوشی را گذاشتم و رفتم اتاق نشیمن. چرخ خیاطی روی میز ناهارخوری بود. لباس‌های جشن آخر سال دوقلوها را می‌دوختم. بهار حریر صورتی بود و تابستان کتان قرمز. برای پاییز تافته‌ی نارنجی خریده بودم و دور آستین‌ها و پایین دامن زمستان را که از چِلوار سفید بود پوست

خرگوش دوخته بودم. تکه‌های پوست را سال‌ها پیش یکی از قوم و خویش‌های آرتوش از تبریز آورده بود. یادم آمد با آلیس کلی خندیده بودیم سر این که «آدم عاقل پوست سوغات می‌برد آبادان؟» مادر گفته بود «نگه دار. شاید به درد خورد.»

برای پاییز با خوشه‌ی گندم تاج سر درست کردم. خوشه‌های گندم را بعد از این که کلی توضیح داده بودم چه می‌خواهم، یوما آورده بود.

خانه خنک بود و ساکت. بوی کیک بادامی که گذاشته بودم توی فِر همه جا پیچیده بود. خوشه‌ها را با چسب به هم چسباندم و فکر کردم چرا به نینا نگفتم این روزها از سیمونیان‌ها بی‌خبرم؟ می‌دانستم امیلی چند روزی است مدرسه نرفته. دوقلوها که گفتند «شاید مریض شده. اجازه می‌دهی سر بزنیم؟» گفتم «نه.» آرتوش هم که گفت «امیل این چند روزه نیامده شرکت. سر نمی‌زنی؟» گفتم «نه.» دوقلوها اخم کردند و آرتوش فقط ابرو بالا داد و پاپی نشد.

گل‌های مصنوعی آبی و صورتی را دوختم به نوار پهنی که قرار بود آرمینه با لباس بهار به سرش ببندد. چرا نمی‌خواستم بروم سراغ سیمونیان‌ها؟ شاید چون نمی‌خواستم درگیر مسایلشان شوم. اگر می‌رفتم و اگر درگیر می‌شدم باید طرف کدام یکی را می‌گرفتم؟ مادر یا پسر؟ دو طرف نوار دراز و پهن را که از پنبه درست کرده بودم و سربند زمستان بود به هم چسباندم و از پنجره به حیاط نگاه کردم.

از چند روز پیش این خانواده‌ی سه نفره به نظرم غیرواقعی می‌آمدند. انگار آنها از من یا من از آنها دور شده بودم. حس می‌کردم همه‌ی این ماجرا فیلمی بوده که خیلی خیلی وقت پیش دیده‌ام و حوصله‌ی دوباره دیدنش را ندارم. بیرون باد آرامی می‌آمد و از لابه‌لای شاخه‌های درخت‌های بیعار، پنجره‌ی نشیمن جی ۴ گم و پیدا می‌شد. برای سربند

تابستان هنوز فکری نکرده بودم. اگر می‌خواستم گل بچسبانم شبیه بهار می‌شد. غیر از گل چه چیزی نشانه‌ی تابستان بود؟ چیزی به ذهنم نرسید. با خودم گفتم «بعد فکری به حالش می‌کنم.» نه، دلم نمی‌خواست به خانه‌ی سیمونیان‌ها بروم. همان بهتر که دخالت نکنم. به لباس‌ها نگاه کردم و فکر کردم برای تابستان تاجی با شمشاد درست می‌کنم.

۴۶

حیاط مدرسه را تزیین کرده بودند. به درخت‌ها چراغ‌های کوچک رنگی آویزان بود و دیوارها پُر بود از نقاشی بچه‌ها. صحنه‌ی نمایش با پرده‌ی مخمل سبز، ته حیاط جا خوش کرده بود. ردیف صندلی‌ها از جلو صحنه شروع می‌شد و تقریباً تا نزدیک در می‌رسید. آرمن جزو گروه انتظامات بود که پدر مادرها و مهمان‌ها را راهنمایی می‌کردند و مسئول بوفه هم بودند.

نشستم روی صندلی و داشتم با آشناها سلام احوالپرسی می‌کردم که آرتوش زد به شانه‌ام و گفت «مانیا» و به پله‌های کنار صحنه‌ی نمایش اشاره کرد. مانیا از بالای پله‌ها دست تکان می‌داد که «بیا.»

به آرتوش گفتم جایم را نگه دارد و رفتم پشت صحنه. دخترهای گروه کُر با دامن سرمه‌یی و بلوز سفید و پسرها با شلوار سرمه‌یی و پیراهن سفید یکبند حرف می‌زدند و شلوغ می‌کردند و فریادهای آقای ژورا معلم موسیقی که مدام می‌گفت «ساااکت!» فایده نداشت.

مانیا مثل همیشه نگران بود و هیجان‌زده. روبان سرِ دخترک موقرمزی را بست و گفت «بدو سرجایت بایست و این‌قدر هم وول نخور که روبانت دم به ساعت باز شود.» بعد چرخید طرف من. «تو از امیلی سیمونیان خبر نداری؟»

چند روز گذشته آرمینه و آرسینه مدام گفته بودند «امیلی امروز هم

نیامد مدرسه.» «خانم مانیا گفت اگر فردا هم امیلی نیاید باید سیندرلای دیگری پیدا کنیم.» «یکی از کلاس هفتمی‌ها شد سیندرلا.» «به نظر مـا امیلی سیندرلای خوشگل‌تری بود.»

گفتم «خبر ندارم. شنیدم یکی از کلاس هفتمی‌ها را گذاشتی جاش.»

مـانیا دست دخترکی را کـه پـرده‌ی مـخمل را پس زده بود و بـرای جمعیت دست تکان می‌داد کشید و گفت «آهای دم بریده. کی به تو گفت بیایی اینجا؟ بدو برو توی اتاق رختکن تا نوبت برنامه‌ت.» لُپ دخترک را نیشگون گرفت و دخترک با لباس محلی پرچین و رنگارنگ خـنده‌کـنان رفت. مانیا به دوروبر نگاه کرد. «آره، سیندرلای جدید پیدا کـردم.» و دختری را نشان داد که با دامن سبزِ خیلی بلند دم اتاق رختکن ایستاده بود و داشت روسری‌اش را کج به سر می‌بست. «خوشگل‌ست، نه؟» به دختر نگاه کردم که همان لحظه به من نگاه کرد و لبخند زد.

مانیا گفت «بس کـه ایـن هـفته سـرم شـلوغ بـود فـرصت نکـردم بـه سیمونیان‌ها تلفن کنم.» بعد رو به سیندرلای جدید داد زد «ژاسمن خانم. روسری کج بستن نداریم. سیندرلا قبل از رفتن به قصر شاهزاده از ایـن قرتی بازی‌ها درنمی‌آورد.» بعد رو کرد به مـن. «الان مسأله‌ام سیندرلا نیست. بدبختی امشبم شاهزاده‌ست. مادر شاهزاده همین الان تلفن کرد که پسرش سرخک گرفته. حالا نمی‌دانم چه خاکی به سرم بریزم.»

گفتم «حتماً نمی خواهی نقش شاهزاده را بیندازی گردن من.» از مانیا هیچ کاری بعید نبود.

پقی زد زیر خنده. «بد هم نمی‌شد. قد و بالات که بد نیست.» بعد جدی شد. «گوش کن. آرمن سر همه‌ی تـمرین‌ها مـی‌آمد، بـخصوص قـسمت سیندرلا و شـاهزاده. بـعضی وقت‌ها غـلط‌های بـچه‌ها را هـم می‌گرفت. بهتر از آرمن کسی به عقلم نمی‌رسد. فرستادم لبـاس‌های

سرخک گرفته را آوردند. به آرمن می‌خورد. هم‌هیکل‌اند. تا برنامه‌ی گروه کُر و شعرخوانی و رقص تمام بشود ـــ» داشت به ساعت مچی‌اش نگاه می‌کرد. «بعدش هم جایزه‌های شاگرد اول‌ها را می‌دهند و ـــ با این حساب یک ساعت و خرده‌ای وقت داریم. شاید رسیدیم یک دور هم تمرین کنیم. بد فکری نیست، ها؟»

خودم را عقب کشیدم نخورم به بلندگویی که داشتند می‌بردند وسط صحنه و گفتم «بد فکری که اصلاً نیست. اگر آرمن رضایت بدهد.»

مانیا خندید و دست گذاشت پشتم. «تو برو پیداش کن بفرستش اینجا. راضی کردنش با من.»

از وسط ردیف صندلی‌ها که همه تقریباً پر شده بود گذشتم، با این فکر که بعید هم نیست بتواند راضیش کند. هرچند آرمن در یکدندگی و نکردن کاری که نمی‌خواست بکند پدیده‌ای بود، مانیا هم در انجام دادن کاری که می‌خواست بکند اعجوبه بود. یاد چند سال پیش افتادم که کشیش بداخلاق کلیسا را راضی کرده بود در نمایش سال نو نقش اسقف بازی کند.

دنبال آرمن گشتم. کنار بوفه داشت شیشه‌های پپسی و کانادا می‌چید توی یخدان. گفتم برود پشت صحنه پیش مانیا. وقتی که برگشتم سر جایم، نینا کنار آرتوش نشسته بود. کیفش را از روی صندلی خالی برداشت. «بیا. جا نگه داشتم. حالا بگو ببینم چه خبرشده؟» گفتم «گارنیک کو؟» تند گفت «برای چند روز رفته اهواز مأموریت. تلفن سیمونیان‌ها چرا جواب نمی‌دهد؟» دوروبر را نگاه کردم. ویولت نبود.

نینا آستینم را کشید. «حواست کجاست؟ گفتم تلفنشان جواب نمی‌دهد. ویولت شده عین سگ تیر خورده. هر کار کردم با ما نیامد. ماند خانه منتظر تلفن امیل.»

نورافکن‌های رو به صحنه روشن شدند و نینا مجبور شد همراه جمعیت ساکت شود. پرده کنار رفت و مانیا آمد پشت بلندگو و خیر مقدم گفت. نگاهم به مانیا، فکر کردم اگر جواب تلفن نمی‌دهند پس شاید واقعاً اتفاقی افتاده. یعنی واقعاً مریض بودند؟ کاش سر زده بودم. چرا خودشان تلفن نکردند؟

خیرمقدم تمام شد و همه دست زدیم. وازگن هایراپتیان آمد پشت بلندگو و سخنرانی کرد و گزارش سالانه‌ی مدرسه را داد. چرا باید تلفن می‌کردند؟ گروه کُر سرود خواند. سرودهایی که هر سال خوانده می‌شد. *کوه‌های بلند وطنم*، *خداحافظ مدرسه‌ی عزیز* و قسمت کوتاهی از اُپرای *آنوش*. از حماقت خودم دلخور بودم یا از امیل و مادرش؟ آرمینه و آرسینه بهار شدند و پاییز و تابستان و زمستان و شعر را بی‌غلط خواندند. یادم آمد به عکاس جشن نگفتم عکس بگیرد. چرا باید از امیل دلگیر باشم؟ یا از مادرش؟ پسربچه‌ای وقت آمدن پشت بلندگو، پایش گرفت به سیم و نزدیک بود بخورد زمین و همه اول نگران شدیم و بعد که پسرک از روی صحنه رو به پدر مادرش داد زد «تقصیر من نبود.» خندیدیم و شعرش که تمام شد برایش بیشتر از بقیه دست زدیم.

یک ربع تنفس اعلام کردند و نینا باز شروع کرد. «ویولت حق داشت. همه‌ی آتش‌ها را این کوتوله خانم روشن کرده. حسودیش شده. به خوشگلی ویولت، به جوانیش، به این که امیل عاشقش شده. حالا به نظر تو چکار کنیم؟ تو باید کمک کنی. باید با مادرش حرف بزنی. باید ــــ»

می‌خواستم داد بزنم «ولم کن!» که آرتوش بازویم را گرفت «بیا، کارِت دارم.»

رفتیم طرف بوفه. آرتوش از دختری که بازوبند قرمز انتظامات داشت، نوشیدنی خرید داد دستم. نوشیدنی شیرین حالم را بهتر کرد.

دخترک گفت «سـلام خـانم آیوازیـان. آرمـن را بـا لبـاس شـاهزاده دیدید؟»

نگاهش کردم و یادم آمد که چند بار با آرسینه و آرمینه آمده بود منزل ما. آرمن اسمش را گذاشـته بـود روبینا چـاقالو. لبـخند زدم. «خـوبی، روبینا؟»

چشم‌ها را بست و گفت «عین شاهزاده‌ی واقعی شده.» بعد چشم‌ها را باز کرد، چند بار پلک زد و رفت طرف مردی که سه بار گفته بود «دوتـا ساندویچ کالباس، لطفاً.»

چرخیدم طرف آرتوش. «چکارم داشتی؟»

با یکی از معلم‌ها دست داد و احوالپرسی کرد و بعد گفت «هیچ کار. می‌خواستم از دست نینا خلاصت کنم.»

وازگن هایراپتیان جایزه‌ی شاگردهای ممتاز را داد. آرمینه و آرسینه هر دو جایزه گرفتند و دویدند پیش ما. آرسینه نشست بغل من و آرمینه بغل آرتوش و جایزه‌ها را که کتاب بود نشان دادند. کتاب آرمینه ترجمه‌ی ارمنی سفرهای گالیور بود و مال آرسینه ترجمه‌ی لرد فونتلروی کوچک. نینا توی صندلی وول می‌خورد و می‌خواست حرف بزند و فرصت نمی‌شد. چراغ‌های حیاط خاموش شد، پرده کنار رفت و نمایش سیندرلا شـروع شد.

آرمن و دختری که دیده بودم و اسمش را مـانیا گفته بـود و یادم نمانده بـود، نقش شاهزاده و سیندرلا را آنقدر خـوب بازی کردند کـه همه سه‌بار دست زدند و هورا کشیدند. آرمن بـا شلوار کشیِ سیاه و نیمتنه‌ی یراق‌دوزی طول و عرض صحنه را چنان می‌رفت و مـی‌آمد کـه انگار در قصری واقعی قدم می‌زند و وقتی که به سیندرلا تـعظیم کرد و باهم رقصیدند فکر کـردم «اینها را از کجا یاد گرفته؟» فکر کـرد «این

همان "طفلک کوچولو"ست؟» فکر کردم «این همه سال کی گذشت؟»

شورلت که با اولین استارت روشن شد آرمن و دوقلوها گفتند «زنده باد شِوی جان.» و آرتوش گفت «حالا باشگاه شام می‌خوریم و شاگرد ممتاز شدن دخترها و هنرپیشه شدن پسرمان را جشن می‌گیریم.» بچه‌ها گفتند «جانمی جان.» همراهشان خندیدم و یادم رفت به نینا قول داده‌ام تا رسیدم خانه بروم سراغ سیمونیان‌ها.

از مدرسه تا باشگاه گلستان دوقلوها یکبند از جشن گفتند و از اتفاق‌های توی رختکن و پشت صحنه. از بازی برادرشان که تعریف کردند آرمن گفت «خیلی هم کار سختی نبود.»

رسیدیم و داشتیم از در باشگاه می‌رفتیم تو که آرمینه رو کرد به من. «به آقای عکاس گفتی از ما عکس بگیرد؟»

آرسینه گفت «گفتی خیلی زیاد عکس بگیرد؟»

معذب دنبال جواب می‌گشتم که آرتوش گفت «من گفتم.» و دست در دست دوقلوها که دو طرفش بالا پایین می‌پریدند رفت طرف تالار غذاخوری. چند لحظه ایستادم و از پشت سر نگاهش کردم.

تالار غذاخوری شلوغ نبود. پشت میز نشسته بودیم و صورت غذا را می‌خواندیم که صدای زیری گفت «شب بخیر.» پاپیون خانم نوراللهی آبی کمرنگ بود با گل‌های ریز قهوه‌یی.

آرتوش بلند شد صندلی تعارف کرد و خانم نوراللهی گفت «مزاحم نیستم؟ دیدم آمدید، گفتم سلامی عرض کنم. داشتم با آقای سعادت ترتیب سخنرانی جمعه‌ی آینده را می‌دادم.» دست کشید روی سر دوقلوها و به آرمن لبخند زد. آرتوش گمانم از سر ادب موضوع سخنرانی

را پرسید. خانم نوراللهی گفت "تاریخچه‌ی حقوق زن"، و به من نگاه کرد. «حتماً فرصت ندارید، وگرنه خوشحال می‌شدم تشریف می‌آوردید.» باز دست کشید به سر دوقلوها و خداحافظی کرد و رفت.

غذا که سفارش دادیم آرمینه گفت «ماما، حقوق زن یعنی چی؟» آرسینه تکرار کرد. «حقوق زن یعنی چی؟» صورت غذا را برگرداندم به پیشخدمت و گفتم «بزرگ شدید می‌فهمید.»

به خانم نوراللهی نگاه کردم که دم در تالار اجتماعات با آقای سعادت حرف می‌زد. یادم آمد که از پارچه‌ی لباس خانم نوراللهی من هم بلوز دامن دارم. آرتوش چیزی گفت و بچه‌ها خندیدند. آرمن گفت «شنیدی ماما؟» گفتم «الان برمی‌گردم.» و از جا بلند شدم.

خانم نوراللهی انگار منتظرم باشد از دوباره دیدنم هیچ تعجب نکرد. وقتی که پرسیدم برای انجمنشان چه کاری از دستم بر می‌آید، نگاهم کرد، لبخند زد و گفت «خیلی کارها. جمعه باهم حرف می‌زنیم.» گفتم «جمعه باهم حرف می‌زنیم.» و برگشتم سر میز.

دم در خانه از ماشین که پیاده شدیم نگاه من و دوقلوها چرخید آن طرف خیابان. آرتوش شورلت را گذاشت توی گاراژ و آرمن لباس‌های زمستان و تابستان و پاییز و بهار را از صندوق عقب بیرون آورد. درِ فلزی حیاط جی ۴ چارتاق باز بود.

آرمینه یواش گفت «ماما، فردا به امیلی سر بزنیم؟»

آرسینه با التماس گفت «تو را به خدا اجازه بده سر بزنیم.»

موهای فرفری هر دو را نوازش کردم. «فردا حتماً سر می‌زنیم.»

۴۷

از خواب که بیدار شدم آفتاب افتاده بود توی آینه‌ی میز آرایش. یادم آمد آرتوش وقت رفتن دمِ گوشم گفته بود «بخواب. بچه‌ها که مدرسه ندارند.» دست‌ها را پشت سر قلاب کردم و توی آینه به بازی نور و سایه نگاه کردم. از حیاط صدای جیک‌جیک گنجشک‌ها می‌آمد. بلند گفتم «امروز دیرتر از شما بیدار شدم.» و با خودم خندیدم.

از جیک‌جیک گنجشک‌ها بود یا بازی نور در آینه یا خنکی اتاق‌خواب که حالم خوش بود؟ هرچی بود خوب بود. حالم خوب بود. ملافه را پس زدم و بلند شدم.

گنجه را باز کردم. به لباس‌هایی نگاه کردم که معمولاً توی خانه می‌پوشیدم. بعد به لباس‌هایی که کم می‌پوشیدم. لباس رکابی گلداری را درآوردم که چندبار بیشتر نپوشیده بودم چون مادر و آلیس گفته بودند «سر و سینه‌اش زیادی بازست.» جلو آینه مو شانه کردم و دو دستم را به هم مالیدم. از خشکی پوست خبری نبود.

راه افتادم طرف آشپزخانه و بلندبلند سطری از نمایش سیندرلا را تکرار کردم که آرمن شب قبل با حرکات سر و دست اجرا کرده بود: «این زیبای نازنین کیست که می‌آید؟ آه، دختر رویاهای من.» با صدای بلند خندیدم و به اتاق دوقلوها سر زدم. تختخواب‌ها خالی بود. رفتم اتاق آرمن. تختخواب خالی بود. روی میز آشپزخانه سه لیوان نیمه‌خالی شیر

بود. لیوان‌ها را جمع می‌کردم و فکر می‌کردم کجا هستند که سه‌تایی سررسیدند.

آرمینه گفت «توی جی ۴ هیچ‌کس نیست.»

آرسینه گفت «نه امیلی هست، نه پدرش، نه مادربزرگ.»

آرمن گفت «گمانم اسباب‌کشی کردند.»

یکی از لیوان‌ها از دستم افتاد روی موزاییک.

دوقلوها داد زدند «وای!» و پریدند عقب.

آرمن جلو آمد. «طوریت نشد؟»

گفتم «من طوریم نشد. شماها مواظب باشید.» و جارو خاک‌انداز را از گوشه‌ی آشپزخانه برداشتم. کجا رفتند؟ چرا رفتند؟ کی رفتند؟ دوقلوها یکی در میان حرف می‌زدند.

«لابد امیلی خیلی مریض بوده، بردند تهران بیمارستان.»

«پس اسباب‌ها کو؟»

«شاید مادربزرگ مریض شده.»

«پس اسباب‌ها کو؟»

«حتماً دیروز که ما رفته بودیم جشن اسباب‌کشی کردند.»

آرمن دو تکه شیشه از زمین برداشت انداخت توی سطل زباله و به دوقلوها گفت «چقدر حرف می‌زنید. بیرون. تا زخم و زیل نشدید.»

عصر که آرتوش آمد همین‌قدر می‌دانست که امیل استعفا داده. این که چرا استعفا داده یا کجا رفته کسی نمی‌دانست.

سرِ شام بودیم که تلفن زنگ زد. آرمن از جا پرید. «من برمی‌دارم.» دوقلوها به هم نگاه کردند و بی‌صدا خندیدند و وقتی که پرسیدم «باز چه خبر شده؟» جدی شدند و باهم گفتند «هیچی.»

آرمن به آشپزخانه برگشت و به من گفت «خاله نینا.»

صدای نینا برخلاف همیشه شاد و زنگدار نبود. «دیدی چه خاکی به سرم شد؟ مرتیکه بی‌خبر گذاشته رفته و ویولت از صبح مثل دیوانه‌ها توی خانه می‌چرخد و گریه می‌کند و به زمین و زمان بد و بیراه می‌گوید. خدا را شکر گارنیک تا پس‌فردا نیست. ولی وقتی که برگشت چی؟ اگر این دختره بلایی سر خودش آورد جواب مادرش را چی بدهم؟ ماندم چه غلطی بکنم.»

سعی کردم آرامش کنم و پرسیدم «حالا واقعاً قضیه این‌قدر جدی بوده؟» و فوری از سؤالم پشیمان شدم. اگر قضیه جدی نبود خانم سیمونیان خانه و زندگی را به هم نمی‌زد و نمی‌رفت. نینا جزییات حرف‌های امیل به ویولت و ویولت به امیل را تعریف می‌کرد و من فکر می‌کردم تا حالا چندبار مادر به خاطر پسر از این شهر به آن شهر شده؟ هربار همین قدر ناگهانی بوده؟ نبوده؟ کار درستی کرده؟ کار درستی نکرده؟ شاید هم اگر امیل با ویولت ازدواج می‌کرد بد نمی‌شد. یا شاید بد می‌شد. نباید دخالت می‌کرد. شاید هم پسرش را می‌شناخت و باید دخالت می‌کرد. صدای نینا از این همه باید و شاید نجاتم داد. «سوفی چند روزی پیش تو بماند؟ مجبورم با ویولت بروم تهران.»

گفتم البته که سوفی پیش ما بماند و اگر کار دیگری از دستم ساخته است خبرم کند. نینا با حواس‌پرتی تشکر کرد و خداحافظی کرد و گوشی را گذاشت.

گوشی را که گذاشتم آرتوش و آرمن از آشپزخانه بیرون آمدند. آرمن گفت «شِوی جان باز مریض شده. دکتر می‌بریم بالاسرش.» و با آرتوش رفتند گاراژ. تکیه دادم به میز تلفن و فکر کردم ناگهان آمدند و ناگهان رفتند. مثل باران آبادان که تا می‌آمدی فکر کنی می‌بارد، دیگر نمی‌بارید.

فکر کردم کاش می‌شد ماجرای امیل و ویولت به گوش آلیس و مـادر نرسد. حوصله‌ی اظهار نظرهای آلیس و "من از اول می‌دانستم"های مادر را نداشتم. صدای حرف زدن دوقلوها از آشپزخانه می‌آمد.

«یادت هست گفت گوجه‌فرنگی پرت کنیم به آقای ژورا؟»

«آره. خوب شد گوش نکردیم.»

«ولی خودش که پرت کرد. بعد انداخت گردن کلاس هشتمی‌ها.»

«آره. توی ناهارخوری هم صندلی را مخصوصاً از زیر روبینا کشـید. بعد گفت از قصد نکردم. ولی از قصد کرد، نه؟»

«آره. از قصد کرد. سوراخ راحتی هم کار خودش بود، نه؟»

«آره. اصلاً به خاطر آرمن بـا مـا دوست شـد. هیچ هـم راپونزل را دوست نداشت.»

«حیف از لباس قرمز راپونزل که قیچی کرد. چرا گذاشتیم؟»

«برای این که گفت لباس قشنگی نیست.»

«لباس سفید آستین‌پفی خودش را هم قیچی کرد.»

«یاد داد توی حیاط مدرسه داد بزنیم "مارگریتا، عین چیتا".»

«کار بدی کردیم.»

«کار بدی کردیم.»

۴۸

بچه‌ها با سوفی استخر بودند و آرمن منزل دوستش بود. منتظر مادر و آلیس بودم که شب قبل دیروقت از تهران برگشته بودند.

تلفن زنگ زد. گوشی را برداشتم و توی آینه‌ی راهرو به خودم نگاه کردم. به نظرم می‌آمد یا کمی چاق شده بودم؟ چند بار گفتم اَلو و بله و بفرمایید و کسی جواب نداد. گوشی را گذاشتم و در را برای مادر و آلیس باز کردم. مادر صورتم را بوسید و آلیس محکم بغلم کرد و گفت «چه خوشگل شدی. انگار یک هوا چاق شدی، نه؟ عوضش من لاغر شدم. ببین.» و توی راهرو یک دور کامل چرخید. راست می‌گفت، لاغر شده بود. نفهمیدم از لاغر شدنش بیشتر تعجب کردم یا از سلام احوالپرسی و ماچ و بوسه‌ی گرمش.

رفتیم آشپزخانه و مادر و آلیس بسته‌های **پِرُک** و **گاتا** را که از تهران خریده بودند گذاشتند روی میز. آلیس روی پا بند نبود. قهوه‌جوش را از دستم گرفت و گفت «من درست می‌کنم.» قهوه درست کرد و تعریف کرد.

«تصمیم گرفتیم همین‌جا عروسی کنیم. کارت‌های دعوت را به چاپخانه‌ی دوست آقای داوتیان سفارش دادم. راستی، داوتیان خیلی سلام رساند. چه مرد نازنینی. اگر سفارش نمی‌کرد کارت‌ها به‌موقع حاضر نمی‌شد. کیک را همین‌جا به نگرو سفارش می‌دهم. حالا حدس بزن چی از تهران خریدم.»

قهوه‌جوش را از روی اجاق برداشت، گذاشت روی پیشخوان و چرخید طرفم. دست‌ها را از هم باز کرد، سر کج کرد و لبخند زد. «لباس عروس.»

مادر زد زیر خنده و من از ته دل خندیدم.

این بار من بودم که رفتم طرف خواهرم. بغلش کردم و بوسیدمش و گفتم «خیلی خیلی مبارک.» صبح به برنامه‌ریزی جشن عروسی و نوشتن اسم مهمان‌ها گذشت.

دوقلوها و سوفی که برای ناهار برگشتند، آلیس هر سه را بغل کرد و گفت باید ینگه‌ی عروس بشوند و لباس‌های آبی و صورتی بپوشند.

آرمینه گفت «خاله، اول تو عروسی می‌کنی یا خاله ویولت؟» و با آرسینه و سوفی منتظر به آلیس نگاه کردند. آلیس و مادر به من نگاه کردند.

من و من کردم. «عروسی خاله ویولت عقب افتاده، یعنی ـــــ»

سوفی اوضاع را بدتر کرد. «پس برای همین خاله ویولت دیروز و پریروز همه‌اش گریه می‌کرد؟»

آرسینه و آرمینه باهم گفتند «گریه می‌کرد؟»

سوفی به من نگاه کرد. مردد که بگوید یا نگوید و بالاخره گفت. «هم گریه می‌کرد، هم می‌گفت تمامش تقصیر این عجوزه‌ست.»

آرمینه گفت «عجوزه یعنی چی؟»

آرسینه گفت «یعنی کوتوله.»

آلیس از جا بلند شد. برای بچه‌ها شیرینی گذاشت توی بشقاب و گفت «معنی عجوزه کوتوله نیست. گفتن هیچ‌کدام هم قشنگ نیست. شیرینی ببرید با عروسک‌ها مهمان‌بازی کنید.»

وقت بیرون رفتن از آشپزخانه، آرسینه دست انداخت گردن سوفی.

«بد هم نشد. عروسی که بالاخره داریم، لباس ینگه هم می‌پوشیم، تو هم که می‌مانی پیش ما. نه آرمینه؟»

آرمینه گفت «آره. خدا کند خاله نینا به این زودی‌ها برنگردد.» و سه‌تایی خنده‌کنان رفتند.

مادر نگاهم کرد. «چه خبر شده؟» آلیس تکیه داده بود به میز.

تعریف کردم. ساکت که شدم مادر گفت «از روز اول نگفتم این زن دیوانه‌ست؟ نگفتم پسرش هم عین خودش دیوانه‌ست؟ دروغ می‌گم بگو دروغ می‌گی.»

آلیس با نخ دور بسته‌ی ***گاتا*** ور می‌رفت. «بیخود به مردم تهمت نزن. ما که نمی‌دانیم چی شده؟ به هر حال به ما مربوط نیست، ولی ــــ طفلک ویولت.»

به آلیس نگاه کردم. انگار بار اول بود می‌دیدمش. از وقتی که خواهرم را می‌شناختم مثل آب خوردن به مردم تهمت می‌زد و در مورد کوچک‌ترین جزییات زندگی همه اظهار نظر می‌کرد و حکم صادر می‌کرد و حالا ــــ «به مردم تهمت نزن؟» «به ما مربوط نیست.» و «طفلک ویولت؟» حس کردم یوپ را خیلی دوست دارم.

تلفن زنگ زد و آرمن که نفهمیده بودم کی برگشته از اتاقش بیرون پرید که «برداشتم.» بعد آمد به آشپزخانه. «آقا هلندی با خاله آلیس.»

آلیس دست انداخت گردن آرمن و گونه‌اش را بوسید. «اول این که سلامت را قورت دادی، دوم این که آقا هلندی یعنی چی؟ بعد از این می‌گویی عمو یوپ.» و خندان رفت به راهرو. آرمن چند بار گفت «عمو یوپ.» خندید و مادربزرگش را بوسید. مادرم گونه‌ی نوه‌اش را نوازش کرد. «کاش عروسی تو را هم ببینم.»

۴۹

برای عروسی آلیس نینا پابه‌پا کمکم کرد. ترسم از این که یکبند از ویولت حرف بزند بیخود بود. بعد از برگشتن از تهران یک کلمه هم از ویولت نگفته بود.

شب قبل از عروسی بود و آرتوش و گارنیک بچه‌ها را برده بودند *آنِکس* ماهی برشته بخورند. با نینا پشت میز آشپزخانه نشسته بودیم و برای مهمان‌های عروسی بسته‌های نُقل یادگاری درست می‌کردیم. نُقل‌های رنگی را می‌ریختیم توی تورهای چارگوش کوچک که مادر گلدوزی کرده بود و با بندینک‌های ساتن سر تورها را گره می‌زدیم. روی یک سر بندینک نوشته شده بود "آلیس و یوپ" و روی سر دیگر تاریخ عروسی چاپ شده بود.

آلیس گفته بود «شب زود بخوابم که فردا سر حال باشم. اگر بخوابم.» و مادر قرار بود به قول یوپ که همه‌ی جزییات مراسم عروسی برایش جالب بود "قرمز و سبز" بدوزد. رسم ارمنی‌های جلفا بود که در مراسم ازدواج دو نوار پهن ساتن قرمز و سبز می‌انداختند روی شانه‌های عروس و داماد و کشیش که دعای تبرک می‌خواند، ساقدوش چند بار جای نوارها را باهم عوض می‌کرد. نوار سبز نشانه‌ی خوشبختی و نعمت بود و نوار قرمز نشانه‌ی عشق. آرتوش بی‌هیچ غرولندی قبول کرده بود ساقدوش عروسی آلیس و یوپ باشد.

نینا شربت آلبالو می‌خورد و زیر لب آوازی زمزمه می‌کرد.

بالاخره طاقت نیاوردم. «از ویولت چه خبر؟»

پوفی کرد و شانه بالا انداخت. بندینک بسته‌ی نقل را محکم کرد و بسته را گذاشت توی سبدی که دورتادورش گل مصنوعی چسبانده بودیم. شربت را تا ته خورد و یخ‌ها را توی لیوان چرخاند. «تا زنده‌ای چیز یاد می‌گیری. طبق معمول هوچی‌بازی درآورده بودم و بیخودی نگران شده بودم.» لیوان را گذاشت روی میز و یکی از تورهای چارگوش را برداشت. «تهران که رفتیم دو سه روزی اشک ریخت و چینی‌های مادر بدبختش را شکست تا برادر همسایه‌ی طبقه بالا را دید. سر و کله‌ی پسره که پیدا شد، آرام گرفت و باز شد همان ویولت که همه می‌گویند طفلک، چه معصوم و بیگناه. در ضمن تیگران را فرستادم خوابگاه دانشگاه. خطر منزل خاله جان خیلی بیشتر از خطر خوابگاه بود. یکی از آن روبان‌ها را بده.»

یکی از روبان‌ها را دادم و نینا گفت «یادت هست گفتم ویولت یک کمی شبیه توست؟ به قول مادرت، به من بگو خر.» و زد زیر خنده.

بسته‌ی نقل را گذاشتم توی سبد و فکر کردم «نه، به من بگو خر.»

نینا روبان را دور بسته گره زد و خیره شد به پنجره. نمی‌خندید. از جایی که نشسته بودیم گل‌نخودی‌ها خوب معلوم نبودند. گفت «حرف مادر شد. فکرش را کردی بعد از رفتن آلیس ــــ»

به پنجره نگاه کردم. این چند هفته سعی کرده بودم فکر نکنم که بعد از رفتن آلیس ــــ با روبان بسته‌ی توی دستم ور رفتم. «نمی‌دانم.»

نینا بسته‌ی نقل را گذاشت توی سبد. «با مادر حرف نزدی؟»

بسته‌ی نقل را گذاشتم توی سبد. «نه هنوز.»

دوباره به گل‌نخودی‌ها نگاه کرد. «خُب، شاید بعد از عروسی، ها؟»

به بسته‌ها نگاه کردم و سر تکان دادم. «بعد از عروسی.»

۵۰

چند روز از ازدواج آلیس و یوپ و رفتنشان به هلند می‌گذشت.

وقت بدرقه در فرودگاه، یوپ گونه‌ام را بوسید و گفت «کلاریس، تشکر می‌کنم از شما برای زحمت‌ها. مطمئن باشید آلیس را خوشبخت بسازم. مادرم و خاله‌ام خواسته‌اند آلیس را خوشبخت بسازم.» روز عروسی، بزرگ‌ترین سبد گل از طرف مادر و خاله‌ی یوپ بود. لاله‌های سرخ و سفید هلندی. آرتوش گفت «از آن ده‌کوره چطور اینها را فرستادند آبادان؟»

با نینا روی تاب نشسته بودیم. آرمن دم در حیاط به دوچرخه‌اش ور می‌رفت. دوقلوها و سوفی قایم‌موشک بازی می‌کردند. سوفی گفت «چشم گذاشتن از کی؟ پِشک بیندازیم.» سه‌تایی رو به هم ایستادند و سوفی به ترتیب به سینه‌ی هر سه زد و خواند «آن - مان - ناوارا - دو - دو - اسکاچی ــــ»

نینا گفت «بالاخره نفهمیدم این مثلاً شعری که وقت پِشک انداختن می‌خوانند یعنی چی؟» بعد به آشپزخانه اشاره کرد. «پس با مادر حرف زدی. آره؟» موی سفید مادر از پنجره‌ی آشپزخانه معلوم بود. گفتم «آره».

دخترها دویدند طرف حیاط پشتی. نینا پا زد و تاب تکان خورد. «آرتوش غُر نزد؟» به درختچه‌ی ارغوان یا وَن یا زبان‌گاوی سوم نگاه

کردم که چند وقت بود اسم نداشت. بعد از حمله‌ی ملخ‌ها و دوباره جوانه زدن، حسابی جان گرفته بود و بیشتر از درخت‌های آرمینه و آرسینه گل داده بود. پا زدم و تاب تکان خورد. «غر که نزد هیچ خودش پیشنهاد کرد.»
نینا خم شد طرفم. «جدی؟»

شب قبل از عروسی تا خواسته بودم حرف مادر و تنهایی‌اش را بعد از رفتن آلیس پیش بکشم، آرتوش که داشت شلوار توی گنجه آویزان می‌کرد گفته بود «مادر از کی می‌آید پیش ما؟»

نینا غش‌غش خندید. «من یکی سر از کار شوهر تو در نیاوردم. یک وقت برج زهر مار، یک وقت هم این‌قدر ——» صدای بوق ماشین گارنیک از خیابان آمد. نینا گفت «فقط با وسواس‌ها و غُرغُرهای مادر، خدا به دادت برسد.» بعد داد زد «سوفی بدو، پدرت آمد.» ایستاد و شلید طرف راه‌باریکه. «وای! پام خواب رفت.» رو کرد طرف پنجره‌ی آشپزخانه. «خانم وسکانیان، خداحافظ.» بعد برگشت طرف من و یواش گفت «شاید هم یک قاشق چایخوری غرغر و وسواس بد نباشد، ها؟» از روی تاب بلند شدم و راه افتادم و فکر کردم «یک قاشق چایخوری یا صد ملاقه؟»

مادر از پنجره سر بیرون کرد. «کجا نینا؟ بمانید. قرمزپلو درست کرده‌ام.»

دوقلوها که همراه سوفی عرقریزان از حیاط پشتی سر رسیده بودند بالا پایین پریدند. «سوفی بماند پیش ما.» «خاله نینا، تو را به خدا سوفی بماند پیش ما.»

سوفی نِق زد «قرمزپلو خیلی دوست دارم.»

نینا به بچه‌ها نگاه کرد. بعد به من که گفتم «تو برو به خریدت برس.» نینا دوباره به بچه‌ها نگاه کرد. «از دست شما وروجک‌ها. از پریشب باهم بودید، بس نیست؟» بعد به مادر گفت «برای تهران کلی سوغاتی باید

بخرم وگرنه قرمزپلو شما که حرف ندارد.» استانبولی‌پلو یا به قول ارمنی‌ها "قرمزپلو" مادر واقعاً حرف نداشت.

با نینا تا دم در فلزی رفتم و برای گارنیک دست تکان دادم. به آرمن که هنوز به دوچرخه ور می‌رفت گفتم «درست نشد؟» سر تکان داد. «دوچرخه‌ی عهد بوق کجا به این زودی درست می‌شود؟» گفتم «عهد بوق یعنی پارسال؟» نگاهم کرد. «پارسال یعنی عهد بوق.» و خندید. موهایش ریخته بود روی پیشانی.

تا برگشتم به حیاط دوقلوها و سوفی از خانه بیرون دویدند. توی دست آرمینه کتابی بود. «ماما، آخرش را می‌خوانی؟» آرسینه گفت «خودت قول دادی بخوانی.» سوفی گفت «دیروز قول دادی خاله. زشت و قولش.» سه‌تایی خندیدند و چهارتایی خودمان را توی تاب جا دادیم.

آخرین صفحه‌ی *لرد فونتلروی کوچک* را که خواندم و کتاب را که بستم سوفی گفت «حیوونکی پسر کوچولو.»

آرسینه گفت «چرا حیوونکی؟»

آرمینه گفت «آخرش که خوب تمام شد.»

سوفی گفت «آره، ولی اولش خیلی بدبختی کشید.»

از راهرو صدای زنگ تلفن آمد. دوقلوها و سوفی به آرمن نگاه کردند و وقتی که دیدند نمی‌شنود، آرمینه از جا پرید و دوید طرف خانه. سوفی گفت «صبر کن،» و دنبال آرمینه دوید. آرسینه روی جلد کتاب را نگاه کرد و گفت «کاش آخر همه‌ی قصه‌ها خوب تمام می‌شد.»

آرمینه از دم درِ خانه داد زد «آرمن. تلفن. ژاسمن.»

سوفی تکرار کرد «آرمن. تلفن. ژاسمن.»

آرمن دوچرخه را انداخت و راه‌باریکه را دوید و رفت تو.

چرخیدم طرف آرسینه. «ژاسمن؟»

آرسینه پا زد و تاب تکان خورد. نگاهم کرد و خندید. «یادت نیست؟ سیندرلا.» بعد کتاب را برداشت، از تاب پایین پرید و دوید طرف آرمینه و سوفی که از دمِ در خانه اشاره می‌کردند «بیا.»

صدای مادر از راهرو آمد. «باز با کفش گِلی زدید توی خانه؟»

از این طرف در توری به اندام نحیفش نگاه کردم که با موی سفید و لباس سیاه راهرو را جارو می‌زد. ماندن مادر پیش ما حتماً کمک بزرگی بود. کمک بزرگی بود و با این حال ۔۔۔ مادر قالیچه‌ی کف راهرو را آورده بود بیرون و می‌تکاند.

باد ملایمی آمد که برای آن وقت سال در آبادان عجیب بود. پا زدم و تاب تکان خورد. داشتم فکر می‌کردم برای سفر به تهران چه لباس‌هایی بردارم و سوغاتی چی بخرم که پروانه‌ای از جلو صورتم گذشت. سفید بود با خال‌های قهوه‌یی. تا فکر کنم «چه پروانه‌ی قشنگی،» یکی دیگر دیدم و بعد یکی دیگر و ۔۔۔ هر هفت هشت تا رفتند نشستند روی بوته‌ی گل سرخ.

گفته بود «پروانه‌ها هم مهاجرت می‌کنند.» به آسمان نگاه کردم. آبی بود. بی حتی یک لکه ابر.